Poesía castellana de la Edad Media

Clásicos Taurus - 11

Clásicos Taurus

Directores:
Alberto Blecua, Guillermo Carnero y Pedro Cátedra

Poesía castellana de la Edad Media

**Edición de Francisco López Estrada
y María Teresa López García-Berdoy**

Clásicos Taurus

Taurus Ediciones
© 1991, Francisco López Estrada y M.ª Teresa López García-Berdoy
© 1991, Santillana, S. A.
Elfo, 32. 28027 Madrid
ISBN: 84-306-0143-0
Depósito legal: M. 35.838-1991
Printed in Spain

Diseño: Zimmermann Asociados, S. L.

ÍNDICE GENERAL

III

POESÍA SENTENCIOSA

IV

LÍRICA TRADICIONAL

V

LÍRICA CANCIONERIL

VII

POESÍA DE ARTE MAYOR

VII

LOS SONETOS DEL MARQUÉS DE SANTILLANA

VIII

ROMANCERO MEDIEVAL

*En memoria de los maestros que nos en-
señaron a leer la literatura con amor y ciencia, y con la esperanza de que los estudiantes
prosigan con igual empeño su preparación
para este fin.*

NOTA PREVIA

1. EXPLICACIÓN

Elegir los textos para una Antología de un período es siempre una labor aventurada; nunca cabe todo lo que quisiéramos incluir en ella, y su comentario resulta de difícil orientación. Un primer propósito nos queda claro: queremos que la Antología cumpla con una misión pedagógica, y que la lectura de los textos elegidos y su comentario sirvan para que las obras cobren significación poética en el marco histórico de la literatura de la Edad Media. Entendemos que muchas de las obras literarias medievales pierden parte de su significación y sentido poético, y son objeto de interpretación errónea, si el lector no se encuentra orientado sobre cómo fueron percibidas en su origen; en esta Antología intentaremos ofrecer los datos convenientes para este fin, aun declarando previamente que siempre se trata de una reconstrucción asegurada en la historia literaria. Y esto lo hacemos contando con que, por otra parte, el lector de nuestro tiempo incorpora esta experiencia poética del pasado a su formación y gustos actuales.

Para reunir esta Antología y comentar los fragmentos escogidos, hemos aprovechado el cañamazo previo de otra semejante, publicada en 1984[1]. Ahora somos dos los autores y contamos con la experiencia en grados distintos de la enseñanza. Agradecemos las reseñas que se hicieron a la primera Antología, y hemos procurado aprovechar las críticas para reforzar los distintos aspectos de la obra de una manera positiva.

Entendemos, en principio, que este libro, asegurado sobre las diversas disciplinas de la filología, trata de ser un complemento de las Historias de la literatura en un camino que quiere conducir a la lectura total de las obras y autores que aquí se muestran antológicamente. De ahí que comencemos por referirnos a las diversas formas de acceso a estas obras y su peculiar presentación impresa. El estudiante tiene que habituarse a su diversidad y conocer los motivos del editor y el criterio elegido en cada caso, resultado de una técnica determinada con un fin previsto. Por eso se ha reunido en este libro la demostración de una diversidad de ediciones respetando el aspecto que dieron a las mismas los que las realizaron. Entendemos que la edición de un texto medieval es un punto de partida básico, mucho más complejo que el que se aplica para la edición de los textos de las épocas posteriores, admitiendo de todas maneras que cada época tiene sus planteamientos propios. Con esto no queremos negar la oportunidad de las ediciones modernizadas, propias para determinadas ocasiones y lectores; nuestra intención es con este libro verificar un acercamiento «científico» a los textos medievales, con todas las implicaciones filológicas del caso.

Hemos acomodado el desarrollo de la Antología a las condiciones generales de la Colección «Clásicos Taurus» teniendo en cuenta la variedad de las manifestaciones literarias de la época medieval. Este desarrollo es de orden histórico, y se establece mediante la sucesiva agrupación genérica de las obras; un breve prólogo informa sobre las

---

[1] López Estrada, Francisco (ed.), *Poesía medieval castellana,* Madrid, Taurus, 1984 (vol. 153 de la colección «Temas de España»).

características de cada grupo. Siguen luego los textos elegidos[2], cuya variedad hemos ampliado en algunos casos (pues en la edición de *Poesía medieval castellana* López Estrada había evitado las obras más accesibles), y reducido en otros (para dar cabida a esta mayor variedad). El comentario del texto se esparce por tres lugares: en el pie, donde se explican concisamente las palabras difíciles para un lector actual; ha sido una labor empeñada trasladar el significado de una palabra antigua al léxico de hoy, y muchas veces tiene que ser de una manera aproximada; la palabra antigua implica un campo semántico que hay que matizar con el contexto escrito y la circunstancia de la época, y eso cabe difícilmente en un solo término. Hemos repetido alguna de estas aclaraciones a unas mismas palabras, si estaban en poemas diferentes. A pie de página es donde damos las explicaciones de los nombres y de los términos o situaciones que requieren comentario para el mejor entendimiento del texto. Y, finalmente, para completar la percepción filológica de cada poesía, van: a) la indicación de la procedencia del texto y el criterio aplicado por el editor; b) las notas de poética y crítica literarias expuestas para enmarcar la inteligencia literaria de la obra en cuestión.

Reunimos esta Antología y escribimos los comentarios a la misma con el propósito de que sirvan para la formación de los estudiantes de la literatura medieval; ofrece para ellos una primera práctica de lecturas que les permita después moverse ágilmente por entre cualquier obra de este campo histórico. El criterio con el que hemos elegido los textos procura ilustrar, de manera sistemática, la diversidad de la literatura medieval y procede de nuestras expe-

---

[2] Si hay ocasión, escogemos textos de distintos autores de una misma obra para que el lector se habitúe a la variedad de criterios. Sobre esto, véase Francisco López Estrada, *Introducción a la literatura medieval española,* Madrid, Gredos, 1983 (5.ª ed.), págs. 57-83; sobre las cuestiones referentes al establecimiento de los textos para su edición y transmisión de los mismos, véase Alberto Blecua, *Manual de crítica textual,* Madrid, Castalia, 1983.

riencias en las clases. Seleccionamos las obras que hemos creído adecuadas para cubrir los distintos grupos genéricos de la literatura medieval [3]. Esto lo hicimos atendiendo a la condición ilustrativa de los textos en cuanto a las características literarias generales que ofrecían y no al valor poético absoluto de los mismos, aunque procuramos elegir entre lo que estimamos mejor y que también pueda resultar interesante para los estudiantes de nuestro tiempo. Hemos escogido las piezas que manifestasen en lo posible la vibración de vida que expresaron. La poesía fue siempre como una punta de lanza de la literatura; es un mensaje hiriente, intencionado, que cumplió un cometido en un tiempo pasado y que hoy, si sabemos *leerlo,* aún podemos sentir esa vibración (conmoción, a veces) que mantiene viva para un lector actual, convenientemente preparado, la obra literaria antigua. Hemos notado intencionadamente la palabra *leerlo* porque hay que entenderla con el significado que tenía en la Edad Media: leer en beneficio propio, para sí, para recibir una información; y leer en beneficio de los demás, en alta voz, como lección, en la que se expone una enseñanza en un sentido muy amplio; la literatura medieval pocas veces se desprende de esta intención. Y esto ocurre tanto en las obras que proceden de la tradición escrita (en las que la lectura se realizó sobre una documentación libresca) como aquellas otras que se manifestaron a través de la tradición oral (en las que la memoria y la voz mantuvieron y transmitieron el texto).

No desconocemos que la obra medieval es «antigua» (y por eso inaccesible, propia de otra época) para el lector de hoy, pero se trata de una antigüedad que nos llega por vía directa a través de nuestra propia lengua; son muestras de una literatura que se inicia y se asegura en la Edad Media y que prosigue de una manera continua hasta nuestro tiempo. Además, es nuestra antigüedad dentro de la participa-

---

[3] Hemos preferido que fuesen obras completas, pero no siempre ha sido posible así, y entonces hemos buscado partes con una relativa unidad.

ción literaria europea, una parte de una herencia cuya consideración es imprescindible en la Europa de nuestro tiempo, en la que vivimos, cualesquiera que sean los problemas de toda índole que esto implica.

2. CRITERIOS

Esta Antología tiene el propósito de ser muestrario de la obra poética situada en los límites cronológicos de la Edad Media literaria española. Hay que señalar, sin embargo, que este ámbito literario no se cubrirá de igual manera en cuanto a la diversidad de las manifestaciones lingüísticas que existieron en esa época en la Península Ibérica. El acopio fundamental procede de la literatura castellana y, en grado menor, de la conservada en leonés y en aragonés; también se recogen algunas obras en mozárabe. Los otros dos grandes grupos literarios que se constituyeron en las lenguas gallegoportuguesa y catalana requieren, cada uno por sí mismo, una antología tan extensa como esta.

Esta Antología lo es de poesía, y este título implica una limitación: comprende un grupo de obras en las que actúa la función de una determinada poética que establece una disciplina expresiva, cuya más evidente manifestación es el logro de un «ritmo poético» peculiar, el del verso, que las caracteriza frente a otro grupo diferente, cuya disposición es la de la prosa. Por eso en cabeza de la Antología (por ser común a toda ella) va una breve declaración sobre la métrica medieval propia de su literatura en las manifestaciones poéticas. Este encuadramiento previo justifica el espacio literario acotado y ofrece al lector un primer instrumento para adentrarse en un enjuiciamiento de la obra.

Hemos procurado que los trozos elegidos resulten característicos de la obra y el género a los que pertenecen. También hemos querido que la complejidad propia de la literatura medieval (castellana, sobre todo) esté representada. Así, junto al bloque central de las aportaciones de los autores de los reinos cristianos, hemos situado muestras de las obras que testimonian la vecindad del mundo árabe y judío, presentes de una manera positiva o negativa en la apreciación del autor y del público.

La lectura de esta Antología requiere un cierto grado de conocimiento de las lenguas medievales hispánicas y de las cuestiones que se plantean en su escritura. Se necesita disponer de una base de partida para penetrar en la comprensión poética de los textos aquí reunidos; en ninguna otra época como en esta resulta conveniente la conjunción de las disciplinas filológicas.

Con este objeto, la parte correspondiente a este período del manual de R. Lapesa[4] resulta de gran utilidad para el alumno, pues en él la evolución lingüística se establece sobre la sucesión de las formas literarias castellanas; y no basta sólo con conocer el léxico, sino también es necesario hacerlo con la morfosintaxis, y esto dentro de la matización dialectal de la escritura de la época. Para el léxico la obra básica es el Diccionario de Corominas[5], que aunque es obra general, menciona un gran número de formas medievales.

Aunque hemos procurado aclarar los términos del español antiguo más apartados de la lengua actual, no lo hemos hecho con todos, pues hubiese recargado en exceso el número de las notas marginales; el estudiante tiene que valerse de su propia experiencia lingüística para la comprensión de los términos, y entender, ponemos por ejemplo, que *animalia* es animal; si existe *mejoría,* también puede entender *peoría; esprito* es espíritu; *vergoñoso* queda cerca de vergonzoso, etc.

---

[4] Rafael Lapesa Melgar, *Historia de la lengua española,* Madrid, Gredos, 1980 (8.ª ed.); en especial, las págs. 173-264.

[5] Juan Corominas, *Diccionario crítico-etimológico de la lengua castellana,* Madrid, Gredos, 1980 (2.ª ed.), en colaboración con J. A. Pascual, cuyo último volumen, el VI, acaba de aparecer (1991) con los índices generales de la obra.

El cuadro general del vocalismo y del consonantismo castellano en la Edad Media es una gran ayuda para identificar los vocablos, contando siempre con que la representación de los sonidos se establece dentro de una relativa diversidad, diferente del rígido criterio ortográfico actual; y esto aumenta aún más por la diversidad de criterios que usan los editores para imprimir las iniciales lecturas paleográficas de los textos.

Por otra parte, la información bibliográfica que damos aquí es forzosamente reducida y puede ampliarse inicialmente con el tomo correspondiente de la Bibliografía de J. Simón[6]. Las historias de la literatura, diccionarios y antologías a la literatura medieval figuran relacionados en el Manual para la investigación de P. Jauralde[7]. El gran número de estudios que está apareciendo sobre este período de la literatura ha favorecido la aparición de revistas dedicadas exclusivamente al mismo[8].

Nuestra intención es poner en las manos de los alumnos un libro de iniciación al estudio e inteligencia poética de la literatura medieval, sobre todo castellana, algo así como una biblioteca encerrada en un solo volumen. De esta manera queremos abrir el camino hacia la lectura completa de las obras de las que aquí sólo se ofrecen algunas muestras escogidas, y de otras más con las que los estudiantes han de completar el conocimiento de este período.

---

[6] José Simón Díaz, *Bibliografía de la literatura hispánica,* Madrid, CSIC, 1986, II (3.ª ed.), «Literatura castellana de la Edad Media».

[7] Pablo Jauralde Pou, *Manual de investigación literaria. Guía bibliográfica para el estudio de la literatura española,* Madrid, Gredos, 1981; en especial, las págs. 236-266.

[8] Estrictamente bibliográfico es el *Boletín Bibliográfico de la Asociación Hispánica de Literatura Medieval,* Barcelona, I, 1987... ed. Vicente Beltrán; con artículos y bibliografía es *La Corónica,* I, 1972...; la *Revista de Literatura Medieval,* Madrid, Gredos, I, 1989... ed. Carlos Alvar, y el *Anuario medieval,* 1989, I, Nueva York, ed. Nicolás Toscano. En relación con el propósito de informar sobre los estudios más recientes (1980-1990) tocantes a la literatura medieval (y, en consecuencia, sobre la parte de la que se ocupa esta Antología), véase Alan Deyermond, *Historia y Crítica de la Literatura Española [al cuidado de Francisco Rico] 1/1 Edad Media. Primer suplemento,* Barcelona, Editorial Crítica, 1991.

NOCIONES SOBRE LA MÉTRICA MEDIEVAL

1. PRINCIPIOS DE UNA POÉTICA DEL VERSO MEDIEVAL

La poesía medieval nos es conocida a través de los documentos textuales que la conservan escrita, y de las noticias —muchas veces ocasionales— que tenemos de la misma en libros de muy diversa especie: enciclopedias, tratados, comentarios, glosas, etc. Aun hallándose toda ella conservada a través de los testimonios escritos, hemos de pensar que su comunicación a los oyentes no fue la lectura, realizada por cada uno para sí (como es lo común hoy), sino una transmisión oral, bien procedente de un texto leído o de un intérprete que conocía de memoria la obra; hemos de contar con que la poesía, en su difusión en la época medieval, requiere una percepción acústica, y en ella el oyente percibe la primera condición fundamental que asignamos al mensaje poético: que posee un ritmo peculiar, cuyo último fundamento radica en la sucesión de los sonidos del habla. Las manifestaciones primeras de la poesía convienen con un aprovechamiento e intensificación de estos recursos rítmicos de la lengua hablada, que pudieron potenciarse con otros medios melódicos; y esto pudo ocurrir por medio de una entonación destinada a marcar con más intensidad el curso de la comunicación poética, o valiéndose del apoyo de una salmodia, reiterada espaciadamente con variaciones adecuadas, o por medio de la música cuando la poesía es tambíen letra de una canción. Como una interpretación de esta naturaleza se verifica ante un público, entonces contamos con otro grupo de recursos que incrementan esta comunicación, y que proceden de los gestos del intérprete subrayando la significación de las palabras, y de los instrumentos que pudieran acompañar el recital o canto poético. Aun en el caso de que el «público» sea una sola persona o el intérprete diga la poesía o la module o cante para sí mismo, estos recursos hacen de la poesía una comunicación compleja, de la que no nos ha llegado más que la letra y en poquísimos casos discutidas notaciones melódicas, y algunas noticias, muy pocas, sobre la circunstancia de su interpretación.

Y pasa lo mismo con la poesía del pueblo humilde que con la poesía de los burgos y ciudades, y también con la de los palacios: el testimonio textual, cuando se conserva, es el solo medio para llegar a esta poesía; y lo que hubiese además de la letra, es cuestión que la actual filología ha de sugerir, tanto a través de las noticias indirectas que nos quedan, como a través de su comparación con las manifestaciones que aún sobreviven, sobre todo de índole folklórica.

La vía de la escritura marcó desde bien pronto dos diferentes especies en la organización del curso recogido por la letra: la que constituyó la prosa y la del verso. La literatura inicial de las lenguas románicas [1] —y entre ellas

---

[1] Las cuestiones que aquí procuramos exponer con la mayor claridad posible son muy complejas y han sido estudiadas en abundancia; citamos aquí el libro de Paul Zumthor, *Essai de Poétique Médiévale,* París, Éditions du Seuil, 1972, reseñado por Francisco López Estrada, «La teoría poética medieval de P. Zumthor», en *Anuario de Estudios Medievales,* IX (1974-1979), págs. 733-786. El estudio de la métrica ha de ir conjunto con el de otras manifestaciones de la Poética, como puede verse en José Domínguez Caparrós, *Métrica y Poética. Bases para la fundamentación de la métrica en la teoría literaria moderna,* Madrid, Cuadernos de la UNED, 1988, con bibliografía general.

el castellano y las otras manifestaciones que aquí recogemos— inició su andadura apoyada en la escritura del latín,
y, por tanto, se valió de una poética que tenía ya una
tradición secular, asegurada con su gran prestigio, y que
los primeros «escritores» aplicaron a esta nueva labor de
manuscribir tales obras en la lengua vernácula. Dentro de
esta poética, la diferencia entre prosa y verso se encontraba
establecida desde la literatura antigua, y los autores medievales que trataban de estas cuestiones seguían por el mismo
camino. A esta continuidad responde (por citar un ejemplo
destacado) lo que dice San Isidoro (entre 550 y 570-636),
autor de las *Etimologías,* una gran enciclopedia de notable
difusión, al referirse a la prosa y el verso: «Prosa es la
exposición continuada y libre de toda ley métrica»[2]; y
después: «Se llaman versos porque, colocados siguiendo un
orden de acuerdo con sus pies, se van articulando por
renglones»[3]. Desaparecida en la lengua vernácula la noción poética del *pie* latino en relación con el *verso,* las
condiciones del ritmo se situaron en otro orden de manifestaciones, si bien quedó la noción básica del verso como
renglón, articulado con un espacio establecido de sílabas, y
que daba al mismo una determinada disposición gráfica,
dentro de la cual aparecen con más relieve las diferencias
que separan el verso de la prosa.

La conciencia de que el verso es una determinada
disposición del discurso aparece en los primeros teorizado-
res de la literatura vernácula, y es común a muchos de ellos
de una manera paralela[4]. Así fue como, reuniendo los
conocimientos sobre la mencionada diferencia *prosa-verso,*
ya existente en latín, con la experiencia de las nuevas

---

[2] San Isidoro de Sevilla, *Etimologías,* Madrid, B.A.C., 1982; texto
latino y traducción española (que es la citada) de José Oroz, I, 38, 1;
vol. I, pág. 349.

[3] *Idem,* I, 39, 2; vol. I, pág. 351.

[4] Véase Francisco López Estrada, «*Rima* y *rimo* en la literatura
vernácula castellana primitiva», en *Anuario de Estudios Medievales,* XIV
(1984), págs. 467-485.

lenguas, Brunetto Latini escribió, en su obra enciclopédica *Li livres dou Tresor* (entre 1230 y 1266), un capítulo en el que plantea la diversidad formal que se constituye entre la literatura establecida siguiendo el criterio ordenador del verso y la que adopta el criterio de la prosa. Ambas vías, siendo literarias las dos, conducen a órdenes de creación que son distintos. El texto mencionado de Latini pasó al castellano traducido a nombre de Alonso de Palencia y Pero (o Pascual) Gómez, que vivieron en tiempos de Sancho IV (reinó de 1284 a 1295). Se trata, dentro de su limitado propósito, de la declaración de los principios de una poética que conviene con las piezas que hemos seleccionado para esta Antología. El fragmento del *Tesoro* que figura a continuación nos pone de manifiesto que había lectores avisados que establecían una percepción de la obra literaria que era de condición crítica, pues sabían reconocer una disposición de la palabra poética conveniente para que se cumpliese el propósito literario:

El grand departimiento de todos los fabladores *(entendamos que se refiere a los que hablan comunicando obras literarias)* es en dos maneras: una que es en prosa, e otra que es en rima. [5] Et los enseñamientos de retórica son comunales de amas a dos, salvo que la carrera de fablar en prosa es larga e llana assí como es la comunal matheria de fablar de las gentes *(o sea, el habla coloquial);* mas el sendero de fablar en rima es más estrecho e más fuerte, assí como aquel que es cercado e encerrado de muros e de setos, que quiere dezir de puntos [e de cuentos] e de cierta medida de que omne non puede nin deve traspasar; ca el que quiere bien rimar conviénele contar bien los puntos [d]e sus dichos, en tal manera que los viessos sean acordables en cuento; e que los unos non ayan más que los otros; et

---

[5] *Rima,* en la terminología inicial de la métrica castellana, representa la técnica del verso en general que produce un ritmo lingüístico, manifestado en una disposición poética artística, o sea, cuanto implica la disciplina que requiere el verso, según se estudia en el artículo citado en la nota anterior.

conviénele mesurar las dos sílabas postrimeras del viesso en manera que todas [letras de] las sílabas [postrimeras] sean semejantes, et a lo menos la vocal de la sílaba que va ante la postrimera [6].

La situación que refleja es el resultado de un proceso histórico que asegura los fundamentos de la nueva técnica del verso; estos principios pueden enunciarse con una terminología moderna de la siguiente manera[7]:

a) El *verso* pide una disciplina más estricta y compleja que la prosa; las enseñanzas de la retórica (en el sentido de que se pretende un uso lingüístico de orden literario) se aplican comúnmente a la prosa y al verso, y este último se vale sobre todo de las que favorecen las intenciones rítmicas del discurso.

b) El verso que se estima de más alta calidad es el medido con más rigor en cuanto al número de sílabas en cada una de las unidades de su composición y a su disposición rítmica.

---

[6] Se corresponde con el texto francés de *Li Livre dou Tresor* de Brunetto Latini, Berkeley y Los Angeles, University of California Press, 1948, cap. X, pág. 327; el manuscrito con la versión castellana, en *Libro del tesoro. Versión castellana de Li Livre dou Tresor,* Madison, Hispanic Seminary of Medieval Studies, 1989, pág. 182, ed. de Spurgeon Baldwin. El texto aquí transcrito procede del manuscrito de la Real Academia Sevillana de Buenas Letras.

[7] El sistema del que nos valemos (siempre que ello sea posible, pues la métrica medieval resulta muy compleja, pertenece al libro de Tomás Navarro Tomás, *Métrica española* [1956], Madrid-Barcelona, Guadarrama-Labor, 1958, 5.ª ed.; basado en el mismo, con una orientación pedagógica en su organización, es el de Rudolf Baehr, *Manual de versificación española* [1962], Madrid, Gredos, 1970. Otros sistemas generales aparecen expuestos en Rafael de Balbín Lucas, *Sistema de rítmica castellana,* Madrid, Gredos, 1968, 2.ª ed.; y desde otra perspectiva, Emilio García Gómez, en *Todo Ben Quzmán,* Madrid, Gredos, 1972, reseñado por Francisco López Estrada en *Revista de Filología Española,* LV (1972), págs. 323-333. Para las cuestiones de terminología, puede ayudar el libro de José Domínguez Caparrós, *Diccionario de métrica española,* Madrid, Paraninfo, 1985.

c) El recurso de igualar con medidas de *concordancia* de sonidos (acento, y vocales y consonantes) las sílabas finales completa el anterior acuerdo y sirve para señalar el fin; este espacio de la concordancia (o reiteración de sonidos) comporta también el relieve tónico (o acento de función poética) que establece el «eje de rima», válido para cerrar el verso de manera distintiva.

d) Con estos módulos se constituyen *estrofas* o unidades superiores, compuestas de varios versos relacionados entre sí por determinadas condiciones métricas, y que suelen reiterarse a lo largo de la pieza.

e) El *poema* se halla en el término final de estas combinaciones como unidad final y compleja de esta suma coordinada de exigencias rítmicas, y así constituye la obra poética considerada en su totalidad.

Los factores rítmicos propios del verso y de la estrofa, la distribución de acentos o relieves tónicos y la igualdad de sonidos a intervalos determinados se establecen sobre los recursos sonoros propios de la lengua hablada. Cuanto concurre en esta base lingüística (tanto los efectos del ritmo sonoro como los usos retóricos aplicados) sólo podremos estudiarlo de una manera parcial, analizando los diversos elementos componentes, pero el oyente de los versos medievales contaba a la vez con cuantos elementos hemos indicado antes que acompañarían la emisión auditiva de la obra poética: entonación, melodía salmódica o musical, gesticulación, un medio adecuado para la interpretación, quién fuera el intérprete y la ocasión conveniente; y también hay que contar con un público que perciba el efecto rítmico de todos estos elementos y medios, bien sea como consecuencia de una tradición o bien sea por la educación poética que haya adquirido, según sea la especie poética percibida. Disponemos también de todo cuanto procede del texto que conserva la obra, muy pocas veces en relación con el autor, casi siempre alejado de la primera emisión y escritura. También nos valdremos de las noticias reunidas por la historia y la crítica literarias, y de cuantas disciplinas convengan con nuestra intención [8].

2. FACTORES INTEGRANTES DE LA MÉTRICA

Tomaremos ahora como base los principios generales antes enunciados y verificaremos un catálogo limitado de formas de la métrica de la poesía medieval. El orden de la exposición es el que puso de manifiesto Latini en cuanto a la diversidad de los elementos componentes:

a) verso (< *vĕrsūs, -us,* 'surco, hilera, línea de la escritura en la página, línea de la escritura que marca la entidad del verso de la poesía'), frente a *prosa (< prōrsus* o *prōsus, -a, -m,* 'que anda en línea recta, que persigue el sentido del sintagma de una manera continua'). Existe también la forma *viesso* que pertenece al fondo tradicional de la lengua y que fue usada en algunos poemas del siglo XIII (como los de Berceo, *Alexandre, Apolonio, Alfonso XI*), pero se prefirió la forma más cercana a la etimología, *verso,* por ser un término en uso entre los clérigos, como ocurre ya en el prólogo del *Libro de Buen Amor,* y que fue como quedó en el castellano. En la Edad Media se usó la palabra *pie* para designar el verso y también, en menos ocasiones, *bordón.*

El verso es una unidad rítmica completa por sí misma. A veces dentro del mismo se sitúa un

---

[8] Para orientar al lector sobre estas cuestiones, indico: Pablo Jauralde Pou, *Manual de investigación literaria,* Madrid, Gredos, 1981, del que se puede extraer la bibliografía básica sobre el dominio de esta *Antología;* Rafael Lapesa Melgar, *Historia de la lengua española,* Madrid, Gredos, 1980, 8.ª ed., en los capítulos correspondientes. Una síntesis de la pronunciación del español antiguo se encuentra en Ramón Menéndez Pidal, *Manual de gramática histórica española,* Madrid, Espasa-Calpe, 1944, 7.ª ed., págs. 112-115, párrafo 33 bis.

sintagma que también posee una relativa unidad de sentido. Cuando se logra esta conformidad entre ritmo y significación gramatical, el verso se llama esticomítico. Así en esta estrofa del *Libro de Buen Amor:*

> En general a todos   fabla la escriptura:
> los cuerdos con buen seso   entendrán la cordura;
> los mançebos livianos   guárdense de locura;
> escoja lo mejor   el de buena ventura.

(Est. 67)

Cuando la significación del curso expresivo sobrepasa el espacio del verso, se produce el encabalgamiento, que puede ser de diversos grados. Esta otra estrofa del mismo *Libro de Buen Amor* ofrece un ejemplo:

> Como dize Aristótiles,   cosa es verdadera,
> el mundo por dos cosas   trabaja: la primera
> por aver mantenençia;   la otra cosa era
> por aver juntamiento   con fenbra plazentera.

(Est. 71)

b) *asonancias* y *consonancias* en el fin del verso; son las igualdades acústicas que cierran el verso y lo enlazan con los otros análogos de la estrofa. En términos medievales: *cadencia* y *consonancia:* y luego a partir del siglo XVIII: *rima,* ya perdida la significación primitiva del término, referida en general a la rítmica poética y la obra resultante de su aplicación *(rim, rimo y rima).*

La igualdad es total (como en el caso anterior: verdad*éra*:prim*éra*:*éra*:plazent*éra*) o parcial (como en t*áles*:remedi*árme*:*áire*:alcanz*árle*); y a veces existe una *sobrerrima* (como en conc*órdia*:disc*órdia*).

c) *estrofa* (< *strōpha,* grecismo que significó 'vuelta, evolución del coro en la escena y estrofa que canta el coro'). Es palabra moderna, ignorada en la poética medieval que nombra la entidad formada por una reunión de verso como *copla* en un sentido general, establecida según las *maestrías* o *artes* mayor, menor, común, etc. Otros autores medievales se valen de la palabra *verso* para designar esta estrofa.

d) *poema* (< *poēma,* término en uso desde el siglo XVII, utilizado ya por Cervantes). Para nuestro fin significa la unidad completa de la composición poética, considerada en su totalidad. Puede constituir un libro o hallarse dentro del mismo formando por sí mismo entidad cerrada o conservarse como pieza suelta, acabada en cuanto a su integridad absoluta, o sea, un texto cerrado. Preferimos, cuando puede plantearse alguna duda, esta denominación a la de *poesía* porque reservamos esta otra para la comunicación literaria a la que ha aplicado la disposición conveniente de la poética y se ha logrado con ello un uso creador de la lengua.

El ritmo se logra por la sucesión de las sílabas tónicas y átonas, agrupadas en unidades llamadas aquí *pies,* término cuyo significado es ajeno al que tiene en la métrica antigua o clásica. Conviene, pues, en primer término, conocer la condición acentual de las sílabas del verso para así establecer la notación de las distintas clases de pies. El signo gráfico que acoge las sílabas de los pies es |___|; y (en el sistema de T. Navarro) dentro de este signo se sitúan las sílabas, siempre colocando la sílaba tónica en primer lugar. Así se constituyen los dos pies básicos de la métrica castellana: el troqueo |ó o| *(casa)* y el dáctilo, |ó o o| *(cántaro).* En esta sucesión los versos mejores, desde el punto de vista de la rítmica, se establecen cuando los acentos válidos en el uso común de la lengua actúan como acentos de verso. Esto no siempre ocurre así y, a veces, el acento de verso difiere del que existe en el uso común, como veremos a continuación mientras señalamos la manera de notar las diferentes clases de sílabas métricas:

o es la representación de la sílaba átona de verso.

ó es la de la sílaba tónica plena; es decir, cuando el acento de la palabra actúa como acento de verso.

Así en el verso:

La vuestra clara presençia

(Juan de Mena, «Guay de aquel hombre que mira...», est. 9,a.)

El esquema representativo sería:

o |ó o| |ó o o| ó o

ò es la representación de una sílaba que en el uso común de la lengua es átona, y que, situada en la línea del verso, efectúa funciones métricas de tónica, independientemente de su condición propia en la lengua común. A veces, la sílaba posee un ligero relieve tonal por pertenecer a la composición de una palabra polisílaba; otras pertenece a una palabra cuya función sintáctica general es átona (artículo, preposición, conjunción); en otros casos se produce un desplazamiento del acento propio. De toda maneras, hay que tener en cuenta siempre las condiciones posibles de la palabra en la pronunciación medieval, que puede ser diferente de la moderna.

Un ejemplo de este tipo es:

la composición humana

o|ò o o|ó o| ó o

(Juan de Mena, «Más clara
que non la luna», est, 2,c.)

O sea, un octosílabo que requiere un acento de verso en la segunda sílaba que no tiene la palabra en el uso común, aunque sí existe un ligero relieve tónico debido a su condición polisilábica.

θ significa la inexistencia de una sílaba que cuenta como tal en virtud del convencionalismo del cómputo a los efectos del número de sílabas del verso. Así ocurre con la terminación aguda en el fin del verso:

con tan discreto mirar
o|ó o|ó o o|ó θ

(Juan de Mena, «Vuestros
ojos que miraron», est. b.)

También representamos así la suplencia de una sílaba inexistente en el comienzo del verso y que cuenta a los efectos del cómputo rítmico, sobre todo en la copla de arte mayor:

Tanto me plazen   las çirras donzellas

θ |ó o o|ó o   †   o|ó o o|ó o

(Juan de Mena, Pregunta
«Perfecto amador del dulçe
saber», est. 8,a.)

(o) significa la supresión de una sílaba en la terminación del verso cuando esta es esdrújula:

Filósofo firme e grant metafísico

o|ó o o|ó o| †   o|ò o o|ó (o) o

(Alfonso Álvarez de Villasandino, *Cancionero de
Baena,* núm. 137, est. 1,a.)

Los signos que marcan las diferentes pausas del verso
son: ' (ligera pausa); | (pausa breve); || (pausa más marca-
da); ||| (pausa final o término del poema). El signo † sirve
para marcar la pausa interior del verso medieval cuando
así lo requiere una determinada clase de ellos en forma
obligatoria, quedando así divididos en dos partes o hemistiquios.

La medida silábica del verso la representamos por la
cifra árabe correspondiente, seguida de las letras minúsculas a,b,c..., que designan la asonancia o igualdad de sólo
vocales en la rima desde la sílaba final del verso; y A,B,C...,
que señalan la consonancia o igualdad total de vocales y
consonantes desde después de la vocal de la última sílaba
acentuada de fin de verso. Estos signos convencionales
valen para marcar las condiciones rítmicas esenciales del
verso español, y sirven también para el verso medieval.
Estas indicaciones no son más que un grupo reducido de
las modalidades que eran propias de la rítmica de la época,
contando con la comunicación oral de la poesía propia de
este período. Quedan otras muchas cuestiones de las que
hablaremos en el estudio de casos determinados; así los
ajustes del encuentro de vocales (sinalefa, sinéresis y diéresis) que la métrica medieval, sobre todo en sus primeros
tiempos, tiende a considerar en la entidad de letras; cuando
el encuentro ocurre entre versos (sinafía y compensación);
las distintas clases de cesura (la común y la intensa); y
otros procedimientos para lograr la unidad rítmica del
verso.

Otro elemento fundamental para la percepción de la

poesía de la Edad Media es que la lengua de aquella época funcionaba según una realidad fonética establecida sobre un sistema fonológico diferente del que es propio del español moderno. El conocimiento de este sistema medieval resulta indispensable para una recepción cabal de esta poesía (dentro de la aproximación implícita en casos semejantes); y lo mismo ocurre con las entidades gramaticales que van tomando cuerpo expresivo en la peculiar constitución del sintagma del verso. La suficiente noticia de esta base filológica es un aspecto de la formación científica que requiere el lector actual de la poesía de la Edad Media. Las notas que acompañan a la edición de los textos de esta Antología quieren servir como ayuda para el lector, tanto las marginales, de carácter léxico, como las de pie de página, completadas con los comentarios de las poesías, en los que las cuestiones métricas se abordan en los casos convenientes.

3. ESPECIES DE VERSOS

Plantearemos ahora una serie de nociones de la métrica que han de servir como punto de partida para el comentario de las poesías elegidas. Pretendemos que el lector, al mismo tiempo que percibe el contenido de las mismas, sepa reconocer la complejidad de los elementos que intervienen para el logro de la rítmica medieval. Estableceremos las obras agrupadas en grupos genéricos que poseen una organización común, sobre todo en sus afinidades métricas: verso → cadencia final consonante o asonante → estrofa. Escogeremos piezas características que muestran los diversos factores que cabe reconocer en la complejidad integrante del hecho poético: el poema es siempre histórico (medieval) y, por tanto, el contenido se refiere a unas circunstancias que están fuera de la comprensión del lector de hoy (datos biográficos del autor, si se conoce, medio social, económico y político que refleja el poema, testimonios culturales de toda índole, etc.). Se necesita una técnica para la fijación impresa del texto y un conocimiento de la poética propia de la redacción de la obra; y también hay que conocer la lengua de origen y la manifestada en el documento que conserva el poema. La aplicación de las técnicas de la paleografía y de la ordenación de los libros, la posible utilización de los ordenadores en estos estudios, la mención de bibliografía conveniente sobre la crítica literaria pertinente sirven como ayuda en la preparación del texto. La cuestión estriba en que cada muestra de esta antología ha sido precedida de un tratamiento «científico», cuyo fin fue conservar la comunicación poética de la mejor manera posible. Lo más que esperamos lograr es una aproximación al proceso perceptivo de la obra, al menos una identificación relativa de los propósitos del autor o del intérprete y su efecto en el público. Esto es una aspiración; y, como tal, se reconoce con ello que la poesía permanece aún en el documento, y que su percepción (siempre limitada) es aún posible como experiencia literaria en el hombre de nuestro tiempo.

a) *Verso fluctuante*

Una primera especie de verso ocurre cuando su entidad silábica no se ajusta a un cómputo determinable con relativa fijeza; esto no quiere decir que exista una disparidad total entre todos los versos, sino que los márgenes de tolerancia en el cómputo son amplios, siempre dentro de una disposición paralela. Así ocurre en el llamado verso épico medieval en el que la entidad del verso se constituye con un número fluctuante de sílabas, dispuesto en dos partes o hemistiquios; cada uno de estos hemistiquios es una última unidad computable con un espacio sintagmático propio. Por tanto, resulta fundamental establecer en este verso una doble pausa, una entre los dos hemistiquios, y otra, de fin de verso, que es la que lo separa del verso siguiente, que repite esta disposición:

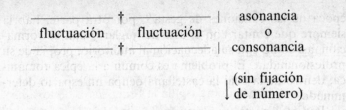

```
                    †                  |   asonancia
  fluctuación         fluctuación       |        o
                    †                  |   consonancia
                                        ↓ (sin fijación
                                           de número)
```

La tolerancia de la fluctuación del hemistiquio puede ser medida (siguiendo los acuerdos establecidos) silábicamente y los resultados que encontró Menéndez Pidal para el *Poema del Cid* fueron:

7 sílabas	39,40 por	100
8 »	24,00 »	»
6 »	18,00 »	»
5 »	6,82 »	»
9 »	6,28 »	»
4, 10, 11, 12 y 13 sílabas .	5,50 »	»

Esta fluctuación en la medida es consecuencia de la peculiar condición de la canción de gesta; el juglar que la interpretaba se valía de los *modos* (o disposición de espacios musicales con unas combinaciones melódicas determinadas), adecuados al contenido y que el público reconocía como propios de campos de significación identificables. Se constituía así una entonación salmodiada en la que se reunía el texto del verso, cuya medida oscilante se acomodaba dentro del curso melódico según el buen arte del intérprete, el cual, además, subrayaría con los gestos adecuados el contenido de cada espacio. En cada hemistiquio suele haber dos sílabas tónico-rítmicas, y en los hemistiquios de fin de verso la asonancia y consonancia daba unidad al mismo, casi siempre cerrando un espacio del curso del sintagma, lográndose un verso marcadamente esticomítico. Se ha propuesto que los apoyos melódicos de las salmodias procedan del canto gregoriano cercanos a la época de las canciones de gesta [9]; por otra parte, habría siempre que contar con el arte del juglar y con su formación, así como con su adecuación al auditorio, propia de su profesionalidad. El problema es común a la épica románica, dentro de la cual la castellana ocupa un espacio determinado.

Por otra parte, una estructura compleja semejante, en la que el verso, siendo una entidad rítmica en el sistema del lenguaje, se manifiesta con una cobertura melódica, debe tenerse en cuenta para la percepción de otras clases de poemas, sobre todo de los cortesanos, en los que la palabra pudo haber ido acompañada de la música; y es propia también de los poemas que son canciones, populares o cultas, religiosas y profanas.

b) *Verso de romance*

La tolerancia de la fluctuación se fija, en el caso del Romancero, en torno de las 8 sílabas (7/8/9); por ser también un verso de constitución paralela, con dos hemistiquios por unidad de verso, requiere un orden rítmico semejante. De ahí que la representación de este verso puede ser análoga:

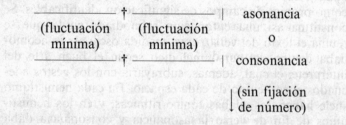

---

[9] Véase una propuesta para el estudio de esta peculiaridad métrica y la bibliografía adecuada en Antoni Rosell, «Èpica i música: una proposta pràctica», en *Revista de Catalunya,* XLIII (1990), págs. 93-101.

Ahora bien, por la disposición manuscrita (y luego por la alineación de la imprenta, en particular en los pliegos sueltos), también admite esta otra representación, tal como se puede encontrar en nuestra *Antología:*

_____ †
_____ | asonancia y, a veces, consonancia
_____ †
_____ | asonancia y, a veces, consonancia

Rima asonante, con mezcla de consonante, esporádicamente; y en algunos casos, sólo consonante, como en el de Juan del Encina (págs. 325-326).

c) *Verso métrico*

El poeta puede seguir otro criterio de condición rigurosa en el que establece un cómputo ajustado a un patrón preestablecido y que él prosigue aplicándolo a su verso. Esto es lo que ocurre con el verso propio de los clérigos, sobre todo en el de la cuaderna vía, que es el módulo más aceptado para la poesía narrativa y doctrinal en los siglos XIII y XIV. Uno de los trozos del *Libro de Alexandre* que hemos elegido para esta *Antología* es el prólogo de la obra en el que el autor (como es propio de esta parte del conjunto) se precia de la bondad de su poesía; y con este fin menciona la regularidad de sus estrofas y el ajustado cómputo («cuento») de las sílabas porque esto «es grant maestría» (est. 2 d).

El verso métrico también es propio de la poesía cortés que se reúne en los Cancioneros. Esto ocurre en el *Cancionero de Baena,* en cuyo prólogo se lee que el arte de la poesía consiste en «fazer e ordenar e componer e limar e escandir e medir por sus pies e pausas e por sus consonantes e sylabas e acentos...» estos versos; todas las indicaciones del prologuista tienden a la realización de un verso

37

medido dentro de un metro determinado, el conveniente al caso.

d) *Verso rítmico*

Denominamos así el verso compuesto por dos hemistiquios fluctuantes por cerca de las seis sílabas, separados también por una cesura intensa, conteniendo un espacio sintagmático suficiente en sí, y de cuya sucesión se desprende una acentuada impresión rítmica. La peculiaridad acentual de este verso ha sido muy discutida. Si nos situamos en el sistema de Tomás Navarro, identificamos su composición dentro de las siguientes variedades:

a) las compuestas por un dáctilo en el centro del período rítmico, completado de la siguiente manera:

Período rítmico

θ   ó [o]
anacrusis [10]   o ó o o ó o   terminación
o o   ó (o) o

b) las compuestas por dos troqueos:

Período rítmico

ó [o]
ó o ó o ó o   terminación
ó (o) o

[10] *Anacrusis* es un término procedente de la música en donde significa la nota o notas que, en la parte débil del compás, preceden al comienzo de un ritmo; aplicado a la métrica son la sílaba o sílabas que en el verso preceden al primer acento rítmico y que no cuentan para la formación de los pies en el sistema de T. Navarro.

El desarrollo de estas variedades origina una fluctuación en el número de sílabas del hemistiquio que Tomás Navarro clasifica así:

A	passándo la puénte	o]óoo[óo
B	de Guàdalquivír	o]óoo[ó[o]
C	de nuéstro retórico	o]óoo[ó(o)o
D	rrósa nouéla	θ]óoo[óo
E	flór de jazmín	θ]óoo[ó[o]
F	nò governándome	θ]óoo[ó(o)o
G	que tan álto meréçe	oo]óoo[óo
H	en aquéllos que són	oo]óoo[ó[o]
I	e non véo los príncipes	oo]óoo[ó(o)o
X	mì carréra vána	òo óo[óo
Y	mènos èn la líd	òo óo[ó[o]
Z	génte bàbilónica	óo òo[ó[o]o

Una dificultad que ofrece este verso en relación con el moderno es la importante función rítmica de los acentos de verso que actúan como relieves tónicos que llegan a desplazar el acento ordinario de una palabra, de tal manera que se crea una pronunciación poética del mismo [11]. Además es un verso que también fluctúa en su número de sílabas y que sucede (o, por lo menos, prosigue) al verso métrico de la cuaderna vía, de índole isométrica. La disciplina que se testimonia en su Poética compensa esta fluctuación desarrollando una marcada sucesión rítmica de acentos, pues cada verso tiene, sobre todo, dos marcados relieves tónicos (o tres en las modalidades x, y, z) en el corto espacio sintagmático de un hexasílabo (como centro de la fluctuación). Por otra parte, dentro del gran número de combinaciones que cabe establecer con los hemistiquios tan diver-

---

[11] Fernando Lázaro Carreter, «La Poética del arte mayor castellano», en *Estudios de Poética* [1972], Madrid, Taurus, 1979, 2.ª ed., págs. 75-111.

sos, antes señalados, la tendencia más marcada es la que prefiere estos emparejamientos[12]:

A-A	54 por 100
D-A	26 » »
A-B	5 » »
D-B	3 » »

Esto produce el efecto de que en la mayor parte de los casos hay dos sílabas átonas entre las tónicas de cada verso, de manera que se constituye un núcleo rítmico propio de esta especie: $\sim óooó\sim$, que es el que produce la impresión acústica tan marcada y prontamente reconocible del verso.

4. ASONANCIAS Y CONSONANCIAS COMO FORMAS DE LA RIMA MODERNA

En la métrica moderna, como expusimos antes, el término *rima* designa las asonancias y consonancias que sirven para cerrar el verso, a partir de la última vocal acentuada del fin del verso; verifica, por tanto, la función de cierre del mismo y ya indicamos que su cómputo se rige por las condiciones especiales que mencionamos. La *rima consonante* (igualdad total de sonidos vocálicos y consonánticos) se ha considerado como la perfecta; y la *rima asonante* (sólo son iguales los sonidos vocálicos) como la imperfecta. Ya indicamos que en las formas primitivas (cantar épico y romancero viejo) podían mezclarse, pero después, no.

---

[12] Cómputo verificado sobre *El Laberinto* por T. Navarro, *Métrica española, op. cit.,* pág. 117, párrafo 54.

5. ESPECIES DE ESTROFAS

La estrofa es una unidad superior y compleja, pues reúne y coordina las entidades métricas precedentes del verso y la rima. Por tanto, concuerda los ritmos del verso (procedentes de la combinación armoniosa de consonantes y vocales, establecida mediante los convenientes relieves tónicos, del curso del sistema a través de la esticomitia o del encabalgamiento) con los propios de la rima (más patentes acústicamente por proceder de una manifiesta y dirigida reiteración de sonidos, establecida en el curso del eje rítmico del fin de verso, que es un lugar clave en el desarrollo de la secuencia del sintagma de la obra). Combinando estos factores dependientes de los sonidos lingüísticos con los que proceden de la organización retórica del sintagma literario, las estrofas constituyen casi siempre entidades que están completas en cuanto a la constitución de sintagmas sucesivos con significación parcial propia; la estrofa posee así una entidad definida, casi siempre de grado menor, pues lo más común es que se requieran varias para lograr la obra completa. Sin embargo, hay casos en que la obra cabe en una sola estrofa. En otros casos, la estrofa se compone de subestrofas cuya combinación se reitera en cada una, como es el caso de las *Coplas* de Jorge Manrique.

Las estrofas suelen componerse de versos de igual medida o combinando varias medidas; en este último caso el verso casi siempre alterna con otro de una medida que es la mitad de la dominante. Desde un principio, los escribanos tendieron a distinguir de una manera gráfica la línea del verso y la estrofa logrando para la poesía una presentación peculiar, diferente de la prosa; esto lo heredó el arte de la imprenta.

La combinación de las diferentes clases de versos con determinadas rimas crea una gran variedad de estrofas; en algunas obras puede darse excepcionalmente un poliestrofismo general, como en el caso de la *Historia troyana polimétrica,* en la que Menéndez Pidal encuentra «un episodio de muy singular interés y significación» [13] en el desarrollo de la versificación española; y consiste en el esfuerzo por adoptar la andadura rítmica al carácter del contenido tratado eligiendo para ello el verso y la estrofa más adecuados. Lo más frecuente, sin embargo, es seguir las normas de un convencionalismo establecido, en virtud del cual las estrofas convienen, no con una adecuación en la que el poeta posea un margen de invención en las combinaciones, sino con corrientes dominantes de uso que constituyen uno de los signos más evidentes del grupo genérico y que implican un determinado cauce expresivo. En el curso de la *Antología* notaremos estos usos dominantes y las consecuencias que implican en cuanto al establecimiento de órdenes poéticos reconocibles.

6. EL POEMA

El poema es la reunión de estas entidades menores precedentes en la unidad de comunicación total que implica la obra literaria. Por lo tanto, representa la entidad máxima, congruente consigo misma, cerrada como pieza de comunicación, y único medio para la percepción comunicada del contenido poético de la obra; su extensión es diversa: desde el gran poema épico (los 3.730 versos conservados en el *Poema del Cid*) hasta la brevedad de los dos versos de las canciones tradicionales que casi siempre se encuentran como estribillo de glosas, o el verso único de los motes.

En la consideración del poema hay que tener en cuenta que la lengua del mismo es de orden artístico, sea este de índole popular o culta, tradicional o elaborado por el poeta, con la grandísima matización que puede darse en

---

[13] Ramón Menéndez Pidal, «Historia troyana en prosa y verso. Texto de hacia 1270» [1934], en *Textos Medievales españoles,* Madrid, Espasa-Calpe, 1976, pág. 188.

estas calificaciones. Y este orden artístico implica el uso de un determinado grupo de recursos literarios de los muchos que recogían las retóricas de la época; añádase el conocimiento de las obras precedentes con que contaban los poetas y que poseía el público que oía o leía la obra en una relación siempre de mutua correspondencia. Hemos referido hasta ahora la manifestación más externa de la estructura del poema; y a ella hay que añadir en los próximos comentarios el efecto de estos recursos artísticos que potenciaban el sentido rítmico del poema desde dentro mismo de la disposición poética, según hemos indicado en anteriores ocasiones.

La unidad del poema puede hallarse aislada, de tal manera que su percepción como entidad es evidente; otras veces el poema se encuentra dentro de otra obra, y su aislamiento requiere entonces una consideración adecuada en cada caso. Esta coordinación de poemas en una obra crea una unidad superior en la que hay que establecer la condición del poema en el conjunto. Esta unidad superior (llamada en muchas ocasiones *Libro*) plantea, pues, el problema de la condición literaria del conjunto así establecido, como podrá verse en los casos citados en la *Antología;* de ahí, a veces el carácter relativo del poema y la necesidad de considerar la complejidad de estos conjuntos.

7. Cuadro de grupos genéricos

De la conjunción de los distintos factores antes mencionados en relación con los contenidos poéticos, deducimos una agrupación de afinidades y coincidencias de la que nos valdremos para articular una exposición descriptiva e histórica de la poesía que hemos reunido en esta *Antología*. Hemos de avisar que esta exposición no será completa, pues una *Antología* es siempre un muestrario, pero sí decimos que quedan representadas en ella las modalidades más comunes y generales de la poesía española medieval, identificadas en los grupos que fueron constituyendo.

OBRA LITERARIA VERNÁCULA

Prosa (excluida por la limitación de la *Antología*).

Se fija en un texto escrito, bien sea obra redactada por el autor para la escritura, o bien sea obra de la oralidad, asegurada en la tradición y escrita ocasionalmente.

Diversidad de la versificación, orientada hacia cauces métricos establecidos en relación con los contenidos. Criterio genológico que agrupa la variedad de versos y estrofas.

Textos de la teatralidad medieval (excluida por la limitación de la *Antología*, pero uso de procedimientos histriónicos en la épica, y del diálogo en determinadas poesías).

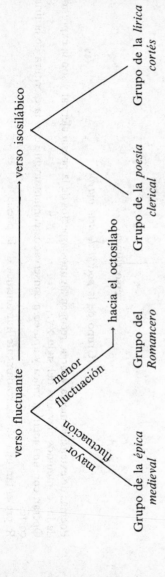

verso fluctuante ⟶ verso isosilábico

mayor fluctuación

menor fluctuación

⟶ hacia el octosílabo

Grupo de la *épica medieval*

Poemas de extensión larga; contenido heroico de sentido aventurero; curso narrativo; materia histórica, interpretada a través de la invención literaria; Poética asegurada por la vía formulística, difusión juglaresca.

Grupo del *Romancero*

Poemas de extensión media, tendiendo a breves; de condición narrativa, épicos y de aventuras con una orientación lírica; de procedencia muy diversa por la vía folklórico-tradicional, resulta un grupo abierto, incorporado también a la poesía de autor.

Grupo de la *poesía clerical*

Poemas de extensión larga y media, procedentes o relacionados con la clerecía literaria; de condición narrativa o didáctica y moralizante, participantes en un sentido de ejemplaridad religiosa o profana, compuestos para la conservación escrita.

Grupo de la *lírica cortés*

Poemas de extensión breve; de condición lírica o dialogada; de procedencia trovadoresca, referidos a la aplicación del amor cortés y a otras circunstancias de la vida cortesana; con una Poética declarada en tratados y recogida en la escritura de los cancioneros.

verso fluctuante — isosilábico

Grupo de la canción tradicional

Asimilado en algunos casos por el Romancero. →

Su documentación escrita procede de circunstancias exteriores al hecho poético. Piezas breves; contenido lírico. Procedencia folklórica en el villancico básico, aprovechado con diversos fines. →

Reunido con la lírica cortés en los Cancioneros; en este caso la glosa puede ser tradicional o elevada, ateniéndose a los módulos establecidos.

verso rítmico

Grupo de la poesía de arte mayor

Poemas de extensión media y larga, recogen algunos aspectos de la poesía clerical y son la expresión de los contenidos elevados del siglo XV.
Operan con una métrica única y aparecen conservados conjuntamente con la escritura de la lírica cortés.
Representan una vía marcadamente humanística de la poesía.

8. Fin del período medieval

El proceso histórico de la poesía señala claramente el fin del período medieval. Como en otras manifestaciones de la literatura, el humanismo y la influencia italiana cooperan en anunciar el fin de esta época, entre otras numerosas manifestaciones culturales. Sin embargo, hay que matizar esta sucesión, que no fue un rompimiento total, sino una intensificación y una variación del sentido.

En cuanto al Humanismo, notaremos que se trata de una distinta elección de los maestros (gentiles y cristianos) y de la aplicación de una disciplina filológica más depurada y de otro signo, que la propia de las manifestaciones medievales. En la Edad Media también existe una función de los maestros como «autoridades», y su imitación, cita y aprovechamiento es uno de los medios para levantar el grado del «estilo» de la literatura vernácula. La lengua poética del Renacimiento, sobre todo en la lírica, recoge y aprovecha el propósito cultista ocurrido en el siglo XV, procedente del latín, y la depura convenientemente.

En cuanto a la influencia italiana, ocurre otro tanto; también los maestros italianos (sobre todo, Dante, Boccaccio y Petrarca) ejercen su influjo tanto en los asuntos, como en las mismas formas métricas; pero ha de ser el triunfo del endecasílabo y el heptasílabo, y de las consecuentes formas de estrofa con Boscán y Garcilaso, la que abra nuevos cursos a la lírica española, afirmada ya sobre la lengua castellana.

Es evidente que la difusión de la imprenta tuvo su efecto en este proceso; la épica medieval y la obra de la clerecía (con libros tan importantes como el *Buen Amor*) no llegaron a imprimirse hasta el siglo XVIII. Las formas cancioneriles salieron mejor paradas gracias a la edición de Valencia, 1511, y cuyo gran triunfo editorial dio continuidad a las formas cancioneriles, de ascendencia medieval; así en los Siglos de Oro la métrica de esta especie siguió cultivándose en forma paralela a la que se puede considerar en un principio como «nueva», y pronto asimilada.

El verso rítmico del arte mayor dejó de usarse, salvo en casos aislados, arrinconado por el endecasílabo, pero su disposición métrica y la intensa latinización de su contenido hizo que se considerasen algunas de sus obras como la manifestación más elevada de la poesía medieval. Esto fue lo que ocurrió, en el caso de más relieve, con el *Laberinto de Fortuna;* a partir de Zaragoza, 1506, estas coplas de arte mayor se publicaron «con su glosa», es decir rodeadas de comentarios como si se tratase de un texto «clásico», o sea, que había obtenido la explicación de un maestro aplicable a la lección de una clase.

El romancero y algunas coplas glosadas se imprimieron en pliegos sueltos, y esto valió para extender y mantener su cultivo, revertiendo así en algunos casos en la oralidad de la nueva época.

Se trata, pues, de un cambio en la recepción de la poesía, y esto originó las novedades; el manuscrito siguió siendo un medio para la conservación textual muy importante, pero la imprenta añadió un índice mucho más alto de difusión, pues la obra fue en gran parte leída, frente a la oralidad dominante en la literatura medieval. El intérprete de poesía disminuyó su función, y la redujo a públicos iletrados, aunque gustase a muchos. La tradición siguió manteniendo su caudal poético, pero la poesía de los «letrados» se sobrepuso en el prestigio social de la hidalguía, la clase social que mantiene la literatura en los Siglos de Oro. Los medios que en la Edad Media indicamos con insistencia que rodeaban la percepción del hecho poético van limitándose ante la lectura como medio de comunicación de la poesía, bien fuese ante grupos de oyentes o para el propio lector. Y aún hay que contar con la música y también con la inclusión de la poesía popular y culta en la comedia. El proceso de la poesía medieval, considerado desde esta perspectiva, representaría un desarrollo sucesivo de los recursos métricos hacia el máximo aprovechamiento rítmico de la sola palabra poética.

TEXTOS Y COMENTARIOS*

---

* Los números que figuran en los márgenes de las obras de la *Antología* se refieren unas veces a los versos y otras a las estrofas, según sea la condición de los textos. En el caso de que se numeren las estrofas, entonces se envía a los versos mediante las letras sucesivas del alfabeto. Las cifras corresponden al número que tienen estrofas y versos en el conjunto de cada obra según la edición que se cita.

Establecidos los principios rítmicos que caracterizan el verso y su notación, entramos en la parte de la *Antología,* cuya organización hemos expuesto en la Introducción anterior y que resumimos aquí.

Reunimos las diversas muestras escogidas en grupos genéricos que poseen características comunes que exponemos en sus líneas generales en un breve preámbulo. Después siguen los textos elegidos y su comentario: *a)* en el cuerpo del texto, al pie de las estrofas, se hallan las notas léxicas, referidas sólo a las palabras que no se usan en la lengua moderna, pero no a las particularidades de la grafía fonética ni a la morfosintaxis antigua; *b)* las notas de pie de página, en números volados, se refieren a las explicaciones culturales, artísticas, históricas (identificación de personas y hechos), mitológicas, sobre cuestiones de retórica, etc.; *c)* después del texto indicamos el criterio usado por el editor para la impresión de la obra antigua; *d)* luego siguen los comentarios de poética literaria que son aplicables al texto para que se destaque su peculiaridad propia en relación con el conjunto al que pertenece y también para que se ponga de manifiesto la peculiaridad creadora del autor, si existe, y también, si conviene, la relación con el público, como señalamos antes.

Al final de cada presentación del grupo genérico y de cada comentario va una reducida bibliografía orientadora, que se ha elegido entre las obras fundamentales en cada caso y entre las más recientes.

Las obras escogidas se enumeran por el orden de los versos; esta numeración es continua en el caso de las piezas completas, o intermitente, si se trata de fragmentos de obras.

I

ÉPICA MEDIEVAL VERNÁCULA

besare las manos la mug(er) q(ue) lis fijas amas
e todas las Dueñas q(ue) las siruen
Grado al Criador, auos q(ue)d barba uelida
todo lo q(ue) nos fechas es de buena guisa
Non sera menguadas en todos ur(os) dias
Q(ua)ndo uos nos casaredes bie(n) seremos Ricas
Mug(er) doña ximena grado al Criador
Al as mio dixo mis fijas don eluira, doña sol
Destas uu(est)ras casamiento crecremos en onor
Mas bie(n) sabet verdad q(ue) non lo leua(n)te yo
Padidas uos ha rogadas el myo señor alfonsso
Atan firme mie(n)tre e de todo coraço(n)
E yo nulla cosa nol sope dezir de no
Metios en sus manos fijas amas ados
bien melo creades q(ue) el uos casa ca no yo
Pensaron de adobar essora el palaçio
Por el suelo e suso ta(n) bie(n) encortinado
tanta porpola e tanto xamed e tanto paño p(re)çiado
Sabor abriedes de ser e de comer enel palaçio
todos sus cauallos a bella son Curiados
Pos los yffantes de carrion essora en buias
Caualgan los yffantes adelant adelinauan al palaçio
Con buenas uestiduras e fuerta mie(n)tre adobados
De pie y a lieber dios q(ue) quedos entron

Una página del manuscrito del *Cantar de Mio Cid*.
Madrid, Biblioteca Nacional

CARACTERÍSTICAS GENERALES

La épica medieval en lengua vernácula es un grupo genérico compuesto por poemas que se testimonian, directa o indirectamente, desde los orígenes de la literatura europea moderna y que se mantiene hasta finales del siglo XIV. Su contenido es de índole heroica y en cada Reino exalta los propósitos y conducta de los hombres que han realizado hechos notables y que se recuerdan por su ejemplaridad; la eficacia informativa de esta especie literaria hizo que hoy algunos críticos la hayan considerado como un instrumento de propaganda social de la clase implicada en ella, que fue la nobleza. Hay que contar con que la épica tuvo una difusión que a veces pudo limitarse a la nobleza, pero también pudo extenderse por otros medios sociales de orden popular que considerarían estas narraciones como propias de su tradición colectiva. En la literatura castellana se han perdido los textos poéticos de la mayor parte de estas obras, y sólo ha quedado casi completo el *Poema del Cid,* y restos de otros o sus noticias. El *Poema del Cid* es una obra del período maduro de esta épica y, a través de un manuscrito del siglo XIV, conocemos una versión del mismo en donde se muestra un arte literario completo y suficiente en sí mismo para que obtenga la consideración de gran obra poética, representativa del grupo. Se discute la contingencia de su procedencia tradicional y el grado de historicidad que presentan sus contenidos de condición legendaria, dependiente en parte de la cercanía o lejanía temporal de los hechos a que se refieren.

Estas obras, de presentación oral, se conservaron por medio de los juglares, cuya participación activa en la creación y en la continuidad de los textos es un factor imponderable en relación con la función de un «autor» que nunca se descubre. La escritura de la épica vernácula fue un hecho accidental en cuanto a la conservación del texto de la obra, y también en cuanto a su uso como información de noticias históricas en las Crónicas. De esta versión escrita proceden los comentarios que realizamos a continuación sobre el contenido y forma de la obra, su peculiar retórica propia establecida por formulismos que fueron eficientes para el público al que fue destinado.

EL *POEMA DEL CID*

1. EL HÉROE DESTERRADO

Rodrigo Díaz de Vivar sufre el destierro de Alfonso VI. El Poema, al que falta al principio un folio (que podría haber contenido unos cincuenta versos), comienza bajo el signo del dolor que siente por tener que abandonar la patria de Vivar:

CANTAR PRIMERO

1 *[El Cid sale de Vivar para ir al destierro]*

De los sos oios   tan fuertemientre llorando [1],
tornava la cabeça   e estávalos [2] catando;

---

1 *El héroe desterrado*   2 *catando:* mirando

---

[1] Los lloros del Cid (v. 1) son un rasgo descriptivo del héroe en la épica europea, convertido en fórmula poética; la casual pérdida del texto antecedente hizo que este verso fuese un emotivo e impremeditado comienzo del *Poema* que han elogiado críticos y poetas, pues este inicio truncado resulta muy sugerente a los lectores actuales.
[2] El pronombre *los* (falto de referencia por el recorte inicial del *Poema*) queda impreciso; por lo que se dice que enseguida ve en los versos 4 y 5, *los* son las casas y palacios de la herencia familiar; y el poeta destaca lo que entiende decisivo: las puertas sin cerrar (abandono) y los lugares

vio puertas abiertas   e uços sin cañados,
alcándaras vazías,   sin pielles e sin mantos
5   e sin falcones   e sin adtores mudados.
Sospiró Mio Cid,   ca mucho avié grandes cuidados;
fabló Mio Cid   bien e tan mesurado[3]:
«¡Grado a ti, Señor,   Padre que estás en alto!
»Esto me an buelto   mios enemigos malos.»

2   [Agüeros en el camino de Burgos]

10   Allí piensan de aguiiar,   allí sueltan las rriendas;
a la exida de Bivar   ovieron la corneia diestra[4]
e entrando a Burgos   oviéronla siniestra.
Meçió Mio Cid los ombros   e engrameó la tiesta:
«¡Albricia, Albar Fáñez,   ca echados somos de tierra!»

---

3 *uços:* puertas
3 *cañados:* cerraduras
4 *alcándaras:* perchas
5 *adtores:* azores

11 *exida:* salida
13 *meçió:* movió
13 *engrameó:* sacudió
13 *tiesta:* cabeza

---

donde estaban los pájaros de caza, propios de un noble señor (ya no hay
ocasión para el deporte, sino para la guerra).

[3] La *mesura* (medida y continencia) del héroe es uno de sus rasgos que
lo definen, sobre todo en los casos extremos en los que la cólera pudiera
estar justificada; es signo de la *sapientia* (sabiduría) que debe estar acorde
con la *fortitudo* (fuerza, poder).

[4] El vuelo de los pájaros se tiene como señas de augurio, tal como era
creencia común de la época, y don Rodrigo creía en los agüeros, y esto era
también un adorno poético del relato; el verso 13 es el gesto para desechar
los malos. Por otra parte, obsérvese la cuidadosa construcción del curso
del sintagma en los tres primeros versos de esta serie 2:

> Allí...   Allí...
> ...exida   corneia diestra
> ...entrando   la siniestra

Hay anáfora en los hemistiquios del v. 10: *allí-allí;* y existe oposición
paralela y contraria en los vv. 11-12: *exida-entrando* ('salir'-'entrar') y
diestra-siniestra ('derecha'-'izquierda').

Estos recursos de orden retórico pueden ser comunes a los poemas
épicos y a las obras clericales de las que nos ocuparemos en el próximo
grupo, pues son las que, incorporadas al curso retórico, dan a este su
carácter literario.

3 *[Acogida llorosa en Burgos]*

15   Mio Çid Ruy Díaz   por Burgos entrava [5]
    en su compaña   *sessaenta* pendones.
16b exiénlo ver   mugieres e varones,
    burgeses e burgesas   por las finiestras son,
    plorando de los oios,   tanto avién el dolor;
    de las sus bocas   todos dizían una rrazón:
20   «¡Dios, qué buen vassallo,   si oviesse buen señor!» [6].

4 *[Una niña informa al Cid del mandato real;*
el Cid acampa en la glera]

    Conbidar le ien de grado,   mas ninguno non osava [7],
    antes de la noche   en Burgos d'él entró su carta
    con grand rrecabdo   e fuertemientre sellada:

---

17 *finiestras:* ventanas

---

[5] La serie 3 muestra una asonancia variada: para regularizar el fin del verbo 15, Menéndez Pidal propone *entrové (entró + v + e* paragógica), solución que no siguen los editores posteriores (en su ed., pág. 1026). C. Smith admite una corrección sacada del propio manuscrito, que añade *levava* al fin del verso 16 y, con los versos 15 (con la terminación *entrava)* y el de esta corrección, establece una entrada en esta serie con otra rima *(-á-a),* así: «Mio Cid Ruy Díaz pora Burgos entrava | en su compaña .lx. pendones levava.» C. Smith cree que estos versos anómalos, en situación inicial de serie, son un aspecto de la técnica de tradición oral, «un sistema de versos de suma y sigue» (en su ed., pág. 48). La asonancia de esta serie 3 es en *-ó-e,* y a las palabras terminales de verso *dolor, rrazón* y *señor* se le añade (si queremos percibir el efecto total de la rima) una *-e* de procedencia etimológica, y a *son (sunt),* una *-e* anómala, de condición paragógica, testimonios arcaizantes de una situación lingüística anterior a la segunda mitad del siglo XI en que se generaliza la pérdida de *-e.*
[6] La serie 3 culmina en el verso 20, el más debatido del Poema: el buen vasallo referido es el Cid y el señor queda ambiguo por acierto poético: este señor es, en efecto, Alfonso VI (los oyentes del *Poema* lo saben), pero cabe interpretarlo, al mismo tiempo, desiderativamente (si–sí, 'así') en el sentido de que don Rodrigo merecía tener un señor a la medida de su bondad como vasallo, buen señor él a su vez de los suyos que le siguen. Es un buen ejemplo de ambigüedad poética para que de esta manera no resulte dañado el prestigio de la realeza.
[7] La serie 4 prosigue con el asunto de la 3; con gran habilidad glosa

25   que a Mio Çid Ruy Díaz   que nadi nol' diessen posada
      e aquel que ge la diesse   sopiesse vera palabra
      que perderié los averes   e más los oios de la cara
      e aun demás   los cuerpos e las almas.
      Grande duelo avién   las yentes christianas,
30   ascóndense de Mio Çid,   ca nol'osan dezir nada.
      El Campeador   adeliñó a su posada,
      assí commo llegó a la puerta,   fallóla bien çerrada
      por miedo del rrey Alfonso,   que assí lo avién parado
      que si non la quebrantás por fuerça,   que non ge la abries-
                                                   [se nadi.
35   Los de Mio Çid   a altas vozes llaman,
      los de dentro   non les querién tornar palabra.
      Aguiió Mio Çid,   a la puerta se llegava,
      sacó el pie del estribera,   una ferídal' dava;
      non se abre la puerta,   ca bien era çerrada.
40   Una niña de nuef años   a oio se parava:
      «¡Ya Campeador,   en buen ora çinxiestes espada!
      »El rrey lo ha vedado,   anoch d' él e*[n]*tró su carta
      »con grant rrecabdo   e fuertemientre sellada.
      »Non vos osariemos   abrir nin coger por nada;
45   »si non, perderiemos   los averes e las casas
      »e demás   los oios de las caras.
      »Çid, en el nuestro mal   vós non ganades nada,
      »mas el Criador vos vala   con todas sus vertudes sanctas.»
      Esto la niña dixo   e tornós' pora su casa.
50   Ya lo vee el Çid   que del rrey non avié gr*[açi]*a;

---

31 *adeliñó:* se dirigió   38 *ferida:* empujón
38 *estribera:* estribo

---

los términos diplomáticos de una carta real (vv. 24-28), cuyo contenido se
enuncia manteniendo las fórmulas y terminología de estos documentos. El
poeta narrador hace que culmine la tensión de violencia que se acumula
en el encuentro, incruento y emotivo, de la niña de nueve años que habla
ella sola con el Cid para pedirle que no agrave la situación con una acción
violenta contra los «ciudadanos» de Burgos (v. 17: *burgeses e burgesas:*
'los de Burgos', o bien, como otros proponen, 'los que viven en el *burgo,* o
sea, *burgueses,* las avanzadas de la nueva clase social'). La niña vuelve a
valerse del formulismo del documento (v. 23-v. 43; vv. 26-45; con variación, vv. 28-46) en una repetición poética propia de la poética primitiva,
de gran eficacia en el recitado de la obra.

partiós' de la puerta,   por Burgos aguijava,
llegó a Sancta María,   luego descavalga,
fincó los inoios,   de coraçón rrogava.
La oraçión fecha,   luego cavalgava,
55 salió por la puerta   e Arlançón pa[s]sava,
cabo essa villa   en la glera posava,
fincava la tienda   e luego descavalgava.
Mio Çid Ruy Díaz,   el que en buen ora çinxo espada,
posó en la glera   quando nol'coge nadi en casa,
60 deredor d' él   una buena conpaña;
assí posó Mio Çid   commo si fuesse en montaña.
Vedálal' an conpra   dentro en Burgos la casa
de todas cosas   quantas son de vianda;
non le osarién vender   al menos dinarada.

EDICIÓN: Según la versión de Ian Michael, Madrid, Castalia,
1973², págs. 75-82. *Criterio:* sobre el manuscrito de la Biblioteca
Nacional de Madrid, publica el texto conservando en lo posible la
base textual, pero teniendo en cuenta que la grafía del manuscrito es
caótica y refleja más bien los hábitos escriturarios del copista del siglo XIV que la original de las primeras versiones escritas del *Poema;*
verifica una normalización entre las confusiones que presentan las
letras *l-ll, n-ñ, c-ch, s-ss;* convierte el grupo *th* en *t;* regulariza *r, rr* y
R; suprime la *h* pleonástica; conserva *i* consonante; se han repartido
las funciones de la *u* para vocal y *v* para consonante, dejando la *b* del
copista; se ha ajustado el uso de *j* por *g* (en casos como *guego*), y *g* y
gu van según la grafía académica; usa el apóstrofo para el apócope
pronominal, y los acentos, según la norma actual, con su aplicación
diacrítica *(só-so; ál-al; nós-nos,* etc.). La puntuación es moderna, pero
parca; en unos pocos casos (con la indicación conveniente) se cambia
el orden de los versos por una propuesta que mejora el texto. El
esfuerzo del editor se dirige más a un acercamiento al lector actual
que a la restitución del inalcanzable original, y su pretensión es
«presentar el *Poema* en el estado defectuoso en que ha sobrevivido y
hacer visibles los problemas que plantea» *(Idem,* págs. 63-64). Edición escolar; al principio de cada serie, el editor añade un resumen de
su contenido.

COMENTARIO: Queda patente la métrica del *Poema,* común al
grupo de la poesía épica vernácula: las estrofas de medida diversa

56 *glera:* arenal   64 *dinarada:* lo comprado con un di-
                                       nero

(anisosilábicas) se suceden; estas series de versos se cierran con la semejanza de sonidos del fin de verso, de condición fundamentalmente asonante. La serie 3 presenta una variación, frecuente en este grupo de obras.

El comienzo del texto muestra a don Rodrigo proyectado en su función de héroe del *Poema;* la figura del Cid pertenece a la historia, y los oyentes la identificarían, sin duda, con don Rodrigo Díaz de Vivar, infanzón castellano (1043-1099), cuyas hazañas se recordaban en la primera mitad del siglo XII en que se sitúa la versión inicial del *Poema* dentro de la forma de la épica vernácula. Existe, pues, un corto espacio entre la vida real de don Rodrigo y su conversión en personaje del *Poema;* una tensión común en estas obras es la relación entre la noticia de la persona (mantenida por la vía de la tradición y la documental, formulada en el curso de la Historia) y el contenido del poema en cuanto que ha convertido en héroe poético la figura real. Esta cercanía favorece la persistencia de rasgos reales en la obra artística, pues la selección y tratamiento de esta realidad dentro de las exigencias formales y estructurales del canto épico se establecen para servir el propósito de la memoria de un afán colectivo del Reino: en este caso es la lucha contra el enemigo secular, el árabe, y la exaltación del infanzón que asciende hasta quedar enlazado con reyes dentro de la sociedad de Castilla, pues este es un poema «personal».

El comienzo del *Poema* muestra al héroe en el punto más bajo de su consideración política: deja Vivar, su patria, por culpa de sus «enemigos malos» (v. 9), pero no atribuye al Rey de una manera directa esta situación. Alfonso VI había desterrado a don Rodrigo ejerciendo el derecho que le estaba conferido por las leyes en relación con la *ira regia* (así, por ejemplo, en las *Partidas,* IV, 25, 10), cuyos efectos desterraban al implicado como culpable de algún delito, aquí acusaciones malévolas de sus enemigos en la Corte. Don Rodrigo atribuye su destierro a los traidores que lo habían indispuesto con su Rey, y así Alfonso VI queda por encima de la contienda civil y podrá, como consecuencia de las hazañas del desterrado, ir recibiendo las muestras de su «amor social» hasta que vuelva a admitirlo en la Corte y lo premie. El *Poema* posee un entramado jurídico que pone de manifiesto, en su autor y en los que lo han reformado y mantenido, el conocimiento y uso de las normas del Derecho, como convenía a la condición social de los que pudieron oírlo con gozo y provecho.

La exclamación de conformidad del Cid a la voluntad de Dios (v. 8) es el contrapunto a la acción negativa de los enemigos. Menéndez Pidal propone en su edición crítica añadir un verso entre 14 y 15, cuyas palabras proceden de la *Primera Crónica General:*

mas a grand ondra   tornaremos a Castiella

Esto sería una premonición de lo que ocurre en el conjunto del *Poema,* en correlación con el verso final (v. 3725). Así la honra del héroe constituiría un motivo-eje de la obra, entendida a la vez como la restitución de los honores sociales y como el crecimiento de la fama y hacienda del héroe, que cubre desde el principio al fin el objeto de la narración del *Poema.*

2. LA CULMINACIÓN ÉPICA: LOS COMBATES CONTRA LOS MOROS

El Cid y sus mesnadas se asientan en tierra de moros sobre Alcocer y los moros los cercan y los dejan sin agua; entonces el Campeador decide salir a campo abierto y derrota a los moros:

34

665 A cabo de tres semanas,   la quarta querie entrar,
    mio Çid con los sos   tornos a acordar: [1]
    'El agua nos an vedada,   exir nos ha el pan;
    que nos queramos ir de noche   no nos lo consintran.
    Grandes son los poderes   por con ellos lidiar;
670 dezid me, cavalleros,   commo vos plaze de far.'
    Primero fablo Minaya   un cavallero de prestar:
    'De Castiella la gentil [2]   exidos somos aca;
    si con moros non lidiaremos   no nos daran del pan.
    Bien somos nos .vi. çientos,   algunos ay de mas;
675 ¡en el nombre del Criador   que non pase por al,
    vayamos los ferir   en aquel dia de cras!'

670 *far:* hacer   676 *ferir:* acometer
675 *non pase por al:* no hay más re-   676 *dia de cras:* mañana
    medio

---

[1] La consulta del caudillo con los capitanes que lo rodean es propia de la épica germánica. Con esto se testimonian antiguas costumbres de los pueblos primitivos, que sobreviven en estos usos de la guerra; aquí es manifestación de la unión solidaria de los guerreros en torno del caudillo que los guía.

[2] *Castiella la gentil;* a Castiella se le aplica este epíteto para realzarla en varias partes del *Poema.* Esto es propio del lenguaje de la épica que subraya los reinos y ciudades con un apelativo.

Dixo el Campeador: 'A mi guisa fablastes.
Ondrastes vos, Minaya,   ca aver vos lo iedes de far.'
Todos los moros e las moras[3]   de fuera los manda echar
680 que non sopiesse ninguno   esta su poridad.
El dia e la noche   pienssan se de adobar.
Otro dia mañana   el sol querie apuntar,
armado es mio Çid   con quantos que el ha.
Fablava mio Çid   commo odredes contar:[4]
685 'Todos iscamos fuera,   que nadi non raste
si non dos peones solos   por la puerta guardar;
si nos murieremos en campo   en castiello nos entraran,
si vençieremos la batalla   creçremos en rictad.
E vos, Pero Vermuez,   la mi seña tomad;
690 commo sodes muy bueno   tener la edes sin ar[t]h;[4bis]
mas non aguijedes con ella   si yo non vos lo mandar.'
Al Çid beso la mano,   la seña va tomar.
Abrieron las puertas,   fuera un salto dan;
vieron lo las arobdas de los moros,   al almofalla se van
                                                        [tornar.
695 ¡Que priessa va en los moros!   e tornaron se a armar;
ante roido de atamores[5]   la tierra querie quebrar;

---

680 *poridad:* secreto
681 *pienssanse:* se disponen
681 *adobar:* prepararse para el combate

685 *raste:* quede
688 *rictad:* riqueza
694 *arobdas:* centinelas avanzados
694 *almofalla:* campamento

[3] Se refiere a los que convivían con su ejército, dentro de Alcocer, en donde se hallaban los cristianos, cercados por el enemigo.

[4] Aquí el narrador se dirige a un público plural, *odredes,* 'oiréis', que lo rodea; *contar* es la narración misma, establecida según el arte del relato, que presupone, a su vez, el arte de la comunicación juglar en una compenetración artística por la que discurre la creación poética del «cantar» épico.

[4bis] *Sin árth: arte* aquí significa en sentido negativo 'engaño, deslealtad'; solían reunirse los términos: «sin arte ni engaño». El aviso es conveniente porque luego Pero Bermúdez, el sobrino del Cid, no cumplirá la indicación que le dio don Rodrigo y ha de meterse por entre las filas enemigas antes de que su tío diese la orden de comenzar el combate. No es deslealtad, sino imprudencia juvenil, que pone de manifiesto que el autor de la obra quiso dar carácter propio a los personajes.

[5] El estruendo que armaban los tambores de los moros era parte de la nueva estrategia de los almorávides, que así desconcertaban y sobrecogían a los cristianos.

veriedes armar se moros,   a priessa entrar en az.
De parte de los moros   dos señas ha cabdales,
e fizieron dos azes de peones[6] mezclados   ¿qui los podrie
                                                    [contar?[7]
700 Las azes de los moros   yas mueven adelant
    por a mio Çid e a los sos   a manos los tomar.
    'Quedas sed, me[s]nadas,   aqui en este logar;
    non deranche ninguno   fata que yo lo mandé.'
    Aquel Pero Vermudez   non lo pudo endurar,
705 la seña tiene en mano,   conpeço de espolonear:
    '¡El Criador vos vala,   Çid Campeador leal!
    Vo meter la vuestra seña   en aquela mayor az;
    ¡los que el debdo avedes   veremos commo la acorr[a]des!'
    Dixo el Campeador: 'Non sea, por caridad!'
710 Respuso Pero Vermuez: '¡Non rastara por al!'
    Espolono el cavallo   e metiol en el mayor az;
    moros le reçiben   por la seña ganar,
    dan le grandes colpes   mas nol pueden falssar.
    Dixo el Campeador: '¡Valelde, por caridad!'

35

715 Enbraçan los escudos   delant los coraçones,
    abaxan las lanças   abue[l]tas de los pendones,
    enclinaron las caras   de suso de los arzones,
    ivan los ferir   de fuertes coraçones.
    A grandes vozes lama   el que en buen ora na[çi]o:
720 '¡Ferid los, cavalleros,   por amor de caridad!

697 *entrar en az:* alinearse para el   710 *rastará por al:* dejará de ser así
    combate   713 *falssar:* atravesar
703 *deranche:* salga de filas

---

[6] Menéndez Pidal prefiere la lección *pendones;* es un verso con el
hemistiquio primero muy largo.
[7] Esta pregunta va dirigida al público oyente, en relación con lo que
se indica en el verso 2740-1; y es un testimonio de la oralidad subyacente
en la estructura del *Poema. Contar* tanto en relación con el número como
en cuanto a la calidad de los efectivos.

¡Yo so Ruy Diaz el Çid   Campeador de Bivar!'[8]
Todos fieren en el az   do esta Pero Vermuez;
trezientas lanças son,   todos tienen pendones;
seños moros mataron,   todos de seños colpes;
725 a la tornada que fazen   otros tantos son.

36

Veriedes tantas lanças   premer e alçar,
tanta adagara   foradar e passar,
tanta loriga   falsa[r e] desmanchar,
tantos pendones blancos   salir vermejos en sangre,
730 tantos buenos cavallos   sin sos dueños andar.
Los moros laman '¡Mahomat!'   e los christianos ['¡Santi
                                                    [Yagu[e]!'[9]
Cayen en un poco de logar   moros muertos mill e .ccc. ya.

37

¡Qual lidia bien   sobre exorado arzon
mio Çid Ruy Diaz   el buen lidiador!

724 *seños*: sendos   728 *desmanchar*: desmallar
726 *premer*: bajar   733 *exorado*: dorado

---

[8] El héroe grita en voz alta su identidad para animar a los suyos y
desconcertar a los contrarios; esta proclamación es una fórmula común de
la épica medieval, tanto de la cristiana como de la árabe y aljamiada, y
aquí el poeta usa el tópico con una gran eficacia poética en el curso
narrativo. Ruy (Rodrigo) Díaz, el Cid ('mi señor' en árabe), nombre que
se usaba comúnmente entre todas las clases sociales en Castilla y que aquí
es un reconocimiento con que sus enemigos le consideraban; y Campeador (procedente del término latino *Campidoctor*, conocedor, sabio en el
campo de batalla) y de aquí 'batallador, vencedor en ellas'.
[9] El verso resulta perfecto en su bipartición, y en la distribución
paralela de los términos: moros-Mahoma/cristianos-Santiago. De esta
manera se obtiene una cifra sencilla para los oyentes que resulta clave en
el curso de un *Poema*, sobre todo en la parte primera en que predomina el
enfrentamiento entre unos y otros como resorte sustancial de la obra.

735 Minaya Albar Fañez   que Çorita mando, [10]
     Martin Antolinez   el burgales de pro,
     Muño Gustioz   que so criado fue,
     Martin Muñoz   el que mando a Mont Mayor,
     Albar Albarez   e Albar Salvadorez,
740 Galin Garçia   el bueno de Aragon,
     Felez Muñoz   so sobrino del Campeador:
     desi adelante   quantos que i son
     acorren la seña   e a mio Çid el Campeador.

38

     A Minaya Albar Fañez   mataron le el cavallo,
745 bien lo acorren   mesnadas de christianos;
     la lança a quebrada,   al espada metio mano,
     mager de pie   buenos colpes va dando.
     Violo mio Çid   Ruy Diaz el Castelano:
     acostos a un aguazil   que tenie buen cavallo,
750 diol tal espadada   con el so diestro braço
     cortol por la çintura   el medio echo en campo. [11]
     A Minaya Albar Fañez   ival dar el cavallo:
     '¡Cavalgad, Minaya,   vos sodes el mio diestro braço!
     Oy en este dia   de vos abre grand bando;
755 firme[s] son los moros,   aun nos van del campo.'
     Cavalgo Minaya   el espada en la mano,
     por estas fuerças   fuerte mientre lidiando;
     a los que alcança   valos delibrando.
     Mio Çid Ruy Diaz   el que en buen ora nasco

742 *i:* allí   749 *aguazil:* gobernador
747 *mag[u]er:* aunque

------

[10] Esta relación de los nombres de los caballeros es otro uso retórico de la épica vernácula; se trata de una enumeración a la que el nombre va seguido, menos en uno, de una caracterización que mantiene la memoria de la condición de cada uno entre los oyentes.

[11] Estos tajos descomunales son otro rasgo de las descripciones de los combates épicos.

760 al rey Fariz[12]   .iii. colpes le avie dado,
    los dos le fallen   y el unol ha tomado,
    por la loriga ayuso   la sangre destellando;[13]
    bolvio la rienda   por ir se le del campo.
    Por aquel colpe   rancado es el fonssado.

                    39

765 Martin Antolinez   un colpe dio a Galve,
    las carbonclas del yelmo   echo gelas aparte,
    cortol el yelmo   que lego a la carne;
    sabet, el otro   non gel oso esperar.
    Arancado es   el rey Fariz e Galve:
770 ¡Tan buen dia   por la christiandad
    ca fuyen los moros   de la [e de la] part!
    Los de mio Cid   firiendo en alcaz,
    el rey Fariz   en Ter[rer] se fue entrar,
    e a Galve   nol cogieron alla;
775 para Calatayu[t]h   quanto puede se va.
    El Campeador   ival en alcaz,
    fata Calatayu[t]h   duro el segudar.

764 *rancado:* vencido   766 *carbonclas:* rubíes
764 *fonssado:* ejército   772 *alcaz:* alcance, persecución
765 *colpe:* golpe   777 *segudar:* persecución

---

[12] Si bien en un gran número los personajes del *Poema* son identificables con personas reales de la Historia, no ocurre así con algunos otros, como estos «reyes» (capitanes de tropas, con jurisdicción local) Fáriz y Galve; obsérvese que son dos, como en el caso de otros personajes del *Poema,* como las parejas Raquel y Vidas, las dos hijas del Cid, los dos Infantes de Carrión. Se ha propuesto si estos nombres proceden de topónimos (Galve y Fariz[a]), que sería el Ariza actual.
[13] *La sangre destellando* es una expresión formulística que se aplica dentro de una mecánica poética, como puede notarse comparando este verso con el 781, análogo. El intérprete de un cantar, que sigue el curso del argumento, contaba con estas «piezas» expresivas con los que montar una descripción, aquí la del caballero combatiente y triunfante.

A Minaya Albar Fañez   bien l'anda el cavallo,
d'aquestos moros   mato .xxxiiii.;
780 espada tajador,   sangriento trae el braço,
por el cobdo ayuso   la sangre destellando.
Dize Minaya: 'Agora so pagado,
que a Castiella   iran buenos mandados
que mio Çid Ruy Diaz   lid campal a [arrancada].
785 Tantos moros yazen muertos   que pocos vivos a dexados,
ca en alcaz   sin dubda les fueron dando.
Yas tornan   los del que en buen ora nasco.
Andava mio Çid   sobre so buen cavallo,
la cofia fronzida: ¡Dios, commo es bien barbado!
790 Almofar a cuestas,   la espada en la mano.
Vio los sos   commos van alegando:
'¡Grado a Dios   aquel que esta en alto,
quando tal batalla   avemos arancado!'
Esta albergada   los de mio Çid luego la an robada [14]
795 de escudos e de armas   e de otros averes largos;
de los moriscos   quando son legados
796ᵇ ffallaron   .dx. cavallos.
Grand alegreya   va entre essos christianos;
mas de quinze de los sos   menos non fallaron.
Traen oro e plata   que non saben recabdo,
800 refechos son todos esos christianos   con aquesta ganançia.
A sos castiellos a los moros   dentro los an tornados;
mando mio Çid   aun que les diessen algo.
Grant a el gozo mio Çid   con todos sos vassalos, [...]

782 *so pagado:* estoy contento	790 *almofar:* capucha cerrada
784 *arrancada:* vencido	794 *albergada:* campamento
789 *cofia:* gorra	796 *moriscos:* morunos
789 *fronzida:* plegada	

[14] El *robo* (despojo, saqueo, pillaje) del campo enemigo se consideraba como un acto de derecho, reconocido por las leyes; no se olvide que antes, en el verso 688 se enunció que si las gentes del Cid vencían en la batalla, crecerían en *rictad,* 'riqueza'. La campaña del héroe es así un medio por el que sus gentes ganan honra por medio de su enriquecimiento; y más aún en el caso en que esto sea contra los moros. De ahí la alegría épica del verso 797.

EDICIÓN: Según la versión de Colin Smith, Madrid, Cátedra, 1976 (texto según la de 1972). *Criterio:* sobre el manuscrito de la Biblioteca Nacional y teniendo en cuenta la edición paleográfica de Menéndez Pidal. En general, conserva la ortografía «en mayor grado que otros editores» (pág. 116). Sólo regulariza *u* y *v (u* como vocal y *v* como consonante), pero respeta *b/v;* también unifica el uso de *i, j* e *y (i* como vocal, *j* como consonante e *y* como semivocal y semiconsonan- te). Usa los signos de puntuación a la manera moderna pero no acentúa. Edición escolar.

COMENTARIO: Este trozo ha sido elegido para mostrar al héroe combatiente que, con hábil estrategia, sabe vencer a sus enemigos moros, y así se manifiesta como un ejemplar guerrero. Las series 34 a 39 cuentan sucesivamente la preparación del encuentro entre el ejército del Cid y los de los moros con una teoría de la estrategia conveniente; después, narra la salida de los combatientes y su disposi- ción en el campo; sigue el episodio inesperado de la audacia juvenil de Pero Bermúdez; después los combates se describen: *a)* en los encuen- tros colectivos (vv. 715-732); *b)* en los enfrentamientos individuales, con la cita de los nombres de los combatientes (vv. 733-743); *c)* poniendo de relieve la acción del héroe y sus capitanes en un primer plano de la narración (vv. 744-769). Lograda la derrota en el campo, sigue la persecución en el alcance, los despojos del campo y luego el reparto del botín con la alegría de la victoria. La narración se ha establecido dentro de una red de topónimos real en la geografía, y resulta un hecho «creíble», de un heroísmo que pudo lograrse con el esfuerzo humano del héroe, contado con los recursos de la retórica épica.

3. EL CID TRIUNFANTE EN VALENCIA;
   LOS INFANTES DE CARRIÓN PREPARAN SU ALEVOSÍA

El Cid, desde la cumbre de su gloria política, con su familia y mesnadas, proclama su poderío sobre Valencia. Pero la traición acecha dentro de su casa:

122

El Cid,
  el colmo
  su gloria,
  medita
  dominar
  Marruecos.

Todas estas gananças   fizo el Canpeador.
«Grado ha Dios   que del mundo es señor!
»Antes fu minguado,   agora rico so,

67

2495 »que he aver e tierra e oro e onor,[1]
»e son mios yernos ifantes de Carrión;
»arranco las lides commo plaze al Criador,
»moros e cristianos[2] de mí han grant pavor.
»Allá dentro en Marruecos, o las mezquitas son,
2500 »que abrán de mi salto quiçab alguna noch
»ellos lo temen, ca non lo piensso yo:
»no los iré buscar, en Valençia seré yo,
»ellos me darán parias con ayuda del Criador,
»que paguen a mí o a qui yo ovier sabor.»[3]

Los infantes ricos y honrados en la corte del Cid. 2505 Grandes son los gozos en Valençia la mayor
de todas sus conpañas de mio Çid el Canpeador,
2508 d'aquesta arrancada que lidiaron de coraçón;
2507 grandes son los gozos de sos yernos amos a dos:
2509 valía de çinco mill marcos ganaron amos a dos;
2510 muchos tienen por ricos ifantes de Carrión.
Ellos con los otros vinieron a la cort;
aquí está con mio Çid el obispo do Jerome,
el bueno de Álbar Fáñez, cavallero lidiador,
e otros muchos que crió el Campeador;
2515 quando entraron ifantes de Carrión,
reçibiólo Minaya por mio Çid el Campeador:
«Acá venid, cuñados, que más valemos por vos.»
Assí commo llegaron, pagós el Campeador:
«Evades aquí, yernos, la mie mugier de pro,

2497 *arranco:* venzo
2499 *o:* donde
2503 *parias:* tributos

2508 *arrancada:* victoria
2519 *evades:* he aquí

---

[1] Este recuento es el testimonio del poder alcanzado por el Cid como consecuencia de su esfuerzo; posee *aver* y *tierra* (bienes muebles e inmuebles), *oro* (moneda y metal valioso) y *honor* (consideración ante la sociedad). La justificación económica asegura el *valor* del héroe en lo que él vale por sí y en lo que posee.

[2] *moros y cristianos,* o sea el mundo en el que se mueve, unos, enemigos naturales según la religión; y los otros, enemigos civiles en la discordia del reino.

[3] Don Rodrigo tiene una medida exacta de sus fuerzas; él no puede emprender una cruzada pero sí organizar su poder dentro del sistema económico de los *parias* o tributos locales. La justificación religiosa de la guerra cede ante la necesidad de la convivencia mediante tratos parciales.

2520 »e amas las mis fijas,   don Elvira e doña Sol;
»bien vos abraçen   e sírvanvos de coraçón.
2524 »Grado a santa María,   madre del nuestro señor
[Dios!
2525 »destos *v*uestros casamientos   vos abredes honor.
»Buenos mandados irán   a tierras de Carrión.»

123

Vanidad
de los
infantes.

A estas palabras   fabló *infant* Ferran*do:*
«Grado al Criador   e a vos, Çid ondrado,
»tantos avemos de averes   que no son contados;
2530 »por vos avemos ondra   e avemos lidiado,
2522 »vençiemos moros   en campo e matamos
2523 »a aquel rey Búcar,   traydor provado.
2531 »Pensad de lo otro,   que lo nuestro tenémoslo en
[saluo.»

Burlas
de que son
objeto.

Vassallos de mio Çid   se*di*ense sonrrisando:
quien lidiara mejor   o quien *f*ora en alcanço;
mas non fallavan i   a Dí*d*a*g*o ni a Ferrando.
2535 Por aquestos juegos   que ivan levantando,
elas noches e los días   tan mal los escarmentan-
[do, [4]

tan mal se conssejaron   estos iffantes amos.
Amos salieron a part,   veramientre son herma-
[nos;

desto que ellos fablaron   nos parte non ayamos; [5]

2520 *amas:* ambas   2534 *i:* allí
2531 *pensad de:* ocupaos en

---

[4] Don Diego y don Fernando no fueron vistos ni en los combates ni después en el *alcanço* o persecución de los moros derrotados. Los *juegos* en el sentido de burlas, bromas, zumbas que produjeron en ellos el resentimiento; *escarmentar,* como derivación de *escarnio* o *escarmiento,* como *escarnecer.*

[5] Un buen testimonio de la intervención del juglar en la comunicación del *Poema:* comenzando por el paréntesis irónico de *veramientre son hermanos,* el recitador atrae junto a sí a los oyentes *nos* [nosotros suena *yo,* el que dijo el poema, y *vosotros,* los que escucháis cerca de mí] *parte*

2540   —«Vayamos pora Carrión,   aquí mucho detarda-
                                             [mos.
    »Los averes que tenemos   grandes son e sobeja-
                                             [nos,
    »despender no los podremos   mientra que *bivos*
                                            [*seamos.*

124

Los infantes
deciden
afrentar a las
hijas
del Cid.   —«Pidamos nuestras mugieres   al Çid Campea-
                                           [dor,
    »digamos que las llevaremos   a tierras de Ca-
                                           [rrión,
2545   »enseñar las hemos   do *e*llas hereda*da*s son.
    »Sacar las hemos de Valençia,   de poder del
                                           [Campeador;
    »después en la carrera   feremos nuestro sabor,
    »ante que nos retrayan   lo que cuntió del león.
    »Nos de natura somos   de co*m*des de Carrión!
2550   »Averes levaremos grandes   que valen grant va-
                                           [lor;
    »escarniremos   las fijas del Canpeador.»
    —«D' aquestos averes   sienpre seremos ricos om-
                                           [nes,
    »podremos casar con hijas   de reyes o de enpera-
                                           [dores,
    »ca de natura somos   de co*m*des de Carrión.
2555   »Assí las escarniremos   a fijas del Campeador,
    »antes que nos retrayan   lo que f*o* del león.»[6]

2541 *sobeianos:* excelentes   2551 *escarniremos:* escarneceremos
2548 *cuntió:* aconteció

---

non ayamos, porque lo que van a tramar es una felonía indigna del juglar
y de los oyentes. Y esto tuvo que acompañarse de la conveniente gesticulación que ayudaba a la teatralidad implícita en el relato.
  [6] Lo que aconteció con el león (serie 112, vv. 2278-2310) es un
intermedio cómico en el que los infantes se mostraron cobardes ante un
león escapado de una jaula.

Piden al Cid
sus
mujeres para
llevárselas
a Carrión.

Con aqueste consejo   amos tornados son,
fabló Ferrán*t* Gonçál*v*ez   e fizo callar la cort:
«Sí vos vala el Criador,   Çid Campeador!
2560 »que plega a doña Ximena   e primero a vos
»e a Minaya Álbar Fáñez   e a quantos aquí son:
»dadnos nuestras mugieres   que avemos a bendi-
[çiones;
»levar las hemos   a nuestras tierras de Carrión,
2564-5 »meter las hemos en arras   que les diemos por
[onores;
»verán vuestras fijas   lo que avemos nos,
»los fijos que oviéremos   en qué avrán partiçión.»

El Cid
accede.
Ajuar que da
a sus hijas.

2569   Nos curiava de *fonta*   mio Çid el Campeador;
2568 «Darvos he mis fijas   e algo de lo mio;
2570 »vos les diestes villas por arras   en tierras de
[Carrión,
»hyo quiéroles dar axuvar   tres mill marcos de
[*valor;*
»darvos e mulas e palafrés,   muy gruessos de
[sazón,
»cavallos pora en diestro   fuertes e corredores,
»e muchas vestiduras   de paños e de çiclatones;
2575 »darvos he dos espadas,   a Colada e a Tizón, [7]
»bien lo sabedes vos que las gané   a guisa de
[varón;
»mios fijos sodes amos,   quando mis fijas vos do;
»allá me levades   las telas del coraçón.

2559 *Sí:* así   2569 *fonta:* afrenta
2560 *plega:* plazca   2571 *axuvar:* ajuar
2564-5 *arras:* dote   2574 *çiclatones:* telas de seda

---

[7] Era costumbre en la realidad y en los poemas épicos dar nombre a
las espadas, que era el arma que se consideraba como el más alto signo de
la caballería. *Colada* había pertenecido al conde Ramón Berenguer de
Barcelona, y el Cid se la ganó (v. 1010, en donde se valora en más de mil
marcos de plata), y pudiera llamarse así por ser de «acero colado». *Tizón*
era otra presa de guerra, pues don Rodrigo se la ganó al rey Búcar (quizá
Sir Ibn Abu Bekr, y se considera que vale mil marcos de oro, v. 2426) en
la defensa de Valencia; el nombre se asoció con *tizón* 'palo a medio
quemar', y los lexicógrafos de los Siglos de Oro lo han interpretado como
'espada ardiente'.

>»Que lo sepan en Gallizia   e en Castiella e en
[León,
2580   »con que riqueza enbio   mios yernos amos a dos.
«A mis fijas sirvades,   que vuestras mugieres son;
»si bien las servides,   yo vos rendré buen galar-
[don.»
Atorgado lo han esto   iffantes de Carrión.
Aquí reçiben   fijas del Campeador;
2585   conpieçan a reçibir   lo que el Çid mandó. [...]

EDICIÓN: Según la versión crítica de Ramón Menéndez Pidal,
Cantar de Mio Cid. Texto, gramática y vocabulario, Madrid, Espasa-
Calpe, 1946, III, págs. 1120-1123; se trata de la edición más divulgada
del *Poema* que a partir de 1895 (en que fue premiada por la Academia
su primera versión) viene reformándose desde la edición de 1908.
Establecida dentro de los cauces rigurosos de la crítica positivista,
Menéndez Pidal aplicó a ella sus conocimientos sobre la lengua
histórica y los documentos y crónicas de la época. En ella se intenta
lograr la propuesta de una nueva reconstrucción del texto primitivo
del *Poema.* Menéndez Pidal se propone «dar una idea de la pronunciación del autor, no de sus grafías que serían muy otras...»; «emplea-
ré la ortografía que se generalizó en el siglo XIII como más exacta».
Señala en cursiva versos, palabras y letras olvidadas por el copista del
manuscrito, o abreviadas por signos; su propósito es anticuar el
lenguaje hacia lo que habría sido la situación de origen hacia media-
dos del siglo XII. Sin embargo, no uniformiza el lenguaje rehecho
«pues creo que la época se caracteriza precisamente por la lucha de
formas concurrentes» (pág. 1019).

COMENTARIO: El Cid se encuentra en la culminación de su poder:
se aseguró en el señorío de Valencia venciendo al rey Búcar (Abú-
Béker, el Latmuní) de Marruecos y aún imagina, acaso como rasgo
de humor (vv. 2499-2500), que los moros africanos esperan que se les
presente en Marruecos inopinadamente de noche. Pero don Rodrigo
reconoce sus límites y prefiere los tratos. Valencia es así la Corte del
Cid ya vuelto a la gracia de su Rey, donde están ahora ricos y
animosos sus fieles caballeros que lo acompañaron en el destierro, y
hasta un obispo, don Jerónimo. Y también se encuentran con él los
Infantes de Carrión, que han casado con las hijas del Cid; los Infantes
hacía poco que se habían mostrado cobardes en el combate recién

2585 *conpieçan:* comienzan

72

terminado, pero los buenos vasallos del Cid ocultaron esta conducta a su señor y ahora los de Carrión, mentirosos, se ufanan de su pretendido valor. Esta torpeza hace que resulte incómoda la estancia de los Infantes en la Corte y meditan una villanía: llevarse la riquezas que han reunido y vengarse en las hijas del Cid. Desde aquí el *Poema* deriva hacia la consideración de la honra personal del héroe y deja el asunto de la lucha contra los moros.

4. LA TRAICIÓN DE LOS INFANTES DE CARRIÓN

El curso del *Poema* continúa con las sucesivas victorias de don Rodrigo y su progresivo acercamiento al Rey, hasta que en la serie 104 se logra la reconciliación y cesa el efecto de la *ira regia* que había separado a Alfonso VI de su buen vasallo y este recupera el «amor» del Rey (v. 2032). Hábilmente el poeta fue cambiando el tono del cantar; al Cid guerrero del destierro, a través de la conquista y gobierno de Valencia, ha sucedido un don Rodrigo cortesano. A la violencia de las narraciones bélicas de la parte primera sucede la estancia de los cristianos en Valencia, donde don Rodrigo es el señor de una corte en la que alternan la vida con la familia y sus fieles con la actividad bélica que requiere la conservación de la ciudad. Los Infantes de Carrión (que en el *Poema* son llamados *Diego* y *Ferrán Gonçález,* considerados como *ricos homes,* o sea el más alto grado de la nobleza) enlazan una y otra parte, y son el motivo por el que el *Poema* deje de lado la guerra contra los moros, y el argumento se ciña a rencillas entre los mismos caballeros cristianos, en este caso don Rodrigo y los suyos frente a la familia de los Vanigómez. En esta parte el *Poema* adopta un aire de «aventura», lejos del sentido épico precedente, sostenido por la lucha con los moros. Ocurre una venganza personal de la peor condición: si el Cid fue desterrado por una denuncia envidiosa y volvió por la vía del heroísmo al favor del Rey, los Infantes realizarán una villanía con el Cid, esta vez real y evidente, pues los oyentes y lectores la conocen, y el Rey intervendrá para establecer la justicia. Los Infantes, después de haber logrado casar con las hijas del Cid por su propia voluntad y con el respaldo del Rey, van a la Corte de Valencia, donde dan muestras de cobardía. Entonces premeditan vengarse en las personas de sus mujeres, azotándolas y luego dejándolas abandonadas en medio del bosque.

Los Infantes con sus mujeres y el séquito se van de Valencia y, siguiendo el camino de Carrión, dejan atrás Atienza y se adentran en la Sierra de Miedes, pasan por los Montes Claros y dejando a un lado San Esteban de Gormaz, y ya cerca del Duero proponen que la comitiva descanse:

[...] Ya mouieron del Anſſarera los yfantes de Carrion,
2690   Acoien ſe a andar de dia τ de noch;
     Aſſinieſtro dexan Atineza, vna peña muy fuert,
     La ſierra de Miedes paſſaron la eſtoz,
     Por los Montes Claros aguijan a eſpolon;
     Aſſinieſtro dexan aGriza que Alamos poblo,
2695   Alli ſon caños do a Elpha en çerro;
     Adieſtro dexan aSant Eſteuan, mas cae aluen; [1]
     Entrados ſon los yfantes al Robredo de Corpes, [2]
     Los montes ſon altos, las Ramas puian con las nues,
     Elas beſtias fieras que andan aderredor.
2700   Falaron vn vergel con vna limpia fuent; [3]
     Mandan fincar la tiendan yfantes de Carrion,
     Con quantos que ellos traen y iazen eſſa noch,
     Con ſus mugieres en braços demueſtran les amor;
     ¡Mal gelo cunplieron quando ſalie el ſol!

2689 *mouieron:* pusieron en camino   2698 *puian:* suben
2696 *aluen:* lejos   2703 *y:* allí

---

[1] Obsérvese la abundancia de topónimos en este grupo de versos; unos son claramente identificables: Atienza, los Montes Claros, San Esteban; otros pueden reconocerse: Sierra de Miedes; y otros son desconocidos: Griza. La intención del autor es situar la acción entre unos parámetros que pudieran parecer reales, aunque lo que cuente aquí sea una ficción; la mención a *Elpha,* según Menéndez Pidal, pudiera referirse a una leyenda folklórica en relación con *elfo,* ninfa o sílfide de los bosques de la mitología germánica. En este caso serviría para preparar con esta sugerencia a una deidad oscura y tenebrosa el episodio que sigue.
[2] El robledo de Corpes no ha podido ser identificado de una manera precisa y cierta; aparte de los cambios que pudiera haber habido en la configuración de los lugares, la función de esta mención es amparar un paisaje adecuado para los hechos que se cuentan: el bosque tenebroso en el que se realiza la traición, como ocurre en otros relatos semejantes.
[3] Dentro del bosque hay un espacio que se corresponde con el *locus amoenus,* un vergel con una limpia fuente.

Mandaron cargar las azemilas con grandes aueres,
Cogida han la tienda do albergaron de noch,
Adelant eran ydos los de criazon:
Aſſi lo mandaron los yfantes de Carrion,
Que non yfincas ninguno, mugier nin varon,
2710 Si non amas ſus mugieres doña Eluira τ doña Sol:
De portar ſe quieren con ellas atodo ſu ſabor.
Todos eran ydos, ellos .iiij. ſolos ſon,
Tanto mal comidieron los yfantes de Carrion; [4]
«Bien lo creades, don Eluira τ doña Sol,
2715 Aqui ſeredes eſcarnidas en eſtos ſieros montes.
Oy nos partiremos, τ dexadas ſeredes de nos;
Non abredes part en tierras de Carrion.
Hyran aqueſtos mandados al Çid Campeador;
Nos vengaremos aqueſta por la del Leon,» [5]
2720 Alli les tuellen los mantos τ los pelliçones,
Paran las en cuerpos τ en camiſas τ en çiclatones.
Eſpuelas tienen calçadas los malos traydores,
En mano prenden las çinchas fuertes τ duradores.
Quando eſto vieron las dueñas, fablaua doña Sol:
2725 «Por Dios uos Rogamos, don Diego τ don Ferando!
Dos eſpadas tenedes fuertes τ taiadores,
Al vna dizen Colada τ al otra Tizón, [6]
Cortandos las cabecas, martires ſeremos nos:
Moros τ chriſtianos de partiran deſta Razon,
2730 Que por lo que nos mereçemos no lo prendemos nos;

2707 *criazón:* el servicio de la casa
2709 *y fincas:* quedase allí
2711 *De portar se:* holgarse
2713 *comidieron:* pensaron
2720 *tuellen:* quitaron

2720 *pelliçones:* capas de pieles
2721 *paran las:* déjanlas
2721 *en cuerpos:* en ropas menores
2721 *çiclatones:* vestido interior de seda

[4] Obsérvese que los infantes como las hijas del Cid son personajes «dobles», pues lo que dicen vale para los dos.

[5] Se refieren, como ya se indicó, al episodio cómico de la serie 112.

[6] Ya se comentó en el fragmento 3, nota 7, el nombre de estas espadas, que vuelven a repetirse aquí recordando al mismo tiempo la excelente calidad de las piezas. Y en el fragmento 5 otra vez volverá a salir su referencia en otra ocasión, llena de solemnidad jurídica. Lo que en este caso piden las hijas del Cid es que al menos las espadas nombradas sirvan para convertirlas en *mártires,* martirio civil que se acerca al religioso.

Atan malos enſſenplos non fagades ſobre nos:
Si nos fueremos maiadas, a biltaredes auos,
Retraer uos lo a en viſtas o en cortes.»

Fol. 55 v. Lo que Ruegan las duenas non les ha ningun pro.
2735 Eſſora les conpieçan adar los yfantes de Carrion;
Con las çinchas corredizas maian las tan ſin ſabor;
Con las eſpuelas agudas, don ellas an mal ſabor,
Ronpien las camiſas τ las carnes aellas amas ados;
Linpia ſalie la ſangre ſobre los çiclatones.
2740 Ya lo ſienten ellas en los ſos coraçones.
¡Qual ventura ſerie eſta, ſi ploguieſſe al Criador,
Que aſſomaſſe eſſora el Çid Campeador! [7]
Tanto las maiaron que ſin coſimente ſon;
Sangrientas en las cami5as τ todos los ciclatones.
2745 Canſſados ſon de ferir ellos amos ados,
En ſayandos amos qual dara meiores colpes.
Hya non pueden fablar don Eluira τ dona Sol;
Por muertas las dexaron enel Robredo de Corpes.
Leuaron les los mantos τ las pieles arminas,
2750 Mas dexan las maridas en briales τ en camiſas,
E alas aues del monte τ alas beſtias dela fiera guiſa.
Por muertas las dexaron, ſabed, que non por biuas.
¡Qual ventura ſerie ſi aſſomas eſſora el Çid Campea-
[dor!
Los yfantes de Carrion enel Robredo de Corpes
2755 Por muertas las dexaron,
Que el vna al otra nol torna Recabdo.
Por los montes do yuan, ellos yuan ſe alabando:
«De nueſtros caſamientos agora ſomos vengados;

2732 *maiadas:* azotadas
2732 *a biltaredes:* envileceréis
2735 *conpieçan:* comienzan
2742 *essora:* entonces
2743 *sin cosimente:* sin fuerzas

2746 *en sayandos:* esforzándose
2749 *arminas:* de armiño
2750 *mar[r]idas:* afligidas
2756 *recabdo:* socorro

[7] Esta exclamación de dos versos se dirige directamente a los oyentes del *Poema,* por encima del curso de la narración, y está destinada a crecer su participación emotiva en lo que se está contando vivamente ante ellos. Se trata de una pieza retórica, repetida poco después (v. 2753); y en ambos casos el juglar la diría en alta voz y con énfasis, para así crecer el efecto ante los oyentes.

Non las deuiemos tomar por varraganas,
2760 Si non fueʃʃemos ʀogados,
Pues nueftras pareias non eran pora en braços.
La deʃondra del ʟeon aʃʃis yra vengando.»   [...]

EDICIÓN: Según la versión paleográfica establecida por Menéndez Pidal, *ed. cit.*, págs. 988-989, vv. 2659-2762. Reproduce con exactitud la grafía del manuscrito en cuanto a las letras; los caracteres cursivos son interpretación de las abreviaturas. Añade, sin embargo, algunos signos de puntuación y usa mayúsculas para los nombres de persona y de lugar. Una excelente edición facsímil, que es el procedimiento más fiel de reproducción de un texto en el estado del manuscrito, es la siguiente: *Poema de Mio Cid*, Burgos, Ayuntamiento, 1982.

Esta edición paleográfica no señala las series; el trozo elegido pertenece a la número 128, que no se ofrece aquí entera, y a las 129 y 130, ambas completas. Puede notarse que la serie 128 tiene la rima -*ó-e*, con las cuestiones inherentes a la -*e* paragógica ya indicadas, y las cuestiones que plantean la asonancia de *fuent* (v. 2700), que obliga a una reconstrucción de un primitivo *font(e)* y otros casos.

COMENTARIO: Este fragmento es el que verifica la culminación de la parte del *Poema* referente a la traición de los Infantes de Carrión, en el que estos, en su función de traidores, rompen la armonía social establecida por su casamiento con las hijas del héroe. Hemos de notar que el Robledal de Corpes contenía, a un tiempo, el bosque tenebroso y el jardín de amor. La misma transición de los dos sucesivos paisajes ocurre en los hechos de los Infantes, pues después de la noche de amor, acontecida en el vergel, enviando la comitiva por delante, ellos quedan solos con las mujeres. En este punto comienza la vil acción: a golpes de cinchas y espolonazos maltratan a doña Elvira y doña Sol hasta dejarlas por muertas. Aquí, como en el fragmento de los combates del Cid que antes comentamos, hay sangre y golpes, pero en el caso de la vil venganza, todo posee un signo negativo. El *Poema* anuncia en esta parte lo que luego sería la técnica novelesca, propia de la ficción literaria que desarrollarían los libros de caballerías; la intención de seguir por cerca de la historia se pierde por ampliar la narración hacia estos episodios que en las crónicas no tienen cabida. El *Poema* es obra artística, y en esta parte se vale de resortes que están en el camino de la novela, sin olvidar la intención ejemplar que subyace en la obra; en el verso 2731 doña Sol se ha referido a los *malos enssienplos* que resultan de la acción de los Infantes. La lección que acaban por recibir es la ejemplaridad de esta segunda parte; y esto bien claro se declara en los versos que están casi al fin del *Poema*, después de que los Infantes han sido castigados:

77

Grant es la biltança   de ifantes de Carrión
qui buena dueña escarneçe   e la dexa despuós
atal te contesca   o siquier peor.
(vv. 3705-3707)

Para que esta intención ejemplar resulte más clara, las hijas del
Cid piden morir como mártires (v. 2728) en una persecución civil,
pues el martirio no será por causa religiosa, sino por la dignidad que
proclaman; y en esto moros y cristianos (el ámbito de humanidad que
reconoce el *Poema*) estarán de acuerdo (v. 2729).

5. EL CID PIDE REPARACIÓN EN LAS CORTES: LA DEVOLUCIÓN DE LAS ESPADAS

Don Rodrigo no se tomó la venganza por su mano por esta
innoble acción de los Infantes: si en la parte primera del *Poema* es
el guerrero que sabe lidiar y vencer en el campo de batalla a los
moros, en esta otra ocasión acude al Rey como vasallo ofendido
para que, por la vía del derecho, se repare su inmerecida deshonra. Si en los trozos anteriores, don Rodrigo actuaba de puertas
afuera, por los caminos y en los campos de batalla, en el aquí
escogido del poema pone de manifiesto la otra cara del señor, de
puertas adentro, como vasallo de la Corte de Alfonso VI.

[...]   En vn escaño torniño   essora myo Çid poso,
los çiento quel aguardan   posan aderredor.
Catando estan a myo Çid   quantos ha en la cort,
a la barba que auie luenga   e presa con el cordon[1];
3125   en sos aguisamientos   bien semeia varon.
Nol pueden catar de verguença   yfantes de Carrion.
Essora se leuo en pie   el buen rrey don Alfons(so):

3121 *torniño:* torneado   3125 *aguisamientos:* disposición
3123 *catando:* mirando

---

[1] La barba es el signo físico que representa un símbolo visible de la
dignidad; esta mención es un rasgo propio de la poesía épica, y así ocurre
a lo largo del *Poema:* mientras no haya ganado el favor real, no se la
cortará (vv. 1240-1241); y en la ofensa de Corpes, anuncia su venganza en
la mención de la barba (vv. 3186-3187).

«Oyd, mesnadas, ¡si uos vala el Criador!
Hyo, de que fu rrey, non fiz mas [de] dos cortes:
3130   la vna fue en Burgos   e la otra en Carrion,
esta terçera   a Tolledo la vin fer oy[2],
por el amor de myo Çid,   el que en buen ora naçio,
que rreçiba derecho   de yfantes de Carrion.   f° 63 r°
Grande tuerto le han tenido,   sabemos los todos nos.
3135   Alcaldes sean desto   el conde don Anrrich e el conde don
                                                    [RRemond
e estos otros condes   que del vando non sodes,
todos meted y mientes,   ca sodes coñosçedores,
por escoger el derecho,   ca tuerto non mando yo.
Della e della part   en paz seamos oy.
3140   Juro par Sant Esidr[e]   el que boluiere my cort
quitar me a el rreyno,   perdera mi amor.
Con el que touiere derecho   yo dessa parte me so.
Agora demande   myo Çid el Campeador,
sabremos que rresponden   yfantes de Carrion.»
3145   Myo Çid la mano beso al rrey   e en pie se leuanto:
«Mucho uos lo gradesco   commo a rrey e a señor
por quanto esta cort   fiziestes por mi amor.
Esto les demando   a yfantes de Carrion:
por mis fijas quem dexaron   yo non he desonor,
3150   ca uos las casastes, rrey,   sabredes que fer oy[3];

3128 *si:* así
3131 *fer:* hacer
3134 *tuerto:* injusticia
3135 *alcaldes:* jueces

3137 *meted y mientes:* poned aten-
       ción en ello
3140 *boluiere:* encizañare
3141 *quitar me a:* me abandonará

---

[2] Las menciones de estas Cortes no están documentadas, pero están
en el ámbito del gobierno del Rey y constituyen una de sus prerrogati-
vas como señalan las leyes, así la posterior de las *Partidas:* «Corte es
llamado el logar do es el Rey et sus vassallos et sus oficiales con él, que le
han cotianamente de consejar et de servir, et los otros del regno que se
llegan hí o por honra dél o *por alcanzar derecho* o por facer recabdar las
otras cosas que han de veer con él» (II, 9, 27).
[3] El vasallo deja al rey el deshonor del abandono y vejación de sus
hijas, pues se casaron por mandato de su señor (vv. 1901-1906 y 2077-
2078); y comienza sus peticiones, la primera de las cuales se refiere a las
espadas Colada y Tizón, los objetos símbolos de la caballería, que
pasarán a las mejores manos de los parientes y vasallos del Cid.

mas quando sacaron mis fijas   de Valençia la mayor,
hyo bien l[o]s queria   d'alma e de coraçon,
diles dos espadas,   a Colada e a Tizon,
- estas yo las gane   a guisa de varon, -
3155 ques ondrasse[n] con ellas   e siruiessen a uos.
Quando dexaron mis fijas   en el rrobredo de Corpes,
comigo non quisieron auer nada   e perdieron mi amor:
den me mis espadas,   quando myos yernos non son.»
Atorgan los alcaldes: «Tod esto es rrazon.»   fº 63 vº
3160 Dixo el conde don Garçia: «A esto fablemos nos.»
Essora salien aparte   yffantes de Carrion
con todos sus parientes   e el vando que y son;
a priessa lo yuan trayendo   e acuerdan la rrazon:
«Avn grand amor   nos faze el Çid Campeador,
3165 quando desondra de sus fijas   no nos demanda oy;
bien nos abendremos   con el rrey don Alfons(so).
Demos le sus espadas,   quando assi finca la boz,
e quando las touiere,   partir sea la cort;
hya mas non aura derecho   de nos el Çid Canpeador.»
3170 Con aquesta fabla   tornaron a la cort:
«¡Merçed, ya rrey don Alfonsso,!   sodes nuestro señor.
No lo podemos negar,   ca dos espadas nos dio;
quando las demanda   e dellas ha sabor,
dar gelas queremos   dellant estando uos.»
3175 Sacaron las espadas,   Colada e Tizon,
pusieron las en mano   del rrey, so señor;
saca[n] las espadas   e rrelumbra   toda la cort,
las maçanas e los arriazes   todos d'oro son;
3179 marauillan se dellas   todos los omnes buenos de la cort.
3179b [A myo Çid   el rey gelas dio];
3180 rreçibio las espadas,   las manos le beso,
tornos al escaño   don se leuanto.
En las manos las tiene   e amas las cato,
Nos le pueden camear,   ca el Çid bien las connosçe.
Alegros le tod el cuerpo,   sonrrisos de coraçon,
3185 alçaua la mano,   a la barba se tomo:

3161 *essora:* entonces
3162 *y:* allí
3167 *finca la boz:* acaba la razón

3179 *maçanas:* pomos
3179 *arriazes:* gavilanes de la espada
3183 *camear:* cambiar

«Par aquesta barba,   que nadi non messó,
assis yran vengando   don Eluira e doña Sol.»   fº 64 rº
A so sobrino [Per Vermudoz]   por nonbrel lamo,
tendio el braço,   la espada Tizon le dio:
3190 «Prendet la, sobrino,   ca meiora en señor.»
A Martin Antolinez,   el burgales de pro,
tendio el braço,   el espada Coladal dio:
«Martin Antolinez,   myo vassalo de pro,
prended a Colada.   ganela de buen señor,
3195 del conde d[on]   RRemont Verengel   de Barçilona la
                                                      [mayor;
por esso uos la do,   que la bien curiedes uos.
Se que si uos acaeçiere,   con ella ganaredes (grand prez e)
                                                      [grand valor.»
Beso le la mano,   el espada tomo e reçibio.
Luego se leuanto   myo Çid el Campeador:
3200 «¡Grado al Criador   e a uos, rrey señor!
Hya pagado so de mis espadas,   de Colada e de Tizon.
Otra rrencura he   de yfantes de Carrion:
quando sacaron de Valençia   mis fijas amas a dos,
en oro e en plata   tres mill marcos (de plata) les dio.
3205 Hyo faziendo esto,   ellos acabaron lo so;
den me mis aueres,   quando myos yernos non son.»
¡Aqui veriedes quexar se   yfantes de Carrion!

EDICIÓN: Según la edición de Jules Horrent, *Cantar de Mio Cid. Chanson de mon Cid,* Gand, Editions Scientifiques E. Story-Scientia, 1982, I, págs. 112 y 114. Respeta lo que llama la variabilidad gráfica, propia de la escritura medieval; como considera que la asonancia homófona es un signo poético de estos poemas, la conserva y restaura si es necesario. Usa mayúsculas y puntuación, pero no acentuación y separa palabras según el criterio actual, utiliza el signo de elisión y señala con [...] las adiciones y con (...) las omisiones que propone.

COMENTARIO: El fragmento pertenece a la serie 137, una de las más largas, con rima en *-ó -e.* Comienzan las Cortes convocadas por el Rey, y el *Poema* en esta parte recoge los elementos retóricos propios del Derecho, referido en el v. 3133. La Corte se convierte en

3196 *curiedes:* guardéis   3202 *rrencura:* queja jurídica
3200 *grado:* gracias

ámbito jurídico, y el narrador se vale de los discursos y diálogos oratorios; en este espacio la esgrima lo es de palabras y de los gestos que las subrayan. Importa la figura (vv. 3121-3124) y el rigor de las alegaciones, así como la función de los jueces y oficiales de la justicia.

El rey Alfonso comienza la sesión jurídica: ahora el empeño es *escoger el derecho* (vv. 3138 y 3142); nombra *alcaldes* (esto es, jueces) a relevantes condes, las primeras jerarquías nobiliarias, neutrales en el pleito, y da la palabra a don Rodrigo que ofrece una breve relación de los hechos y comienza sus demandas. La primera es pedir la devolución de dos espadas que entregó a los Infantes; obsérvese la simbología del arma preciada y preciosa, que es lo primero que se pide en el pleito. El *Poema* cuenta las entradas y salidas de la sala de los de Carrión y sus consejeros, y estos aceptan lo que les parece pequeña petición, pero luego seguirán otras hasta que se llegue a los retos personales y la fijación de los combates. Los Infantes y otro pariente, Asur González, resultan vencidos en Carrión, y así se logra la ejemplaridad social que implicaba la narración de la deshonra antes comentada, convertida por esta vía en materia poética de una épica que revierte aquí hacia las instituciones de la Corte.

6. APOTEOSIS ÉPICA DEL CID

El *Poema* ha derivado en esta parte hacia un conflicto entre caballeros cristianos: por una parte, el héroe, y por otra, los nuevos antagonistas que también han sido derrotados en un encuentro legal. La apoteosis del héroe se relata con apresuramiento en los versos finales del *Poema,* pues con lo contado ya se sabe bastante de él; es, pues, un poema de contenido sustancialmente biográfico, que abarca una parte de la vida de don Rodrigo convenientemente escogida por el autor. La vida del Cid pudo ser conocida por la vía de la tradición oral, y este *Poema* continuaba un conocimiento establecido entre el público.

[152]

[...] Dexémosnos de pleitos   de ifantes de Carrión,
de lo que an preso   mucho an mal sabor;
3710 fablémosnos d'aqueste   que en buen ora nació.
Grandes son los gozos   en Valençia la mayor
porque tan ondrados fueron   los del Canpeador.

Prisos' a la barba   Ruy Díaz so señor:
«¡Grado al Rey del çielo,   mis fijas vengadas son!
3715 »Agora las ayan quitas[1]   heredades de Carrión.
»Sin vergüença las casaré   o a qui pese o a qui non.»
Andidieron en pleitos   los de Navarra e de Aragón,
ovieron su aiunta   con Alfonso el de León,
fizieron sus casamientos   con don Elvira e con doña
[Sol[2].
3720 Los primeros fueron grandes,   mas aquestos son miiores,
a mayor ondra las casa   que lo que primero fue.
¡Ved quál ondra creçe   al que en buen ora naçió
quando señoras son sus fijas   de Navarra e de Aragón!
Oy los rreyes d'España   sos parientes son,
3725 a todos alcança ondra   por el que en buen ora naçió.
Passado es d'este sieglo   el día de cinquaesma[3];
....   ¡de Christus aya perdón!
¡Assí fagamos nós todos   iustos e pecadores!
Estas son las nuevas   de Mio Cid el Canpeador,
3730 en este logar   se acaba esta rrazón.

3713 *Prisos':* cogióse   3717 *Andidieron:* anduvieron
3714 *Grado:* gracias   3718 *aiunta:* reunión

---

[1] *Quitas* es un término del Derecho y quiere decir 'libre, exento de deudas y obligaciones'; está empleado irónicamente, desde la grandeza adquirida por el Cid en el sentido de: «Ahora, después de lo ocurrido, ya podrían recibir (que no lo hacen) las heredades que les habían prometido los Infantes.» O sea, «ya nada me importa lo pasado; lo bueno está en lo que viene.»

[2] Hay que interpretar esta gloria familiar dentro del *Poema.* Los nombres de las hijas fueron Cristina y María, que en la obra épica son, como hemos visto, Elvira y Sol, sobrenombres familiares posibles según Menéndez Pidal o convenientes designaciones para su representación poética. El primer matrimonio fue invención poética o a lo más, como propuso Menéndez Pidal, resonancia literaria de algún esponsal que no llegó a fin. Y en este caso se implican las casas de Navarra y Aragón, en relación con la pareja en forma indiscriminada: Cristina casó con un infante de Navarra y María estuvo al menos desposada con un joven hijo de Pedro I de Aragón. Esto da un punto de verosimilitud a la afirmación del verso 3724.

[3] *Cinquaesma* es el domingo de Pentecostés, 29 de mayo del año 1099; la *Historia Roderici* indica que ocurrió en julio. Esta parte final pudo ser añadida por cualquier escribano posterior imitando los finales de las recitaciones juglarescas, con una indicación reflexiva sobre el perdón de Cristo sobre todos los fieles, de índole clerical.

EDICIÓN: La citada de Ian Michael, págs. 308-310.

COMENTARIO: La honra es la palabra que resulta clave para cerrar el gran *Poema:* mayor honra del Cid que le llega por todos los medios, por su conducta como héroe y por la consideración de la familia, por su habilidad como guerrero y por el buen uso del derecho; o sea que en el *Poema* reúne el poder militar y físico con la sabiduría. El Cid en el *Poema* llegó a la categoría más alta del Medievo: es dispensador de honra, algo que, en último término, recae sobre los que alcanzan este equilibrio, sólo posible en la narración poética. La organización del progreso de la exaltación del Cid es perfecta: desde ser un desterrado hasta ser una figura resplandeciente por la honra que ganó en los combates y en los tratos sociales.

El *Poema del Cid* es el único casi completo de la literatura medieval castellana. Sin reparos se dice que, en conjunto, es una obra maestra, y que su difusión ocurrió por el menester de los juglares, es indudable por la trama estructural. En efecto, no es una obra escrita, sino compuesta para ser comunicada por la vía oral del intérprete a un público al que se llama desde dentro de la obra. El *Poema* hubo de ser interpretado por partes, y dentro del mismo se ha querido notar el testimonio de varias partes o «autores»; tal como nos ha llegado en el texto del manuscrito del siglo XIV, la obra presenta una unidad sobre la figura del héroe, y su escritura pudo ir destinada a servir de documentación histórica. En su desarrollo aparece el ejercicio maduro de una técnica narrativa que el poeta de esta época primitiva usaba con soltura magistral, superior a los residuos posteriores del *Poema de Roncesvalles* y del *Poema de las Mocedades de Rodrigo*.

II

POESÍA CLERICAL VERNÁCULA

CARACTERÍSTICAS GENERALES

La poesía que compusieron los autores de la clerecía medieval en su manifestación identificatoria como signo y declaración de sus actividades está escrita en la lengua latina, el instrumento de comunicación de la Europa medieval culta más eficiente en el mundo occidental; esto ocurría durante los siglos XI al XIII, que son los que corresponden a las primeras manifestaciones testimoniadas de las literaturas vernáculas. El contenido de estas obras de la clerecía medieval se refiere, como corresponde a la situación social de la época, a las cuestiones que siguieron la vía poética procedente de la religión, que poseía el más alto grado del cultivo intelectual; a ellas se unieron las que, originadas en la Antigüedad de los gentiles, se interpretaban de acuerdo con el criterio de los nuevos tiempos medievales como materia propia de la literatura; y, además, había que añadir las que procedían de los asuntos «modernos», en tanto que merecieron su expresión a través del tratamiento propio de la poesía latina. Cuando el depósito cultural formado pudo pasar a las nuevas lenguas vernáculas, estableció en ellas el desarrollo de una poesía que estaba apoyada en esta actividad clerical con evidentes formas que querían levantar la lengua común a un alto grado literario. Se trata de obras que, aunque en su presentación formal utilizan recursos orales, como eran los comunes de la literatura de la época por el carácter de su difusión, se destinan, sin embargo, a una conservación manuscrita; su escritura se verifica a través del ejercicio literario de una poética en la que cuenta el aprovechamiento de la retórica válida para la literatura latina, aplicada a la elevación artística de la lengua vernácula. La obra cuenta por el esfuerzo que el autor puso en escribirla, y por eso aparece declarado mencionando su nombre, pero, aunque no siempre quede este testimonio, el autor ha querido poner de manifiesto un arte literario definido; y el formulismo del que se vale para escribir la obra resulta de una elección de medios expresivos, realizada con un arte cada vez más personal. Utiliza diversas especies de versos y estrofas, y la métrica que mejor caracteriza el grupo y la más usada es la cuaderna vía, que cubre gran parte del grupo.

Las primeras manifestaciones conservadas aparecen en Gonzalo de Berceo (primera mitad del siglo XIII); y en un poema del *Cancionero de Baena* (compilado entre hacia 1370 y el fin del siglo), Pedro López de Ayala cita unas estrofas de su *Rimado de Palacio* (compuesto entre 1367 y 1403; son las est. 1350-1355 y 1357) y se refiere a sus propios versos compuestos en la cuaderna vía llamándolos «versetes algunos de antigo rrymar» (Composiciones 518, «Respuesta de López de Ayala a Ferrán Sánchez de Calavera»), y luego los califica de «rrudos». Esto es indicio de que la poesía clerical de la cuaderna vía había acabado, a finales del siglo XIV, su vigencia poética, y el grado elevado de la literatura en verso de contenido religioso y didáctico sigue la nueva vía métrica de la octava del arte mayor. Junto a este metro se usa un verso fluctuante, en estrofas de pareados, que por su sencillez representa la forma más elemental de esta métrica; y esto ocurre lo mismo en contenidos religiosos que en otros profanos, de condición cortés. Otras formas de metro y de estrofa pudieron alternar con menos intensidad frente al verso anisosilábico y oscilante que manifestaba sobre todo la épica vernácula.

Esta poesía se conservó mediante la escritura, contando con que fue objeto de difusión oral, mediante lecturas y por medio de la juglaría; para mantenerse cerca del público (sobre todo cuando se pretendía lograr la resonancia popular), se valió del formulismo juglaresco que convenía aprovechar porque así quedaba cerca de las otras vetas de poesía tradicional perdida.

La poesía clerical resulta así de complejo contenido: religioso, cortés, épico en cuanto a los grandes argumentos europeos (Troya, el de Alejandro y el de Apolonio) o en una dimensión cortés (*Buen Amor* y *Libro rimado de Palacio*) o españoles (el de

Fernán González, el de Alfonso XI, curiosamente en redondillas). Contando con la polimetría en el conjunto, la tendencia general es hacia la obtención de una pauta de medida silábica, con el aprovechamiento amplio de los recursos de la rima en la articulación de estrofas regulares. El comienzo del *Poema de Alexandre* es la mejor declaración de principios que nos ha quedado de esta voluntad artística de los autores que querían levantar la obra poética escrita en la lengua vernácula.

1. POESÍA RELIGIOSA
GONZALO DE BERCEO

a) EL PRÓLOGO DE LOS «MILAGROS DE NUESTRA SEÑORA»

La narración de los milagros de la Virgen es un asunto general en la literatura europea del siglo XIII. El tratamiento que le da Gonzalo de Berceo responde al propósito de enaltecer, en un elevado tono poético, el culto de la Virgen, tal como corresponde a una corriente de la religiosidad de la época, paralelo a la elevación de la mujer que pone de manifiesto la poesía cortés, triunfante en la Provenza. Para lograr su fin, no escribe en latín unos *Miracula Sanctae Virginis Mariae,* como tantos otros clérigos hicieron, sino que lo hace, lo mismo que dice en la cabeza de su *Martirio de San Lorenzo:* «en romanz que la pueda [la obra] saber toda la gent». Así delante de unos oyentes a los que lee su obra (pues si no, no se percibiría su rítmica), escrita con la dignidad que el asunto requiere, el autor, que ya declara su nombre en la estrofa segunda, vierte a su lengua vernácula (castellano con rasgos de la Rioja) el caudal latino de los *Milagros;* su palabra no se aparta de la letra, como escribe en *Santa Oria:* «ca ál non escrevimos, sy non lo que leemos» (est. 89 en la ed. Isabel Uría). Y en el comienzo de los *Milagros* figura un prólogo, del que no se ha encontrado una fuente inmediata:

1 Amigos e vassallos   de Dios omnipotent,
  si vos me escuchássedes   por vuestro consiment,
  querríavos contar   un buen aveniment:
  terrédeslo en cabo   por bueno verament.

2 Yo[1] maestro[2] Gonçalvo   de Verceo nomnado,
  yendo en romería   caecí en un prado,
  verde e bien sencido,   de flores bien poblado,
  logar cobdiciaduero   pora omne cansado.

3 Davan olor sovejo   las flores bien olientes.
  refrescavan en omne   las caras e las mientes;
  manavan cada canto   fuentes claras corrientes,
  en verano bien frías,   en ivierno calientes.

4 Avié y gran abondo   de buenas arboledas
  milgranos e figueras,   peros e mazanedas,
  e muchas otras fructas   de diversas monedas,
  mas non avié ningunas   podridas nin azedas.

5 La verdura del prado,   la color de las flores,
  las sombras de los árboles   de temprados savores,

1b *consiment:* benevolencia   3a *sovejo:* muy agradable
1c *aveniment:* suceso   4a *y:* allí
1d *terrédeslo:* lo tendréis   4b *milgranos:* granados
2c *sencido:* no segado   4c *monedas:* clases

---

[1] *Yo:* La pieza poética se estructura gramaticalmente sobre la primera persona verbal. La exposición puede proceder de su experiencia personal hasta la estrofa 14 en que se inicia la transmutación simbólica de orden teológico que dura hasta la estrofa 42. Este *yo* se dirige al vocativo *amigos e vassallos de Dios* de la estrofa anterior, de orden juglaresco, pero a lo divino.

[2] El título de *maestro* que declara el autor puede que proceda de la formación universitaria de Berceo en el Estudio General de Palencia (como propone B. Dutton, ed. cit., pág. 35). Estamos, pues, situados en el ámbito de la clerecía, con un autor que conoce los recursos poéticos y retóricos de la paralela literatura latina. La lengua vernácula merece, pues, un tratamiento semejante, para lograr que el propósito de religiosidad se extienda también entre los que usan sólo el vulgar.

refrescáronme todo   e perdí los sudores:
podrié vevir el omne   con aquellos olores.

6   Nunqa trobé en sieglo[3]   logar tan deleitoso,
nin sombra tan temprada   nin olor tan sabroso;
descargué mi ropiella   por yazer vicioso,
poséme a la sombra   de un árbor fermoso.

7   Yaziendo a la sombra   perdí todos cuidados,
odí sonos de aves[4],   dulces e modulados;
nunqa udieron omnes   órganos más temprados,
nin qe formar pudiessen   sones más acordados.

8   Unas tenién la quinta   e las otras doblavan,
otras tenién el punto,   errar no las dexavan;
al posar, al mover,   todas se esperavan,
aves torpes nin roncas   y non se acostavan.

9   Non serié organista   nin serié violero,
nin giga nin salterio   nin mano de rotero,
nin estrument nin lengua   nin tan claro vocero[5]
cuyo canto valiese   con esto un dinero.

6a *en sieglo:* en la tierra   8d *y:* allí
6c *vicioso:* a gusto   8d *acostavan:* acercaban

---

[3] *Siglo,* siglo, es la vida en el tiempo del autor (con el lector implicado), el mundo que los rodea y en el que viven: *Sieglo* lleva consigo (como implícita oposición interna) la resonancia de la eternidad prometida por Dios al hombre. Se quiere subrayar que un lugar tan hermoso como el que se describe situado en la vida del hombre es como una intuición de la otra vida perdurable, adivinada por el recurso retórico de la comparación.

[4] Estos versos indican el gran saber de Berceo en cuanto a la música; cantar con un tal arte como lo hacían naturalmente los pájaros es *organar;* en el *órgano* (o canto acordado) se reúnen las diferentes alturas de cada cantor según se indica.

[5] Sigue exponiendo su cultura musical esta vez en cuanto a los instrumentos mencionados *órgano, viola, giga* (viola pequeña), *salterio* (como cítara), *rota* (arpa con una caja de resonancia en la parte de abajo); ni siquiera la voz del cantor, siendo humano, sobrepasa el concierto de los pájaros con su música no aprendida.

10   Peroque vos dissiemos   todas estas bondades,
     non contamos las diezmas,   esto bien lo creades,
     que avié de noblezas   tantas diversidades
     que no las contarién   priores nin abbades.

11   El prado qe vos digo   avié otra bondat:
     por calor nin por frío   non perdié su beldat,
     siempre estava verde   en su entegredat,
     non perdié la verdura   por nulla tempestat.

12   Manamano que fui   en tierra acostado,
     de todo el lazerio   **sovi** luego folgado;
     oblidé toda cuita,   el lazerio passado,
     qui allí se morasse   serié bienventurado.

13   Los omnes e las aves,   quantos acaecién,
     levavan de las flores   quantas levar querién,
     mas mengua en el prado   niguna non facién,
     por una qe levavan   tres e quatro nacién.

14   Semeja[6] esti prado   egual de Paraíso,
     en qui Dios tan grand gracia,   tan grand bendición miso;
     él qe crió tal cosa   maestro fue anviso,
     omne qe y morasse   nunqua perdrié el viso.

15   El fructo de los árbores   era dulz e sabrido,
     si don Adam oviesse   de tal fruto comido
     de tan mala manera   non serié decibido,
     nin tomarién tal danno   Eva nin so marido.

10b *diezmas:* décimas partes   14c *anviso:* experimentado
12a *manamano:* en cuanto   14d *viso:* vista
12b *lazerio:* sufrimiento   15a *sabrido:* sabroso
12b *sovi:* fui

---

[6] *Semeja:* es la palabra clave que declara el procedimiento retórico; esta comparación entre una realidad (el prado encontrado en un camino de romería) pasó, a través de la descripción, a ser el objeto evocado por la poesía: imagen, así reconocible, de la Virgen María, cuyo elogio va identificando sucesivamente los elementos reales con alabanzas a la Madre de Dios, evocada así por el arte literario.

16 Sennores e amigos[7],   lo qe dicho avemos
    palavra es oscura,   esponerla queremos;
    tolgamos la corteza,   al meollo entremos,
    prendamos lo de dentro,   lo de fuera dessemos.

17 Todos quantos vevimos,   qe en piedes estamos,
    siquiere en presón   en lecho yagamos,
    todos somos romeos   qe camino andamos;
    san Peidro lo diz esto,   por él vos lo provamos.

18 Quanto aquí vivimos   en ageno moramos,
    la ficança durable   suso la esperamos;
    la nuestra romería   estonz la acabamos,
    quando a Paraíso   las almas enviamos.

19 En esta romería   avemos un buen prado
    en qui trova repaire   tot romeo cansado:
    la Virgin glorīosa,   madre del buen Criado,
    del qual otro ninguno   egual non fue trobado.

20 Esti prado fue siempre   verde en onestat,
    ca nunca ovo mácula   la su virginidat;
    post partum et in partu   fue virgin de verdat,
    illesa, incorrupta   en su entregredat.

21 Las quatro fuentes claras   qe del prado manavan,
    los quatro evangelios,   esso significavan,
    ca los evangelistas   quatro qe los dictavan
    quando los escrivién   con ella se fablavan.

16c *tolgamos:* quitemos   20d *illesa:* nunca ofendida
18b *ficança:* morada   21c *dictavan:* componían
19b *repaire:* refugio

[7] El vocativo es un procedimiento para atraer la atención del público previsto en la audición del poema; la *palabra* requiere una *exposición* que ponga de manifiesto el sentido interior, la verdad oculta; hay que declarar los términos de la comparación para que se logre el efecto buscado, y esto lo hace el clérigo con sus conocimientos teológicos, expuesto de manera accesible al público implícito.

22 Quanto escrivién ellos,   ella lo enmendava,
esso era bien firme   lo qe ella laudava;
parece que el riego   todo d'ella manava
quando a menos d'ella   nada non se guiava.

23 La sombra de los árbores,   buena, dulz e sanía,
en qui ave repaire   toda la romería,
sí son las oraciones   que faz santa María
que por los peccadores   ruega noche e día.

24 Quantos qe son en mundo,   justos e peccadores,
coronados e legos,   reys e emperadores,
allí corremos todos,   vassallos e sennores,
todos a la su sumbra   imos coger las flores.

25 Los árbores qe facen   sombra dulz e donosa
son los santos miraclos   qe faz la Glorĩosa,
ca son mucho más dulzes   qe azúcar sabrosa,
la qe dan al enfermo   en la cuita raviosa [8].

26 Las aves qe organan   entre essos fructales,
qe han las dulzes vozes,   dizen cantos leales,
estos son Agustino,   Gregorio [9], otros tales,
quantos qe escrivieron   los sos fechos reales.

27 Estos avién con ella   amor e atenencia,
en laudar los sos fechos   metién toda femencia;
todos fablavan d'ella,   cascuno su sentencia,
pero tenién por todo   todos una creencia.

28 El rosennor qe canta   por fina maestría,
siquiere la calandria   qe faz grand melodía,

23a *sanía:* sana   27b *femencia:* vehemencia
23b *ave repaire:* encuentra refugio

[8] El azúcar era todavía un producto caro, y empleado, como aquí se dice, con fines de medicina; se endulzaba corrientemente con la miel.

[9] San Agustín (354-430), el más grande de los Padres de la Iglesia, y San Gregorio el Magno (540-604), cuya obra fue objeto de gran consideración por parte de la clerecía europea del siglo XII, son los escogidos como guía de la espiritualidad escrita por su adscripción a María.

mucho cantó mejor   el barón Isaía [10]
e los otros prophetas,   onrrada compannía.

29   Cantaron los apóstolos   muedo muy natural,
     confessores e mártires   facién bien otro tal;
     las vírgines siguieron   la grand Madre caudal,
     cantan delante d'ella   canto bien festival.

30   Por todas las eglesias,   esto es cada día,
     cantan laudes ant ella   toda la clerecía;
     todos li facen cort   a la Virgo María,
     estos son rossennoles   de grand placentería.

31   Tornemos ennas flores   qe componen el prado,
     qe lo hacen fermoso,   apuesto e temprado;
     las flores son los nomnes   qe li da el dictado
     a la Virgo María,   madre del buen Criado.

32   La benedicta Virgen   es estrella clamada,
     estrella de los mares,   guïona deseada,
     es de los marineros   en las cuitas guardada,
     ca quando essa veden   es la nave guiada.

33   Es clamada y éslo,   de los cielos reína,
     tiemplo de Jesu Christo,   estrella matutina,
     sennora natural,   pïadosa vezina,
     de cuerpos e de almas   salud e medicina.

34   Ella es vellocino,   qe fue de Gedeón [11],
     en qui vino la pluvia,   una grand visïon;
     ella es dicha fonda   de David el varón
     con la qual confondió   al gigant tan fellón.

35   Ella es dicha fuent   de qui todos bevemos,
     ella nos dio el cevo   de qui todos comemos;

29a *muedo:* modo musical   32b *guiona:* guía
30d *rossennoles:* ruiseñores

---

[10] Isaías, VII, 14, y XI, 1.
[11] Jueces, VI, 34-40.

ella es dicha puerta   a qui todos corremos,
e puerta por la qual   entrada atendemos.

36 Ella es dicha puerta   en sí bien encerrada[12],
pora nos es abierta   pora darnos ∫ entrada;
ella es la palomba   de fiel bien esmerada,
en qui non cae ira,   siempre está pagada.

37 Ella con grand derecho   es clamada Sĩón,
ca es nuestra talaya,   nuestra defensĩón;
ella es dicha trono   del reĩ Salomón,
reï de grand justicia,   sabio por mirazón.

38 Non es nomne ninguno   que bien derecho venga
que en alguna guisa   a ella non avenga;
non ha tal que raíz   en ella no la tenga,
nin Sancho nin Domingo,   nin Sancha nin Domenga.

39 Es dicha vid, es uva,   almendra, malgranada,
que de granos de gracia   está toda calcada,
oliva, cedro, bálssamo,   palma bien ajumada,
piértega en qe sovo   la serpiente alzada.

40 El fust de Moïsés   ennamano portava[13]
qe confondió los sabios   qe Faraón preciava,
el qe abrió los mares   e depués los cerrava[14],
si non a la Gloriosa   ál non significava.

41 Si metiéremos mientes   en ell otro bastón
qe partió la contienda   qe fue por Aärón[15],
ál non significava,   como diz la lectión
si non a la Gloriosa,   esto bien con razón.

39d *piértega:* vara   40d *ál:* otra cosa
39d *sovo:* estuvo

[12] Ezequiel, XLIV, 1 y 2, y XLVI, 1; es la versión de *porta clausa,* que obtiene abundantes referencias.
[13] *Éxodo,* IV, 2-5, y VIII, 10-12.
[14] *Éxodo,* XIV, 16.
[15] *Números,* XIV, 41, y XVII, 5-10.

42   Sennores e amigos[16],   en vano contendemos,
      entramos en grand pozo,   fondo no·l trovaremos;
      más serién los sus nomnes   qe nos d'ella leemos
      qe las flores del campo,   del más grand qe savemos.

43   Desuso lo dissiemos   qe eran los fructales
      en qui facién las aves   los cantos generales
      los sus sanctos miraclos,   grandes e principales,
      los quales organamos   ennas fiestas cabdales.

44   Quiero dexar con tanto   las aves cantadores,
      las sombras e las aguas,   las devantdichas flores,
      quiero d'estos fructales   tan plenos de dulzores
      fer unos pocos viessos,   amigos e sennores.

45   Quiero en estos árbores   un ratiello sobir
      e de los sos miraclos   algunos escrivir;
      la Gloriosa me guíe   qe lo pueda complir,
      ca yo non me trevría   en ello a venir.

46   Terrélo por miráculo   qe lo faz la Gloriosa
      si guiarme quisiere   a mí en esta cosa; → escrivir de
      Madre, plena de gracia,   reina poderosa,   sus milagros
      tú me guía en ello,   ca eres píadosa.

EDICIÓN: Según la edición de Brian Dutton, Londres, Tamesis Books Limited, 1971, págs. 29-34. El editor imprime una edición crítica sobre la base del manuscrito Ibarreta del Archivo de Santo Domingo de Silos, modificado con el F, de la Real Academia de la Lengua (en letras bastardillas) y con lecturas críticas (en negritas). Regulariza u/v y i/g, j, y, respeta la grafía qi, qe, qa (de influencia provenzalizante), no indica la grafía de consonantes dobles (f por ff, etc.), unifica y rehace la -i propia del dialecto riojano y sigue otras

42b *trovaremos:* encontraremos   44d *viessos:* versos
43d *cabdales:* principales   46a *Terrélo:* lo tendré
44b *devantdichas:* antedichas   46a *miráculo:* milagro

---

[16] Nuevo uso del vocativo, aquí para encauzar el fin del *Poema* y declarar el propósito del mismo como prólogo de los Milagros que siguen en la obra.

normas que figuran en las páginas 18-21. Sirve como ejemplo de una edición crítica que pretende la reconstitución de un posible texto mejor mediante una depuración filológica.

COMENTARIO: La pieza posee ella por sí misma unidad poética como prólogo que prepara al oyente o lector para la recepción de los milagros de la Virgen. Es una *laudatio* o alabanza, organizada, como hemos indicado, sobre la figura retórica de la comparación o semejanza que relaciona los dos planos: *a)* el verosímil narrado (posiblemente real por la referencia a la romería), fundido con el denominado *locus amoenus* o lugar en que, de acuerdo con un tópico acreditado en la literatura medieval, la naturaleza ofrece sus mejores delicias primaverales (ests. 2-13); *b)* y el que resulta de su interpretación alegórica (ests. 14-41), que permite una exposición de altos vuelos espirituales de intención mariana, seguido de la despedida dirigida al público, culminada en la declaración de confianza que el autor muestra en la guía de la Virgen para llevar a cabo su obra poética (ests. 42-46).

La pieza ofrece una organización perfecta; el autor, un maestro acreditado y conocedor del asunto, reúne una serie de temas asegurados en las Retóricas por la tradición cristiana: el prado como traslado del Paraíso Terrenal, las flores como símbolo del nombre de María, las fuentes, representación de los Evangelios, los frutales y su sombra como símbolo de los milagros y el amparo de la Virgen, y las aves que son sus cantores. De esta manera se junta para los oyentes-lectores un cúmulo de literatura religiosa de signo mariano en unas pocas estrofas. En este caso no se ha encontrado la fuente inmediata del texto, y cabe la presunción de que esta concertada presentación sea obra de Berceo o por lo menos lo es su intención de «fer unos pocos viessos» (obsérvese que usa el término del lenguaje común) (est. 44, d), «e de los sos miraclos algunos escrivïr» (est. 45, b). Escribir, sí, es lo que pretende, pero de manera que todos lo entiendan; y para eso tendrá que oscilar entre el uso del cultismo religioso (cuando habla del misterio de la virginidad de María usa *mácula,* est. 20, b; *illesa, incorupta, entregredat,* est. 20, c), y si es necesario, el mismo latín *post partum et in partu,* est. 20, d). Pero, por otra parte, cuando le conviene, sabe oscilar la elección de las palabras, y valerse de la referencia directa, «chocante», de los nombres más corrientes en la comunidad a la que se dirige: «nin Sancho nin Domingo, nin Sancha nin Domenga» (v. 38, d). En el tramado de la pieza están las convenientes menciones bíblicas, entendidas como *lectión* (est. 41, c), o sea como exposición glosada de la Biblia en forma conveniente al auditorio. Este es el esfuerzo de los escritores de la clerecía: ajustar piezas de tan diversa procedencia en un nuevo equilibrio expresivo, el de la literatura vernácula, con aspiraciones de comunicar estos contenidos: «La teología tiene en el poeta una expresión popular», escribe A. del Campo[17] en efecto, se trata de una «popularidad» que progresa hacia la incorporación de una cultura cada vez más compleja. Y para esto el poeta puede gozarse con la evocación directa del prado y después emprender la labor doctrinal de su interpretación: ambos planos son necesarios en la literatura clerical y aparecen claramente perceptibles en esta joya de la poesía de Berceo.

b) EL MILAGRO DEL CLÉRIGO SIMPLE

De entre los veinticinco milagros de la colección de Berceo, hemos escogido uno de los elementales pero que ilustran un aspecto de la clerecía medieval que conviene conocer:

III.—9. EL CLÉRIGO SIMPLE

220 Era un simple clérigo,   pobre de clerecía,
      dicié cutiano missa   de la sancta María;
      non sabié decir otra,   diciéla cada día,
      más la sabié por uso   qe por sabiduría.

221 Fo est missacantano   al bispo acusado,
      que era idïota,   mal clérigo provado;
      El «Salve Sancta Parens»[1]   sólo tenié usado,
      non sabié otra missa   el torpe embargado.

222 Fo durament movido   el obispo a sanna,
      dicié: «Nunqua de preste   oí atal hazanna.»
      Disso: «Dicit al fijo   de la mala putanna
      qe venga ante mí,   no lo pare por manna.»

220a *simple*: de pocas luces
220b *cutiano*: cada día
221b *idiota*: ignorante

222b *hazanna*: relato
222d *pare*: deje de hacerlo

---

[17] Agustín del Campo, «La técnica alegórica en la Introducción a los *Milagros de Nuestra Señora*», *Revista de Filología Española,* XXVIII (1944), págs. 15-57.
[1] Es el introito correspondiente a la misa de Natividad de la Virgen María, que celebra la Iglesia el 8 de septiembre.

223 Vino ant el obispo   el preste peccador,
avié con el grand miedo   perdida la color,
non podié de vergüenza   catar contra'l sennor,
nunqa fo el mesquino   en tan mala sudor.

224 Díssoli el obispo: «Preste, dime / verdat,
si es tal como dizen   la tu necïedad.»
Díssoli el buen omne,   «Sennor, por caridat,
si disiesse qe non,   dizría falsedat.»

225 Díssoli el obispo: «Quando non as cïencia
de cantar otra missa   nin as sen nin potencia,
viédote que non cantes,   métote en sentencia,
vivi como merezes   por otra agudencia.»

226 Fo el preste su vía   triste e dessarrado,
avié muy grand vergüenza,   el danno muy granado;
tornó en la Gloriosa,   ploroso e quesado,
qe li diesse consejo   ca era aterrado.

227 La madre pïadosa   qe nunqua falleció
a qui de corazón   a piedes li cadió,
el ruego del su clérigo   luego gelo udió,
no lo metió por plazo,   luego li acorrió.

228 La Virgo pïadosa,   madre sin dicïón,
aparecïó·l al bispo   luego en visïón;
dixoli fuertes dichos,   un brabiello sermón,
descubrióli en ello   todo su corazón.

229 Díxoli brabamientre: «Don obispo lozano,
¿contra mí por qé fust   tan fuert e tan villano?
Yo nunqa te tollí   valía de un grano,
e tú hasme tollido   a mí un capellano.

225b *sen:* inteligencia
225d *agudencia:* manera, arte
226a *desarrado:* desconcertado
226d *aterrado:* abatido

227a *falleció:* faltó
227c *udió:* oyó
228a *dición:* pecado
229c *tollí:* quité

230 El qe a mí cantava   la missa cada día,
tú tovist que facié   yerro de eresía;
judguéstilo por bestia   e por cosa radía,
tollístili la orden   de la capellanía.

231 Si tú no li mandares   decir la missa mía
como solié decirla,   grand qerella avría,
e tú serás finado   hasta'l trenteno día,
¡desend verás qé vale   la sanna de María!»

232 Fo con estas menazas   el bispo espantado,
mandó enviar luego   por el preste vedado;
rogó·l qe·perdonasse   lo qe avié errado,
ca fo en el su pleito   durament engannado.

233 Mandólo qe cantasse   como solié cantar,
fuesse de la Gloriosa   siervo del su altar;
si algo li menguasse   en vestir o / calzar,
él gelo mandarié   del suyo mismo dar.

234 Tornó el omne bueno   en su capellanía,
sirvió a la Gloriosa,   madre sancta María;
finó en su oficio   de fin qual yo querría,
fue la alma a gloria   a la dulz cofradría.

235 Non podriemos nos tanto   escrivir nin rezar,
aun porqe podiéssemos   muchos annos durar,
que los diezmos miraclos   podiéssemos contar,
los qe por la Gloriosa   denna Dios demostrar.

EDICIÓN: la misma (págs. 90-97).

COMENTARIO: En este caso disponemos de un texto que pudiera haber servido como fuente para la redacción de Berceo:

230c *radía:* perdida
331d *desend:* después   335c *diezmos:* la décima parte

103

Había un cierto cura de parroquia, servidor de su iglesia, de honesta vida y entregado a sus servicios, pero no ciertamente lleno de la ciencia de las letras. Y, en efecto, tan sólo se sabía una misa que rezaba muy devotamente todos los días en honor de Dios y de su santa Madre; y el introito de la misma es: «Salve, sancta parens.» Acusado de esto ante su obispo por los clérigos [esto es, por los que conocían bien la ciencia de las letras y el arte clerical], enseguida fue llevado ante él. Comenzado el juicio, el obispo le preguntó si era cierto lo que había oído de él. El cual le respondió que sí lo era y que no sabía cantar otra misa. Ante esto, el obispo, movido por la cólera, llamándole engañador de las gentes, le privó del oficio de la misa. Vuelto a su casa, el cura estaba entristecido por la privación de la misa. A la noche siguiente, se apareció en visión la Virgen al obispo y le dijo con voz un poquito severa: «¿Cómo trataste así a mi guardián que le prohibiste que hiciera mi servicio y el de Dios? En verdad que quiero que sepas que si no ordenas que se haga mi servicio como solía, morirás dentro de treinta días.» Asustado por esta visión, el obispo despertó y envió a buscar al cura y le mandó que viniera ante él cuanto antes. Y en cuanto hubo venido, el obispo cayó a sus pies y le pidió con humildad que lo perdonara. Y después le mandó que no cantara otra misa sino aquella que él solía cantar, la de la Virgen Santa María. Desde entonces honraba a aquel presbítero en gran manera, al cual, por amor de Dios y de Santa María, mientras vivió festejó y engrandeció. Así la Santa Madre de Dios, protegiendo a su servidor de daños, hizo lo que fue conveniente para su remedio; y después, una vez muerto, lo llevó a la vida eterna por sus méritos.

Es el número 9 de unos *Miracula,* cuyo texto latino (la traducción es nuestra) queda cerca del manuscrito de la Biblioteca Real de Copenhague[2]. Berceo no traduce la fuente latina al pie de la letra; la adaptación al verso y la acomodación al auditorio con el que contaba le obliga a una versión condicionada, como lo son casi todas las de la época. Tal como indica B. Dutton, reduce algunas partes (la acusación de los clérigos sabios, por ejemplo) y amplía otras dotando sobre todo de mayor vivacidad al relato (así ocurre con lo que dice —*un brabiello sermón*— la Virgen en su aparición al obispo; ests. 229-231), para así ganarse mejor a sus oyentes. Hay un ajuste en el que Berceo procura acercarse a su público: aun contando con que es un

---

[2] Se encuentra también en otras colecciones marianas, como la de Gautier de Coincy, *Les Miracles de Nostre Dame* (ed. F. Koenig, Ginebra, Droz, 1961, II, págs. 105-108), y al menos en otros cuatro textos más y esto indica que obtuvo una cierta difusión.

relato religioso sobre la Virgen María, el obispo llama al inculto clérigo *fijo de la mala putanna* (v. 222 c.), expresión castiza que no figura en la fuente latina, impropia de un alto clérigo, pero más común en boca del pueblo cuando alguien habla airadamente.

El asunto del milagro es de interés: pudo haber clérigos como el de este relato de muy escasa cultura latina. La contradicción inicial «Era un simple clérigo, pobre de clerecía» (v. 220 a) es un testimonio que lo prueba: la clerecía es el depósito cultural, sobre todo literario, de esta clase de la sociedad de la Edad Media, y el clérigo es el hombre de Iglesia que es su guardián y transmisor. Pero, como en este caso, no todos cumplían con su cometido ni poseían el caudal de conocimientos suficiente para moverse ágilmente por el amplio campo de la tradición heredada y para valerse de ella de una manera creadora. De ahí que este clérigo sea llamado *idiota,* lo juzgan por *bestia* (v. 230 c) y por *cosa radía* (v. 230 c), pues sólo se sabe la misa de la Natividad de la Virgen. Por eso el obispo le priva del oficio de la misa. La Virgen acude en socorro de su fiel devoto, el pobre clérigo *aterrado* (v. 226 d), y se aparece al obispo y con modales un tanto violentos hace que revoque su mandato de manera que el *omne bueno* (234 a), inculto pero fiel a la Virgen, vuelve a su capellanía.

Pudo, pues, haber clérigos simples, *pobres de clerecía,* esto es, faltos de la clerecía de alta envergadura, escrita y asegurada en el latín de los clérigos sabios; y para estos clérigos la literatura vernácula sería una vía para su ilustración y un recurso en su labor sacerdotal, pues cada vez cubría unos dominios que antes sólo pertenecían a la latina, sobre todo en los aspectos de la devoción. Pero el impulso para que pudiera escribirse la literatura vernácula culta había de proceder de los clérigos sabios en ambas lenguas, como era el caso de Berceo, en el latín, lengua de partida, en la cual estaba el depósito de la cultura literaria, y en la lengua vernácula, que ellos hacían progresar con estas obras, no por la vía de la estricta traducción, sino por esta calculada y consciente adaptación en la que Berceo es uno de los primeros y magistrales cultivadores, ya situado en una obra firme y segura dentro de la nueva orientación[3].

---

[3] Para más datos y un estudio del significado de las estructuras externa e interna del milagro como representación del estilo gótico, véase Juan Manuel Rozas, «Composición literaria y visión del mundo: *El clérigo ignorante* de Berceo», en los *Studia hispanica in honorem R. Lapesa,* Madrid, Gredos, 1975, III, págs. 431-452.

2. POESÍA ÉPICA

A) EL *LIBRO DE ALEXANDRE*

a') EL PRÓLOGO DEL «LIBRO DE ALEXANDRE»

Dentro de esta corriente poética de la poesía vernácula se compusieron obras extensas cuyo contenido era de condición épica. Un héroe de prestigio desarrolla un argumento a través del cual prueba sus virtudes. En este caso el carácter clerical procede tanto del tratamiento del argumento como de la naturaleza y procedencia de este. Con respecto a este tratamiento poético, es fundamental el comienzo del *Libro de Alexandre* que verifica las funciones de prólogo (est. 4, a), en el que el autor declara el propósito artístico que lo guía:

1 Señores, si [quisiéssedes] mi servicio prender,
  querría vos de grado servir de mi *mester;*
  deve de lo que sabe omne largo seer,
  si non podrié en culpa e en *riepto* caer.

2 *Mester* trayo fermoso, non es de joglería;
  mester es sin *peccado*, qua es de clerecía:
  fablar curso rimado por la *quaderna vía,* [1]
  a sílabas contadas, qua es grant maestría.

1d *riepto:* acusación   2b *qua:* pues

---

[1] *quaderna:* la palabra resultaría poco común a los escribientes. El manuscrito de París trae *quaderneria* sumando *quaderna* y *vía,* y el de

3   *Qui oir lo quisiere, a todo mi creer,*
    avrá de mí solaz, en cabo grant plazer;
    aprendrá buenas gestas que sepa retraer;
    aver-lo-an por ello muchos a coñocer.

4   Non vos quiero grant prólogo nin grandes nuevas fer;
    luego *a* la materia me quiero acoger.
    El Criador nos dexe bien apresos seer;
    si en algo pecáremos Él nos deñe valer.

5   Quiero *leer* un libro de un rey pagano
    que fue de gran esfuerço, de coraçón loçano;
    conquiso tod el mundo, metió lo *so* su mano.
    Tener-m-e, si lo cunplo, non por mal escrivano.

6   El príncep Alixandre, que fue rey de Grecia,
    que fue *franc e ardit* e de grant sapiencia,
    venció Poro e Dario, reys de grant tenencia;
    nunca con avol omne ovo *su* atenencia.

EDICIÓN: Según la edición establecida por Dana Arthur Nelson en *El Libro de Alexandre,* puesto a nombre de Gonzalo de Berceo, Madrid, Gredos, 1978, págs. 149-150. El editor expone su criterio en estos términos: «... prefiero bautizar esta edición versión reconstruida más bien que edición crítica» (pág. 25). Adopta, pues, un criterio radical: ni el manuscrito O, procedente de la biblioteca de la casa de Osuna, hoy en la Biblioteca Nacional de Madrid (fines del siglo XIII o comienzos del XIV, con matices dialectales leoneses) ni el P de la de

3c *retraer:* contar
3d *aver-lo-an:* lo habrán
4a *fer:* hacer
4c *bien apresos:* bien aventurados
4d *deñe:* digne

5c *conquiso:* conquistó
5d *tener-m-e:* me tendré
6c *tenencia:* posesión
6d *avol:* vil
6d *atenencia:* trato

Medinaceli *quraderna;* sólo el de Osuna escribe *quaderna uja,* como puede verse en la edición paleográfica de los textos del *Libro de Alexandre* hecha por Raymond S. Willis [1934], Milwood, N.Y., Kraus Reprint, 1976, págs. 2 y 3. La referencia al número cuatro procede de los versos de la estrofa, y guarda relación con la forma «quadrata», usada en la métrica de la poesía goliárdica latina europea.

París (del siglo XV, con matices aragoneses) resultan válidos por haber sido alterados a través de tradiciones textuales diferentes, si bien prefiere P a O. Partiendo de que la obra fue escrita por Berceo y de estos dos manuscritos, la edición se basa en la restitución del metro, que considera regular, y en la «economía de expresión resultante de la búsqueda del común denominador básico sito en el corazón mismo del *Alexandre* y de las obras pías identificadas de Berceo» (págs. 25-26).

COMENTARIO: He aquí otro *prólogo* (est. 4, a) que un autor clerical escribe en cabeza de su obra para justificarla ante el lector u oyente; responde a las normas de la retórica pues indica que será breve y no nuevo en lo que cuente, y con ello pone de manifiesto su humildad para así congraciarse con el destinatario. Debido a la escasez de declaraciones poéticas que hay en la época de orígenes, conviene establecer un demorado comentario de la pieza para extraer de ella los conceptos poéticos en uso y sobre todo la intención del autor clerical que escribe en la lengua vernácula y no en latín.

Estos menesteres poéticos de la juglaría y de la clerecía (o *mesteres*, est. 2, a y b, tal como quedó fijado en la terminología de la historia literaria) fueron el medio más común de señalar la existencia de dos grupos opuestos en la naciente poesía extensa vernácula. Los versos del comienzo del *Alexandre* suministraron una bifurcación que durante mucho tiempo resultó satisfactoria; la crítica romántica había establecido tentadoras asociaciones por un lado entre la juglaría y el arte popular y, por otro lado, entre la clerecía y el arte culto, oponiendo ambos mesteres entre sí. La crítica posterior ha ido reuniendo más datos y afinando la interpretación, de manera que esta oposición se ha ido desdibujando en cuanto a los rasgos rotundos mediante un mejor conocimiento de la juglaría primero, y de la clerecía después; el resultado ha sido que ambas expresiones tenían su propio ámbito significativo y que deben considerarse complementarias, pues su formulación en el prólogo está guiada por el carácter «polémico» del mismo.

La contextura retórica de estas estrofas iniciales es la propia del exordio con que se inicia el tratado escrito medieval, y tiene su contrapunto o cierre en el epílogo en el que vuelve a aparecer este vocativo *señores* (est. 2673a). Son el principio y fin que rodean según la poética el cuerpo del poema y que implican un auditorio al que va dirigido este *Señores*. El problema que esto plantea es identificar la condición de las gentes que pudieran haberlo formado. «La clerecía del *Alexandre* ha pasado por la Universidad» ha escrito F. Rico [2]; y

---

[2] Francisco Rico, «La clerecía del mester», *Hispanic Review*, LIII (1985), pág. 10.

en las condiciones castellanas de la época, esta ha sido la de Palencia. El autor es así como un maestro en funciones de escritor que cuenta con esta formación universitaria de los oyentes. Y esto queda indicado en la estrofa, pues el que sabe y quiere ser maestro tiene que enseñar, dar lo que tiene, según el precepto evangélico. Pero cabe abrir más el arco de los oyentes y situar dentro del mismo a la gente de la corte real o señorial en donde los caballeros se entretienen con estas novedades literarias que tienen un sello de alto prestigio y que pueden situar junto al campo abierto de la épica vernácula de los juglares. Y en esto hay que recordar que hay diversidad de juglares, y a algunos conviene lo que se dice de uno de ellos en el mismo *Libro:*

> Un joglar de grant guisa   sabi[é] bien su mester,
> omne bien razonado   que sabi[é] bien leer,
> su viola ta[ñ]iendo   vino al rey veer...

(Est. 232)

Los *señores* a los que se llama en el prólogo y el epílogo iban a oír una pieza poética que los iba a entretener y, al mismo tiempo, recibirían una enseñanza que era doble: conocer la vida de Alejandro y percibir la lección moral de un héroe antiguo, ejemplo para quienes pudieran aspirar a subir demasiado alto.

El autor (como artífice) ofrece a sus oyentes un *servicio* (est. 1, a) que es consecuencia de un *mester* (menester, resultado de una actividad guiada por una técnica o arte, efecto de un servicio). Esta palabra tiene numerosas implicaciones culturales que la relacionan con la literatura de la época. *Servicio* y *servir* se usan en abundancia en el *Poema del Cid,* y allí se refieren a los servicios del vasallo con respecto al señor en su relación social; y vale tanto para el servicio del amo al criado como en los tratos del parentesco y en la terminología de la cortesía, en donde pasa, como indicaremos más adelante, al lenguaje del amor. Tiene también una perspectiva moral y política, como cuando B. Latini dedica en *Li livres dou Tresor* [3] un capítulo que en el original francés se titula en unos manuscritos «De service», y en otros «Des bienfaitours», en el que se refiere a los beneficios de la amistad entre los hombres, y lo hace basándose en la Ética de Aristóteles; la versión castellana lo titula *De servjço*. R. S. Willis [4] señaló la manifiesta disposición retórica del propósito, explícita en esta segunda estrofa: por de pronto, la palabra *mester* está en situación de anáfora en los versos *a* y *b;* y en el *a* hay una afirmación (primer hemistiquioi,

[3] B. Latini, *Li Livres dou Tresor,* en la versión castellana *Libro del Tesoro, ed. cit.,* II, 45, págs. 118-119.
[4] Raymond S. Willis, «'Mester de clerecía'. A Definition of the *Libro de Alexandre*», *Romance Philology,* X (1957), pág. 217.

seguida de una negación (segundo hemistiquio). Y esta tensión se aclara en la segunda mitad de la estrofa con una definición poética de las características del *mester* poético: *servicio* y *servir* pasan a ser términos sustanciales de la lírica cortés, referidos, a través de la tradición provenzal, a la relación en el grado del amor, como hemos dicho.

Este *mester* es *sin pecado* [5] (est. 2, b), o sea, 'impecable', hecho según el mejor arte, y, al mismo tiempo, ajeno a la condición pecadora del hombre, pues al cabo resultará del libro una lección moral. En el poema que sigue, el *Libro de Apolonio,* se usa otra vez *sin pecado* en un contexto en el que se indica su sentido en relación con el pecado de los hombres. Un malvado quiere valerse de la hermosura de Tarsiana para dedicarla a la prostitución, menester en el que espera que ella obtenga grandes ganancias. Y ella la arguye:

> Otro mester sabía   que es más sin pecado
> que es más gananҫioso   e que es más ondrado.
> *(Apolonio,* 422)

Y ella sigue diciéndole que, si le permite que estudie «esa maestría», le daría ganancias sin que pecase. Con razón en el caso de Tarsiana puede decir que el suyo es un mester sin pecado, pero lo es por mantenerse en la virtud hallándose en una situación de peligro, pues la que iba para prostituta, gracias al arte literario vertido con apariencias juglarescas, se mantiene virgen. Se trata, pues, de una valoración moral, pero esto tiene también su paralelo en cuanto a la calidad del arte, puesto que la obra literaria de Tarsiana, por ser de la clerecía, es de alta condición artística: recuérdese que el suyo es un romance *bien* rimado *(Apolonio,* est. 428), que implica la oposición al que no lo está o lo está en grado menor, como es el caso de la asonancia juglaresca.

La expresión *fablar curso rimado   por la quaderna, vía,* (est. 2, c) puede comentarse estableciendo las posibles oposiciones y complementos implícitos. Así ocurre que *cantar* con respecto a *fablar* no siempre significaba una oposición, sino a veces un complemento. Recordemos que de Tarsiana como juglaresca se dice que cuando «[...] hobo asaz cantado | tornóles a rezar   un romanz bien rimado» (est. 428). Poco después se dice que el príncipe Atanágoras come a disgusto «el día que su voz   o su canto n'oyé» (est. 431). Hay, pues, una indicación de dos maneras de interpretación, una apoyada en la melodía del *canto* y otra en el *rezo* con la voz modulada convenientemente. Por tanto, en el caso del *Alexandre, hablar,* que es el término

---

[5] Alan Deyermond, «Mester es sin peccado», *Romanische Forschungen,* LXXVII (1965), págs. 111-116.

general del uso de la palabra, se limita con el complemento *curso rimado*.

Curso tiene una red de asociaciones, dentro de su significado, que enlazan esta palabra con la retórica; es un latinismo en esta forma, y aparece también en las formas *corso* y *coso*: significa la continuidad de una carrera y, por metáfora, una sucesión de hechos seguidos. El término pertenece además, como palabra técnica del arte, a la retórica medieval: el curso representa el uso de las vías que reconocen las Artes medievales: así las vías *prima* (sin adornos) y *secunda* (con ellos) del *Laborintus* de Everardo, el Alemán; y la *ampla* y *arta* de la *Poetria Nova* de Godofredo de Vinsauf, y también existen los *cursos* que son el uso de cadencias interiores en la prosa, que así la convertirá en una modalidad artística, más allá del común hablar cotidiano. El adjetivo *rimado* aplicado a este curso significa *rítmico*, esto es un curso al que se aplican los medios artísticos del ritmo, propios de la obra vernácula: medida del verso, consonancia y elaboración retórica conveniente. La expresión completa puede entenderse como *curso rimado por la vía quaderna*, y entonces *curso* y *vía* tendrían sentido de un sintagma o secuencia gramatical de palabras, cuya sucesión aparece ordenada mediante el uso de las mismas consonantes cuádruples que cierran cada uno de los versos de la estrofa. Así el curso general de la obra poética tiene una disposición óptima para el ritmo: cada estrofa es un período de extensión aproximadamente igual, y dentro de ella se logra el efecto del isocolon en razón de que cada uno de los hemistiquios del verso representan un miembro en la continuidad del período gramatical de dimensiones iguales.

El cómputo de las sílabas (est. 2, d) es la consecuencia de lo que hemos dicho: sólo midiendo con exactitud el período que representa cada hemistiquio se puede lograr la precisa proporción del conjunto.

La mención de la *gran maestría* (est. 2, d) representa la culminación de esta disciplinada labor artística del poeta clerical. Parece que esta *gran maestría* mencionada en el *Alexandre* está en contradicción con la referencia de que Berceo, en el comienzo de la *Vida de Santo Domingo,* quiere escribir en el *román paladino,* en el cual suele el pueblo hablar con sus vecinos. El *Tesoro* de B. Latini, en la parte del estudio de la retórica, manifiesta que hay un arte de la palabra frente al hablar común y reconoce una disparidad entre la *commune parleure* (comunal fabla de los hombres-román paladino), sin arte ni maestría, y la que se vale de los *ensegnements de rectorique,* con arte y con maestria [6]. El menester literario de la clerecía pretende unir la lengua

---

[6] En el mencionado *Li Livres dou Tresor,* según la versión castellana: «(2) Et quien bien quisiere cuydar en la sutileza del arte converna que la primera sentençia sea de mayor pensamiento, ca qual quier que dize de boca, o envia letra a algund onbre, o lo faze por mover el coraçon del a

común y las enseñanzas de la retórica, y esto es la *gran maestría,* denotada por la medición de las sílabas como indicio. La gran maestría es así la obra propia de los clérigos, la habilidad superior en este arte de la literatura.

Declarada la intención del autor de la obra en el prólogo dirigido a sus oyentes o lectores, lo que queda es la declaración de la *materia* (est. 4, b) del libro. La historia de Alejandro fue el asunto más tratado en esta clase de poesía heroica; desde la Antigüedad desemboca en la Edad Media un gran número de versiones de su biografía, y esta materia se rehace una y otra vez. El autor quiere *leer* (otro manuscrito *fer,* o sea, escribir con arte y tratar con conocimiento cabal) un libro sobre Alejandro, el rey que logró el mayor poder del mundo; de ahí que, por la dificultad que esto implica, se vanaglorie de su propósito (est. 5, d). Es un rey *pagano* (ajeno al cristianismo) pero merecedor de que los clérigos se ocupen de él, pues es el ejemplo más claro del emperador por el poder político que tuvo en su mano; y para remachar su condición personal se dice que nunca tuvo tratos con *avol omne,* y con esto se prueba su bondad humana.

b') APOTEOSIS DE ALEJANDRO, SEÑOR DEL MUNDO

El *Libro de Alexandre* testimonia la presencia en la literatura castellana de una «materia» propia de la clerecía europea en común: la biografía poética de Alejandro, urdida sobre la historia de Quinto Curcio, extendida y adornada por otros autores medievales, en particular el *Roman d'Alexandre* y la *Alexandreis* de Gautier de Châtillon [7]. Alejandro es el hombre predestinado a ser héroe, en la medida del grado sobrehumano de sus aventuras; al

---

creer [+*fr:* et a voloir] lo que dize, o non; et si non lo faze por esto dezir, sin falla que sus dichos non pertenesçen a los enseñamientos de rectorica, ante es la comunal fabla de los onbres, que es sin arte & sin maestria; *(115a)* et atal non devedes querer, & deve seer de las mugeres & del pueblo menudo, ca tales non se deven de entremeter de las cosas de las çibdades.» (III, 4, 2), según la ed. de S. Baldwin citada, pág. 180).

[7] Véase George Cary, *The Medieval Alexander* [1956], Cambridge, University Press, 1957; y Chiara Frugoni, *La fortuna di Alessandro Magno dell'Antiquità al Medioevo,* Florencia, La Nuova Italia Editrice, 1978. Información general sobre Alejandro en España, en María Rosa Lida de Malkiel, *La tradición clásica en España* [1962], Barcelona, Ariel, 1975, págs. 165-197. Una versión de la *Historia de Preliis* aparece en la Cuarta Parte de la *Historia General* de Alfonso X, y ha sido publicada por Tomás González Rolán y Pilar Saquero Suárez-Somonte, *La Historia novelada de Alejandro Magno,* Madrid, Universidad Complutense, 1982.

comienzo de sus acciones, Alejandro «fue buscar aventuras, su esfuerço provar» (est. 127, b). Ya comentaremos luego lo mismo de Apolonio, sólo que en Alejandro sus aventuras son desmesuradas y abarcan el mundo entero y se convierten en la empresa del más grande de los emperadores. El libro opera contando con una unidad biográfica de destino: narra la vida de Alejandro, desde el nacimiento hasta la muerte; y en el curso de este destino Alejandro impone su dominio en Grecia, después lucha en Persia contra Darío y finalmente en la India, en el límite del mundo; piensa volverse para África y Europa, pero la muerte acaba con sus propósitos.

De esta sucesión de aventuras hemos escogido el punto culminante del poder de Alejandro, no como tal capitán de sus ejércitos, sino en su condición de hombre que tiene ocasión de percibir la unidad cosmológica del mundo. El héroe, al que el poeta describe así: «Alexandre el bueno   potestat sin frontera» (est. 2496, a), deja a un lado sus enemigos políticos al ras de la tierra e improvisa un aparato volador, propulsado por dos grifos (animales mitológicos con el medio cuerpo de arriba de águila, y la de abajo, de león), con el que recorre el mundo conocido:

2504   Tanto pudo el rey a las nuues pu*i*ar
ueye montes & ualles de ius*o* **del** estar
ueye entrar los rios todos en alta mar
mas commo *yazie* o non nunca lo pudo asmar [8]

2505   *Veye* [9] en quales puertos *son* angostos los mares
ueye *muchos* peligros en muchos de lugares
ueye muchas galeas dar en los peñiscales
otras salir [10] a puerto **adobar** de iantares

2504a *puiar:* subir
2504b *de iuso:* debajo

2504d *asmar:* apreciar
2505d *adobar:* preparar

---

[8] Es un verso confuso; no aparece claro quién es el sujeto de *yazié.* Puede que no comprendía cómo permanecían fijos el cielo (implícito) o las aguas del mar (explícitas).

[9] Obsérvese la abundante anáfora de *Veyé,* que indica cuál era el campo de visión del viajero de los aires.

[10] *Salir,* entiéndase desde el mar hacia el puerto para preparar la comida.

2506   Mesuro toda Africa commo *yaz* assentada
por qual *logar* serie mas rafez la entrada
luego uio por *u* au*e*r meior passada
ca au*i*e grant *e*xida & larga *la* entrada

2507   Luengo serie de todos quanto uio contar
non podrie a lo medio el dia *auond*ar
mas en una ora sopo mientes parar
lo que todos abades[11] non lo sabrian asmar

2508   Solemos-lo[12] le*e*r diz-lo la escri*p*tura
que es llamado mundo *e*l ome por figura
qui comedir quisiere & asmar la fechura
ent*end*ra que es **bien** razon sin **de** presura

2509   Asi *es* el **c**u*e*rpo segun*do* mi*o* cre*e*nte[13]
sol & luna los oios que na*ç*en de orient*e*
los bra*ç*os son la cruz del rey omnipotent*e*
que fu*e* muerto en Asia por **salut** de la gent*e*

2510   La pierna que de*ç*ende del siniestro costado
es el reyno de Africa por ella figurado
toda la mandan moros un pueblo *reneg*ado
que oran a Ma*f*oma*t* un *traedor* prouado[14]

2506b *rafez:* fácil	2507b *auondar:* bastar
2506c *u:* donde	2508d *de presura:* apremio

[11] Los *abades* como representación de la clerecía más sabia; en una hora supo lo que costaría mucho tiempo a los eruditos.

[12] Aquí el autor se incluye en esta clase clerical culta: *solemos* (nosotros, los sabios). El verso es una reiteración: lo leen, y la *escritura* habla. La *escritura* en un sentido amplio, desde la Biblia, San Pablo, los Padres de la Iglesia, San Agustín, San Gregorio y cuantos se refirieron al asunto. Se aseguró así la autoridad de la exposición en lo que toca a la doctrina expuesta, independientemente de la fantasía del vuelo.

[13] El segundo hemistiquio es difícil de establecer; esta es la solución propuesta por Marcos Marín. Nelson propone «segunt mi [es] çient». La significación sería 'según mi parecer'.

[14] Los dos últimos versos plantean un grave problema por la divergencia de las lecciones entre O y P:

2511   Es por la pierna diestra Europa notada
esta es mas catolica de la fe mas poblada
esta es **de** la diestra del *obispo* [15] santiguada
tienen Petrus & Paulus en ella su posada

2512   La carne es la tierra *que es mucho* pesada
el mar es el pel*l*e*i*o que la tiene çercada
las uenas son los rios que la tienen te**n**prada
fazen diestro & **s**iniestro mucha tornau*i*scada

2513   Los huessos son las pennas que alçan los collados
los cabellos de la cabeça las yeruas de los prados
ceian en esta tierra muchos malos uenados
que son por ma*i*amiento de los n[ue]stros peccados

2514   Desque ouo el rey la tierra bien **a**smada
que ouo a su guisa la uoluntat pagada
senestro-les el çeuo g*u*io-los de tornada
fue en po*c*o de *rato* entre la su *mesnada* [16]

2511b *católica:* universal
2512d *tornaviscada:* revuelta
2513d *majamiento:* mortificación

2514c *senestro-les:* volvió a la izquierda
2514d *mesnada:* ejército

P: toda la mandan moros	un pueblo muy dubdado
O: toda la mandan moros	un pueblo renegado
P: que oran a Mahomad	un profeta muy honrado
O: que oran a Mafomad	un traedor prouado
	(est. 2510, c y d)

    La versión de O parece convenir con una posición antiislámica, que pudiera ser la propia del clérigo hispánico que redactara la estrofa, y así la prefiere Nelson, que atribuye el poema a Berceo. También la elige Marcos Marín, pero insinúa que la versión de P (donde *dubdado,* procedente del lat. *dubius,* puede significar 'peligroso, dificil, temido') «reproduzca aquí una línea tradicional que conservara los elogios naturales y virtudes de una fuente islámica» (*Idem,* pág. 65); este viaje presenta resonancias coránicas, y la leyenda alejandrina pasó al árabe y al hebreo.

[15] *obispo:* el Papa.

[16] Antes el autor había explicado que los grifos ascendían porque con una pértiga que Alejandro tenía delante de los animales con trozos de carne, éstos volaban esforzándose para cogerlo (est. 2500): esto le parece a Marcos Marín un elemento humorístico (pág. 36).

2515 La uentura del rey que lo querie guiar
ante que dest*e* mundo ouiesse a *fina*r
el poder del mundo [17] quiso-lo acabar
mas ouo assaz poco en esso a durar

2516 Grand' era la su fama por el mundo *e*xida
que era toda Africa en grant miedo metida
teniesse Europa mucho por falleçida
que la obediençia non auie conplida [18]

2517 Acordaron-se todos plog*o* al *Criad*or
por reçebir al rey de Greçia por sennor
enuiaron-le luego al b*ue*n enperador
parias & omenage signos de pauor

2518 Enuiaron-le parias ruegos multiplicados
de cada una tierra presentes sennalados
los que yuan con ellos eran om*es* onrados
om*es* eran de seso & muy bien razonados

EDICIÓN: En este caso hemos escogido el texto preparado por Francisco Marcos Marín *(Libro de Alexandre,* Madrid, Alianza Editorial, 1987) con ayuda del ordenador. El editor se propuso «la reconstrucción de un texto unificado del *Alexandre,* lo más cercano posible al arquetipo del XIII, con un criterio primordial: la coherencia interna del texto» *(Idem,* pág. 41); no se pretende un «original», sino lograr «reconstruir una buena copia del siglo XIV con rasgos arcaizantes» *(Idem).* La lección se logra a través de la coherencia interna de las formas en un proceso de unificación, sin recurrir a hipótesis externas (lengua o región de origen). El resultado obtenido es un texto castellano (conforme a la tesis de Emilio Alarcos Llorach); el editor indica que «el principio básico es la presentación del texto

2516a *exida:* extendida, salida

---

[17] «el poder del mundo» es la expresión del mayor dominio posible, que se anuncia aquí como fin del imperio de Alejandro; y el verso *d* anuncia ya la caída del capitán por este propósito de soberbia.
[18] África, Europa y Asia (el lugar en que se encontraba) son las tres partes conocidas en el mundo medieval.

unificado conforme con la *norma alfonsí,* la cual no tiene siempre carácter unívoco»... (*Idem,* pág. 479), y así se mantiene en la edición unificada «el aspecto gráfico polimórfico que caracteriza a un texto medieval» (*Idem,* pág. 479). El proceso que ha conducido a la fijación del texto se explica en el prólogo y el epílogo del libro. En el ajuste de la reconstrucción, la letra cursiva indica la elección del manuscrito O, y la negrita, la del P, figurando al pie del texto las variantes correspondientes, que no imprimimos pues lo que nos importa es el resultado de la aplicación del ordenador a la cuestión de la edición de textos medievales en un caso que presenta tantos problemas como el *Libro de Alexandre.* No se utilizan signo de puntuación y sí las mayúsculas de los nombres propios y comienzo de estrofa.

COMENTARIO: Este es el espacio culminante del poema: Alejandro ha volado por los cielos y ha sorprendido la forma del mundo, y vuelto a Babilonia con los suyos; las gentes de Asia, África y Europa van a considerarlo como «emperador», título que en los libros de derecho se da al más alto poder de un hombre [19]. Pero si así elevó el autor física y políticamente al héroe es porque su caída en la muerte era inminente. Tal representa, ya al fin del libro, la lección moral de esta elevación: el hombre, aun el más poderoso y que todo lo tuvo, ha de morir y todos esperan igual término, como es el fin del poema:

en una fuessa ovo   en cabo a caber
que non podié término   de doze piedes tener
(est. 2672, c y d)

Durante el vuelo, Alejandro tuvo ocasión de percibir por sí mismo lo que los libros exponían y que él había aprendido teóricamente: la correspondencia armoniosa entre el cuerpo del hombre y el cuerpo del mundo. Hay que recordar aquí que Alejandro, aun contando con sus victorias, no era sólo un hombre de armas; en el prólogo que antes comentamos se dice «que fue franc e ardit   e de gran sapien-çia» (est. 6, b); franco y ardid son condiciones propias del caballero, y la sabiduría, lo es del clérigo o del que recibió los conocimientos de un maestro, en este caso Aristóteles (est. 32 y sigs.). La armonía de letras y armas tiene su culminación final en estas estrofas en que se reúne la apetencia de conocimiento con el proyecto político de

---

[19] En las *Partidas* de Alfonso X se lee: «Imperio es grant dignidat, et noble et honrada sobre todas las otras que los homes pueden haber en este mundo temporalmente» (II, 1, 1); este cargo político aparece en la ley en una dimensión teórica, pues las condiciones pedidas para el mismo y sus funciones resultan inalcanzables, como hubo de percibir el propio Alfonso X.

imperio. Una vez más, la cooperación armónica del hombre en relación con el mundo había valido para preparar un determinado efecto literario; en este caso, la ficción del vuelo de los grifos conviene con el planteamiento de una cosmovisión que procede de la vía erudita. Esto va de acuerdo con el carácter del *Libro de Alexandre* en el que un fondo histórico se adorna con un aparato de fantasía imaginativa que pone una nota de exotismo oriental en estas obras de la clerecía europea. Y esto resulta un factor favorable para su difusión entre el público. Los clérigos en el amplio sentido de la palabra (gente de iglesia y del derecho, y escribanos de toda suerte) se entretenían con la historia novelada del antiguo emperador, difundida en diversas versiones latinas; los nobles de la corte hallaban un paradigma de héroe universal, más allá de las historias locales. Y todos podían encontrar la lección moral procedente de la ejemplaridad esparcida por la obra.

B) *LIBRO DE APOLONIO*

a') La soledad del héroe

El *Libro de Apolonio* es otra obra extensa que, lo mismo que el *Libro de Alexandre,* relata los hechos de un héroe lejano, esta vez de Apolonio de Tiro. La materia de la obra, como en el caso anterior, procede de la literatura europea, sobre todo de una *Historia Apollonii regis Tyri* que recoge a su vez una tradición narrativa antigua que en último término se apoya en la *Odisea*[1]. La teoría de la *aventura (ad-venturum,* lo que ha de venir) se ofrece aquí en relación con el tema de la Fortuna, y es el resorte básico de estos libros que así se llaman *de aventuras;* esta aventura es así el argumento de la narración en el aspecto propiamente literario de la ficción. Se trata del asunto de la vida como viaje, una peregrinación que se emprende con un propósito, y de las dificultades que el héroe encuentra para su vuelta a la patria. Propiamente la hazaña épica se convierte en aventura, y el relato se «noveliza», o sea, que los hechos son más de trascendencia personal que colectiva, y el oyente o lector entiende la obra con un fin de entretenimiento, compatible aún con la ejemplaridad que se desprende de los sucesos narrados.

Apolonio, rey de un lugar con resonancias verosímiles, emprende viajes en los que se prueba su valor: es un héroe antiguo que se convierte en aventurero. Lo mismo que Alejandro, es un

---

[1] Véase *El Libro de Apolonio,* ed. Manuel Alvar, Madrid, Fundación Juan March-Castalia, 1976, vol. I, págs. 41-68.

gentil que no conoce a Cristo pero se comporta como un cristiano. Sujeto a los casos de la Fortuna, confía en Dios para salir adelante y la virtud acaba siempre venciendo. El predominio de la aventura hace que la peripecia cuente con un elemento poético primordial en la disposición general del relato; en el libro esta peripecia mantiene la curiosidad del oyente-lector que sólo conoce parte de la realidad poética evocada a través de unos personajes cuya identidad se establece primero premeditadamente confusa y después se aclara en el punto en que llega el venturoso fin de la obra. Esta técnica, procedente de los libros novelísticos de Grecia, se llama bizantina y obtuvo su mejor expresión en la *Historia etiópica* de Heliodoro [2], obra difundida por Europa a partir de la edición de 1534.

1. ENCUENTRO CON UN PESCADOR.
    RELATO DE LAS PENALIDADES PASADAS

121   Estaba en tal guisa su ventura reptando,
        vertiendo de los ojos, su cuita rencurando,
        vió un homme bueno [3] que andaba pescando;
        cabo d'una pinaça, sus redes adobando.

122   El rey, con gran vergüenza, porque tan pobre era,
        fue contra 'l pescador, sallol' a la carrera:
        —«Dios te salve», le dixo, luego de la primera.
        El pescador respuso de sabrosa manera.

121a *reptando:* acusando   121d *pinaça:* barca
121b *rencurando:* quejándose de   122d *sabrosa:* grata

---

[2] Para el sentido literario de esta obra, véase Heliodoro, *Historia etiópica de los amores de Teágenes y Cariclea,* ed. Francisco López Estrada, Madrid, Real Academia Española, 1954, págs. VII-LXXV.

[3] *homne bueno:* en este caso y otros del *Libro* el término tiene un significado social: es el hombre que vive de su trabajo dentro de la comunidad. La mayor parte de los hombres buenos son labradores y pescadores, y menestrales y artesanos en sus distintos grados, y también mercaderes. Pueden tener haberes y riquezas, y de estos procede la incipiente burguesía de las ciudades. Además, el adjetivo aquí presupone la *bondad* del pescador demostrada por su trato con el náufrago empobrecido. El texto latino identifica así al pescador: «vidit quendam grandaevum, sago sordido circundatum» (XII, *ed. cit.,* II, pág. 241); o sea, «vio a un viejo, ceñido con un sórdido sayo».

123 —«Amigo, diz' el rey, tú lo puedes veyer,
»pobre só mesquino, non trayo nul haber;
»sí Dios te bendiga, te caya en placer,
»que entiendas mi cuita e la quieras saber.

124 «Tal pobre cual tú veyes, desnudo e lazdrado,
»rey só de buen regno, rico e abondado,
»de la ciudat de Tiro⁴, do era much' amado.
»Diziénme Apolonio por nombre señalado.»

125 «Viviá en mi reíno, vicioso e honrado,
»non sabía de cuita, vivía bien folgado;
»teníame por torpe e por menoscabado
»porque por muchas tierras non había andado.

126 »Fuime a Antïoca casamiento buscar;
»non recabé la dueña, hóbeme de tornar:
»si con esso fincase, quito en mió logar,
»non habrié de mí fecho tal escarnio la mar.

127 »Furtém' de mis parientes, fize muy gran locura;
»metíme en las naves con una noch' escura;
»hobiemos buenos vientos, guiónos la ventura;
»arribamos en Tarso, tierra dulç' e segura.

128 »Trobamos buenas gentes, llenas de caridat,
»fazíen contra nos, toda humilitat;
»cuando dend' nos partiemos, por dezirte verdat,
»todos fazién gran duelo de toda voluntat.

129 »Cuand' en la mar entramos, fazié tiempo pagado;
»luego que fuemos dentro, el mar fue conturbado;
»cuanto nunca traía, allá lo he dexado:
»tal pobre cual tú veyes, avez só escapado.

130 »Mis vasallos, que eran comigo desterrados,
»haberes que traía, tresoros tan granados,

123c *sí:* así
124a *lazdrado:* lastimado
125a *vicioso:* bien provisto
125b *folgado:* tranquilo
126c *fincase:* permaneciese
126c *quito:* quieto

127a *furtém':* alejéme
128a *trobamos:* encontramos
128b *contra:* en cuanto a
129a *pagado:* calmo
129d *abez:* apenas

---

⁴ Tanto Tiro como Antïoca y Tarso son ciudades reales, en donde
transcurre la acción de estos libros antiguos de invención, con su prestigio
orientalizante, resonancias de Bizancio.

»palafrenes e mulas, caballos tan preciados,
»todo lo he perdido, por mis malos pecados.

131   »Sábelo Dios del cielo que en esto non miento,
»mas non muere el homne por gran aquexamiento,
»si no cuand' vien' el día de el so pasamiento.
»¡Si yo yogués' con ellos habría plazimiento!

132   »Mas cuando Dios me quiso a esto aduzir,
»que las limosnas haya sin grado a pedir,
»ruégote que, sí puedas a buena fin venir,
»me des algún consejo por ó pueda vevir.»

EDICIÓN: Según la mencionada edición de Manuel Alvar, vol. II,
págs. 61-66, en la versión crítica publicada frente a la edición paleográfica del manuscrito de la Biblioteca de El Escorial. En esta versión
crítica moderniza el aspecto textual en tanto no cambia el valor
fonético del mismo: puntuación, acentuación (excepto imperfectos
verbales y algunos otros casos), mayúsculas, y simplifica la gemina-
ción de consonantes meramente gráficas. El comentario figura en el
próximo fragmento de la obra por cuanto ambos trozos van seguidos
y forman unidad.

b') RESPUESTA CONSOLATORIA DEL PESCADOR; LE OFRECE
     HOSPITALIDAD Y LE INDICA EL CAMINO PARA LA CIUDAD

133   Calló el rey en esto τ fabló el pescador;
recudiól' como omne que hauía d' él grant dolor.
—«Rey, dixo el omne bueno, desto ssó sabidor:
»en gran cuyta te veyes, non podriés en mayor.

134   »El estado deste mundo siempre así andido,
»cada día sse camia, nunca quedo estido;
»en toller τ en dar es todo su sentido,
»vestir al despoiado τ despoiar al vestido.

131c *pasamiento:* muerte   133b *recudio 'l:* le respondió
131d *yogués:* yaciese   134a *andido:* anduvo
131d *plazimiento:* placer   134b *camia:* cambia
132a *aduzir:* traer   134b *estido:* estuvo

---

[5] Obsérvese que el humilde pescador usa aquí un recurso retórico: el
políptoton con paralelismo cruzado: «vestir al despojado, despojar al

135   »Los que las aventuras quisieron ensayar,
      »a las vezes perder, a las vezes ganar,
      »por muchas de maneras ouieron de pasar;
      »quequier que les abenga anlo de endurar.

136   »Nunq⟨u⟩a sabrién los omnes qué eran aventuras
      »si no [prouassen] pérdidas ho muchas majaduras;
      »quando an passado por muelles τ por duras,
      «después sse tornan maestros τ cren las escripturas.

137   »El que poder ouo de pobre te tornar
      »puédete, si quisiere, de pobreza sacar.

Fol. 14v   »Non te querrìan las fadas, rey, desmanparar;
      »puedes, en poca d'ora, todo tu bien cobrar.

138   »Pero tanto te ruego, sey oy mi conbidado;
      »de lo que yo houiere sseruirte he de buen grado.
      »Vn vestido he sólo, fflaco τ muy delgado;
      »partirlo he contigo τ tente por mi pagado.»

139   Fendió su vestido luego con su espada,
      dio al rey el medio τ leuólo a su posada.
      Diol' qual çena pudo, non le ascondió nada,
      auìa meior çenada en alguna vegada.

140   Otro día manyana, quando fue leuantado,
      gradeçió al omne bueno mucho el ospedado.
      Prometiól' que si nunca cobrasse su estado:
      —«El seruicio [en] duplo te será gualardonado.

141   »Asme fecho, huéspet, grant piedat,
      »mas ruégote encara, por Dios τ tu bondat,
      »quen muestres la vía por hò vaya a la çiudat.»
      Respúsole el omne bueno de buena voluntat.

134c *toller:* quitar   139d *vegada:* vez
135d *endurar:* soportar   140b *ospedado:* hospitalidad
136b *majaduras:* golpes   140c *nunca:* alguna vez
136d *cren:* creen   140d *duplo:* doblado
137c *desmanparar:* desamparar

vestido», a-b | b'-a'. «De Rey a pobre» es el caso presente que se cambiará
en «de pobre a Rey» en el proceso del argumento que juega con el curso
de la Fortuna pero mantiene al fin el destino del noble que ha sabido
comportarse dignamente en sus cambios.

EDICIÓN: *Libro de Apolonio,* Madrid, Castalia, 1987, págs. 136-139, preparada por Carmen Monedero Carrillo de Albornoz sobre el mismo manuscrito escurialense. Reproduce la grafía del manuscrito, uniendo y separando las palabras según los criterios actuales, señala en cursiva las letras abreviadas, usa τ por la conjunción copulativa *e* y *et,* se vale de la acentuación actual (salvo formas de imperfecto y condicional), ⟨ ⟩ encierra grafemas que no cuentan o no se pronuncian, y [] lo que añade. Es edición escolar, abundante en notas de interpretación.

COMENTARIO: Hemos escogido un fragmento en el que Apolonio se encuentra solo, abandonado a sus fuerzas en una playa, después de un naufragio en el que lo ha perdido todo: las naves con las riquezas y los súbditos. El héroe se ha convertido en un luchador solitario, y en las estrofas anteriores se ha quejado de su suerte. El rey se ha transformado, por el curso de los sucesos, en un *pobre* (est. 122, a) y tiene que pedir favor a un pescador; la aventura es mínima pero permite un creciente y prometedor juego literario. La versión del autor español se establece a través de un anacronismo consustancial: los hechos, que pertenecen a una antigüedad confusa (Tiro está lejos y es una referencia desconocida, lo mismo que los otros lugares citados), se interpretan como si ocurriesen en el presente medieval de los oyentes-lectores. El pescador aquí, y, en otras partes, las más diversas referencias de los sucesos se consideran según los usos y costumbres de la época, de manera que la narración adopta un aire «costumbrista» a través del anacronismo sustancial del relato. El héroe se mezcla con las gentes de la vida común y así se entremeten el pueblo humilde y los ciudadanos burgueses por entre los personajes nobles que mueven la acción. El rey cuenta entonces su vida al pescador y le hace partícipe de su suerte; él vivía en la abundancia, pero sintió la inquietud aventurera (est. 125, e y d), la misma que sería el resorte de los libros de ficción caballeresca. Frente al espíritu de campanario, los viajes representan el acicate de conocer el mundo ignoto y con ellos se aprende y crece la experiencia (est. 136). El pescador expone, por su parte, la concepción de la cambiante Fortuna (est. 134). El buen hombre del pueblo le ofrece la mitad de sus vestidos (est. 139, d y b, eco de San Martín) y le da lo que tiene para la cena. El narrador comenta: «¿habiá mejor cenada en alguna vegada?» (est. 139, d). Cada cual da lo que tiene, y esto es la dignidad cristiana. *Dios* se menciona en numerosas ocasiones, y una sola vez las *fadas* (est. 137, c). El relato transcurre en este sincretismo ladeado hacia la demostración de las virtudes cristianas de orden humano. En la soledad el héroe reflexiona sobre la fortuna de los hombres; el resultado, a lo largo del libro, es que no sólo se necesita valor como esfuerzo en la guerra, sino también ingenio para prever los engaños y salir adelante en las cuestiones difíciles que no pueden resolverse por la violencia. El héroe, que es un aventurero, también es hombre sabio y precavido, y lo mismo le ha de ocurrir a Tarsiana.

La obra es una manifestación eficiente de la cuaderna vía en este uso narrativo cada vez más suelto y de condición más cercana a la narración ficticia. En este manuscrito el texto ofrece un fondo de dialecto castellano con rasgos aragoneses en la grafía que no alcanzan, según su editor M. Alvar, la contextura morfológica y sintáctica.

EL ELOGIO DE ESPAÑA Y CASTILLA

En las historias de la literatura el *Poema de Fernán González* resultó un huésped incómodo en el recinto de la clerecía; se decía que era obra cuyo contenido era juglaresco y su forma, la cuaderna vía, propia de los poemas clericales. Sin embargo, este *Poema,* aunque no está completo, puede decirse de él que posee unidad sustantiva en uno y otro aspecto; es de condición épica como los anteriores, pero no de la lejana Antigüedad, sino que relata una historia de los orígenes de Castilla. La vida de Fernán González (entre 890 y 895-hacia 970) es poco conocida y difícilmente documentable con un criterio estrictamente histórico; hubo un poema épico medieval perdido que contaría los hechos del Conde. Dentro de la diversidad de figuras heroicas en la épica medieval, Fernán González se adscribe a la del vasallo rebelde; su rebeldía se justifica por la actitud de los reyes de León que descuidan la política de los castellanos. Además, hay señales de Dios que favorecen la actitud de Fernán González, que logra la independencia de Castilla.

En el *Poema* clerical se reúnen otras fuentes de información de carácter histórico: unas están en latín y otras son obras de la clerecía vernácula-Berceo y el *Poema de Alexandre.* Su autor fue un monje del monasterio de San Pedro de Arlanza, situado al sur de Burgos, cerca de Lerma; este monje entre 1250 y 1252 escribió sobre el primer Conde de Castilla que había vivido unos dos siglos y medio antes. Según J. Victorio[1], el monje fundía en su obra poéticamente en el Conde la personalidad de Fernando III, entonces reinante y para el cual los hechos del primer gobernante podía ser un ejemplo. El *Poema* no es estrictamente biográfico, pues abundan en él las digresiones (historia de los godos e invasión musulmana) y también las referencias al Monasterio, sobre todo la mención de las donaciones que lo enriquecieron y que convenía que continuasen (est. 278-281). El aire clerical de la obra es manifiesto, y la dimensión retórica, propia de la épica precedente, aparece establecida en relación con un asunto «moderno».

IV. ELOGIO DE ESPAÑA

145 Por esso vos *lo* digo   que bien lo entendades:
mejor *es* que otras tierras   en la que vos morades,
de todo es bien conplida   en la que vos estades,
dezir vos e agora   *quantas* ha de bondades.

146 Tierra es muy tenprada,   sin grandes calenturas,
non fazen en ivierno   destenpradas friuras;
non es tierra en el mundo   que aya tales pasturas,
arboles pora fruta   siquier de mil naturas.

147 Sobre todas las tierras   mejor es la montaña,
de vacas e de ovejas   non ha tierra tamaña,
tantos ha y de puercos   que es fiera fazaña,
sirven se muchas tierras   de las cosas d'España.

148 Es de lino e de lana   tierra mucho abastada,
de çera sobre todas   buena tierra provada,
non seria d'azeite   en mundo tal fallada,
Inglatierra *nin* Francia   d'esto es abondada.

149 Buena tierra de *caça*   e buena de venados,
de rio *e* de mar   muchos buenos pescados,
quien los quiere rezientes,   quien los quiere salados,
son d'estas cosas tales   pueblos muy abastados.

147b *tamaña:* de tanta abundancia   147c *fazaña:* relato

[1] *Poema de Fernán González,* ed. de Juan Victorio, Madrid, Cátedra, 1981, «Introducción», pág. 27.

150 De panes e de vinos   tierra muy comunal,
non fallarien en mundo   otra mejor nin tal,
muchas de buenas fuentes,   mucho rio cabdal,
otras muchas *mineras*   de que fazen la sal.

151 Ha y venas de oro,   son de mejor barata,
muchas de buenas venas   de fierro *e de plata;*
ha de sierras e valles   mucha de buena mata,
todas llenas de grana   pora fer escarlata.

152 Por lo que ella mas val   aun non lo dixemos:
es *mucho* mejor tierra   de las que nunca viemos,
de los buenos caveros   aun mençion non fiziemos,
nunca tales caveros   en el mundo non viemos.

153 Dexar vos quiero d'esto,   assaz vos he contado,
non quiero mas dezir,   que podrie ser errado,
pero non olvidemos   al apostol honrado,
fijo del Zebedeo,   Santiago llamado.

154 Fuerte mient quiso Dios   a España honrar,
quando al santo apostol   quiso y enbiar;
d'Inglatierra e Françia   quiso la mejorar,
sabet, non yaz apostol   en todo aquel logar.

155 Onro le otra guisa   el preçioso Señor,
fueron y muchos santos   muertos por *el* su *amor,*
de morir a cochillo   non ovieron temor,
muchas virgenes santas,   mucho buen confessor.

156 Commo ella es mejor   de las sus vezindades,
assi sodes mejores   *los que* España morades,
omnes sodes sesudos,   mesura heredades,
d'esto por todo el mundo   *muy* grand preçio *ganades.*

V. CASTILLA Y SU PROTOHISTORIA

Elogio de Castilla

157 Pero de toda España   Castiella es mejor,
por que fue de los otros   *el* comienço mayor,

151a *barata:* precio   154b *y:* allí
151d *escarlata:* tinte rojo   156c *mesura:* continencia
152c *caveros:* caballeros (?)

guardando e temiendo   sienpre a su señor,
quiso acreçentar *la*   assi el Criador.

158 Aun Castiella Vieja,   al mi entendimiento,
mejor es que lo al,   por que fue el çimiento,
ca conquirieron mucho   maguer poco convento:
bien lo podedes ver   en el acabamiento.

159 Pues quiero m*e* con tanto   d'esta razon dexar,
temo, si mas dixesse   que podria herrar;
otrossi non vos quiero   la razon alongar,
quiero en don Alfonso,   el Casto rey, tornar. [...]

EDICIÓN: Según la citada ed. crít. de J. Victorio, págs. 76-79.
Basado en el criterio de la regularidad de la cuaderna vía y no
creyendo inmediato como fuente el poema épico fluctuante de difusión juglaresca, regulariza los hemistiquios del códice del siglo XV del
monasterio de El Escorial; en algunas partes propone lecciones
reconstruidas basadas en la *Primera Crónica General* y rehechas
dentro del formulismo inherente a esta poesia. Tiene en cuenta las
ediciones precedentes de C. Carroll Marden (y las observaciones a
esta, de R. Menéndez Pidal) y de A. Zamora Vicente, y regulariza u/v,
i/j, ge, gi, simplifica los grupos consonantes meramente gráficos y
otros pormenores en favor de una lectura fácil.

COMENTARIO: Hemos elegido el elogio de España, una pieza
tópica, propia de la *descriptio locorum,* en su acepción más amplia,
referida a un país sobre el que vive una comunidad histórica. El
monje dispuso para su composición del elogio contenido en el *Chroni-
con Mundi,* de Lucas de Tuy, el Tudense (acaso en una versión más
amplia) y del *De laude Hispaniae,* de San Isidoro[2]. Se trata de una
pieza insertada en el curso narrativo del *Poema* y que lo detiene
conscientemente: el poeta se dirige a los oyentes-lectores, avisándoles
del intermedio (est. 145, a, al comienzo y est. 159, al fin). La
descriptio no es meramente enumerativa (o sea escrita con criterio
objetivo), sino que es una *laus* o loor de condición enaltecedora.
Y esto se ha debido a que la relación de las riquezas naturales

158b *lo al:* las otras partes   158c *maguer:* aunque
158c *conquirieron:* conquistaron   158c *convento:* número de personas

---

[2] Véase Concepción Fernández Chicarro de Dios, *Laudes Hispaniae*
(Alabanzas de España), Madrid, Aldus, 1948.

(ests. 146-152) se ha acrecentado con el patrimonio religioso (ests. 153-155) y ha culminado con la mención de los que habitan en España (est. 156), que son los oyentes-lectores de la obra. Y aún aquí no se ha detenido la emoción que guía al autor que, en último término, por referirse al propósito preciso del *Poema,* es de carácter político: Castilla está en la cumbre de la consideración loable. El monje usó la parte tópica del elogio de la España conjunta con el fin de que sirviera de base a la *laus patriae,* el elogio del lugar en que se ha nacido y se considera como propio, esto es la Castilla del héroe (y de los que con él se sienten solidarios); y, aún apurando más, fue *Castilla Vieja* (est. 158) lo mejor de todo este despliegue, por su poder de conquista, aun siendo de poca extensión. El tópico, pues, obtiene una aplicación concreta: siendo sus elementos generales y comunes, se convierte en pieza poética que encaja en la unidad constitutiva de la obra. La procedencia y la forma de los elementos del tópico son clericales, y su intención política se halla en relación con la concepción de una España que en este caso culmina en el elogio de Castilla. El loor de España de la *Primera Crónica General* de Alfonso el Sabio (cap. 558), recogiendo materiales análogos, se escribía para subrayar el dolor que el historiador manifestaba porque un país tan excelente, que los godos habían levantado tan alto, cayese en manos de los moros enemigos, sin que en su desarrollo se mencione a Castilla. El tópico debe situarse en un contexto y al servicio de un propósito literario.

3. POESÍA LÍRICA

«LA SIESTA DE ABRIL», POESÍA CLERICAL CORTÉS

No es la cuaderna vía la única manifestación de la poesía narrativa que se sitúa dentro de la orientación clerical; también se usa el pareado compuesto con versos fluctuantes, semejantes en su medida silábica a los de la épica. Esta estrofa, muy abundante en la poesía medieval francesa, aparece en algunas obras cuyo contenido pertenece al ámbito clerical. En unos casos, el *Libro de la infancia y muerte de Jesús* (o *Libre dels tres reys d'Orient*) y la *Vida de Santa María Egipcíaca,* este contenido es claramente clerical, de carácter religioso; en otros, pertenece a un fondo temático tratado por la literatura latina medieval y vertido a las vernáculas, en el cual actúan los motivos de la cortesía. Éste es el caso de *La siesta de abril* o *Razón de amor con los denuestos del agua y del vino,* una obra polémica en cuanto su interpretación, y que reúne dos asuntos diferentes: un encuentro de los enamorados y un debate entre el agua y el vino. Ambos asuntos, encuentro y debate, son comunes a la literatura clerical profana, y sobre si forman unidad o están yuxtapuestos, discrepan los críticos. La brevedad del poema de Lupus de Moros, 264 versos, hace que la cuestión resulte más difícil: en Juan Ruiz y en el Canciller Ayala, el enlace de la diversidad del contenido resulta más difícil porque sus obras son extensas y el procedimiento del enlace de los asuntos se repite y es más perceptible en el curso de la organización del conjunto. La obrita es de las primeras de la literatura española (se menciona a *España,* v. 87, como ámbito del amor) y se sitúa en la primera mitad del siglo XIII. Escojo el fragmento que es la presentación inicial del asunto, el encuentro y reconocimiento de los enamorados:

1   Qui triste tiene su coraçon
         benga oyr esta razon.
            Odra razon acabada,
         feyta d'amor e bien rymada[1].
5   Un escolar la rimo
         que sie[m]pre duenas amo;
         mas sie[m]pre ouo cryança
         en Alemania y en Fra[n]çia,
         moro mucho en Lombardia
10   pora [a]prender cortesia.
            En el mes d'abril, despues yantar,
         estaua so un oliuar.
         Entre çimas d'un mançanar
         un uaso de plata ui estar;
15   pleno era d'un claro uino
         que era uermeio e fino;
         cubierto era de tal mesura
         no lo tocas la calentura.
         Una duena lo y eua puesto,
20   que era senora del uerto,
         que quan su amigo uiniese,
         d'aquel uino a beuer le diesse.
         Qui de tal uino ouiesse
         en la mana quan comiesse:
25   e dello ouiesse cada dia
         nu[n]ca mas enfermarya.

18 *calentura:* calor
19 *y eua:* había allí   24 *mana:* mañana

---

[1] De nuevo *rimar* y sus derivados significan componer con la maestría que se explicó, pero en este caso vertido sobre un asunto profano de amores, así iniciado en la poesía provenzal y común pronto a los reinos europeos cuya nobleza hizo suya esta *cortesía* como manera social de la relación amorosa, como indica el escolar (Alemania, Francia, Lombardía, o sea Italia).

ARiba del mançanar
otro uaso ui estar;
pleno era d'un agua fryda
30 que en el mançanar se naçia.
Beuiera d'ela de grado,
mas oui miedo que era encantado.
Sobre un prado pus mi tiesta
que nom fiziese mal la siesta;
35 parti de mi las uistiduras,
que nom fizies mal la calentura.
Plegem a una fuente p[er]erenal [2],
nu[n]ca fue omne que uies tal;
tan grant uirtud en si auia,
40 que de la frydor que d'y yxia,
cient pasadas adeRedor
non sintryades la calor,
Todas yeruas que bien olien
la fuent çerca si las tenie:
45 Y es la saluia, y sson as Rosas,
y el liryo e las uiolas;
otras tantas yeruas y auia.
que sol no[m]bra[r] no las sabria;
mas ell olor que d'i yxia
50 a omne muerto Ressuçitarya.
Pris del agua un bocado
e fuy todo esfryado.
En mi mano prys una flor,
sabet, non toda la peyor;
55 e quis cantar de fin amor.
Mas ui uenir una doncela;
pues naçi no ui tan bella:

33 *tiesta:* cabeza
45 *Y... y:* allí... allí
49 *yxia:* salía

51 *pris:* tomé
51 *bocado:* sorbo

---

[2] Compárese este *locus amoenus* profano con el que hemos comentado
antes, en el prólogo de los *Milagros de Nuestra Señora* para observar el
mismo tratamiento de la descripción del tópico del lugar primaveral
(antes, v. 11, indicó que era *abril*).

bla[n]ca era e bermeia,
cabelos cortos sobre'll oreia,
60 fruente bla[n]ca e loçana,
cara fresca como maçana;
naryz egual e dreyta,
nunca uiestes tan bien feyta;
oios negros e Ridientes,
65 boca a Razon e bla[n]cos dientes;
labros uermeios, non muy d[e]lgados,
por uerdat bien mesurados;
por la çentura delgada,
bien esta[n]t e mesurada;
70 el manto e su brial
de xamet era, que non d'al;
un so[m]brero tien en la tiesta,
que nol fiziese mal la siesta;
unas luuas tien en la mano,
75 sabet, non ie las dio uilano.
D[e] las flores uiene tomando,
en alta uoz d'amor cantando.
E deçia: *«ay, meu amigo,
se me uere yamas contigo!*[3]
80 *Amet sempre, e amare
quanto que biua sere!*
Por que eres escolar,
quis quiere te deuria mas amar.
Nunqua odi de homne deçir
85 que tanta bona manera ouo en si.
Mas amaria contigo estar
que toda Espana mandar.
Mas d'una cosa so cuitada:
e miedo de seder enganada;

62 *dreyta:* derecha   71 *al:* otra cosa
63 *feyta:* hecha   74 *luuas:* guantes
71 *xamet:* tela de seda   89 *seder:* ser

---

[3] Destacamos en cursiva estos dos versos porque la canción de la doncella (v. 56) se inicia a la manera de los villancicos tradicionales de índole popular, y se enlaza con el desarrollo cortés de lo que pudo ya ser dicho como confidencia de amor.

90   que dizen que otra duena
      cortesa e bela e bona,
      te quiere tan gran ben,
      por ti pie[r]de su sen;
      e por eso e pauor
95   que a esa quieras meior.
      Mas s'io te uies una uegada,
      a plan me queryes por amada!»
      Quant la mia senor esto dizia,
      sabet, a mi non uidia;
100   pero se, que no me conoçia,
      que de mi non foyria.
      Yo non fiz aqui como uilano,
      leuem e pris la por la mano;
      junniemos amos en par
105   e posamos so ell oliuar.
      Diz le yo: «dezit, la mia senor,
      si supiestes nu[n]ca d'amor?»
      Diz ella: «a plan, con grant amor ando,
      mas non connozco mi amado;
110   pero dizem un su mesaiero
      que es clerygo e non caualero,
      sabe muito de trobar,
      de leyer e de cantar;
      dizem que es de buenas yentes,
115   mancebo barua punnientes.»
      «Por Dios, que digades, la mia senor,
      que donas tenedes por la su amo[r]?»
      «Estas luuas y es capiello,
      est'oral y est'aniello
120   «Estas luuas y est'aniello
      enbio a mi es meu amigo,
      que por la su amor trayo conmigo.»
      Yo connoçi luego las alfayas
      que yo ie las auia enbiadas;

---

93 *sen:* el sentido
103 *pris:* tomé
104 *junniemos:* nos juntamos
108 *a plan:* llanamente

115 *punnientes:* ásperas
117 *donas:* prendas
123 *alfayas:* alhajas

125 ela connoçio una mi ci[n]ta man a mano,
qu'ela la fiziera con la su mano.
Tolios el manto de los o[n]bros,
besome la boca e por los oios;
tan gran sabor de mi auia,
130 sol fablar non me podia.
«Dios senor a ti loa[do]
quant conozco meu amado!
agora e tod bien comigo
quant conozco meo amigo!»
135 Una grant pieça ali estando,
de nuestro amor ementando,
elam dixo: «el mio senor, oram serya d[e] tornar,
si a uos non fuese en pesar».
Yol dix: «yt, la mia senor, pues que yr queredes,
140 mas de mi amor pensat, fe que deuedes» [4].
Elam dixo: «bien seguro seyt de mi amor,
no uos camiare por un enperador.»
La mia senor se ua priuado,
dexa a mi desconortado.
145 Q[ue] que la ui fuera del uerto,
por poco non fuy muerto.

EDICIÓN: Según el texto que presenta José Jesús de Bustos Tovar en «Razón de amor con los denuestos del agua y el vino», *El comentario de textos, 4. La poesía medieval,* Madrid, Castalia, 1983, págs. 54-58. Este texto se basa en la edición de Ramón Menéndez Pidal (establecida en 1905, *Textos medievales españoles,* Madrid, Espasa-Calpe, 1976, págs. 105-117, con el facsímil del manuscrito), que había sido recogida en la *Crestomatía del español medieval.* La edición es paleográfica, si bien se separan las líneas de verso que en el manuscrito se reúnen de dos en dos. También se aplica una puntuación actual, pero no usa acentos. La grafía reproduce las letras del manuscrito, excepto la *s* alta.

127 *tolios:* quitóse
136 *ementando:* tratando
137 *elam:* ella me
137 *ora serye:* (me) sería hora

141 *seyt:* estad
144 *desconortado:* sin ánimos
145 *Que:* En cuanto

---

[4] La expresión *fe que debedes* es fórmula por «por nuestra fe».

COMENTARIO: El dialectismo del poema se ha discutido; Bustos se inclina por la tesis de G. H. London[1] de que se escribiría originalmente en castellano y que en el manuscrito aparece con rasgos aragoneses. De ahí la variedad de las grafías (*l* que representa [l] y [ḷ]; *n*, [n] y [ṇ]; y la *i* [ž], [i] y [y], entre otras) que pueden dificultar su lectura; el estudio de la lengua del texto se encuentra en la mencionada edición de J. J. Bustos, págs. 63-71.

Dentro de la oscilación que presenta la medida de los versos, la obra ofrece un predominio del octosílabo; las rimas son consonantes, a veces aproximadas (*puesto-huerto*, vv. 19-20; *fryda-nacia*, vv. 29-30; *vestiduras-calentura*, vv. 35-36; *olien-tenie*, vv. 43-44; *Rosas-uiolas*, vv. 45-46; *decir-si*, vv. 84-85).

Menéndez Pidal dice que esta obra «es de tono muy juglaresco por su metro irregular, por estar escrita en pareados y por mezclar asonantes con consonantes»[2]; cree que de ella dispusieron los juglares aragoneses, pues le parece que se escribiría en este dialecto. Sin embargo, reconoce que «es poesía muy artificiosa, tanto que se presta a muchas discusiones»[3]. En efecto, los elementos clericales son fácilmente testimoniables e indudablemente dominan como materia de contenido:

a) Es poesía de autor, suscrita en latín, además:

Qui me scripsit scribat,
se[m] per cum Domino bibat,
Lupus me feçit de Moros.

(vv. 262-264)

b) La rimó un *escolar* (v. 5), y ella lo reconoce como *clérigo* y no caballero (v. 111), que sabe *trovar, leer* y *cantar* (vv. 111-113); por tanto, el asunto del enfrentamiento entre clérigo y caballero queda latente.

c) Se crió en Alemania y en Francia, en donde tuvo que valerse del latín, así como en Lombardía, y allí aprendió *cortesía* (vv. 7-10).

La poesía (en la parte que he elegido) es el relato de un encuentro de los enamorados hasta que ella tiene que irse y él queda desconsolado. La acción ocurre en un *locus amoenus*, durante el mes de abril, en

---

[1] Gardiner H. London, «The *Razón de Amor* and the *Denuestos del Agua y del Vino:* new readings and interpretations», *Romance Philology,* XIX (1965-1966), págs. 28-47.
[2] Ramón Menéndez Pidal, *Poesía juglaresca y juglares y orígenes de las literaturas románicas,* Madrid, Instituto de Estudios Políticos, 1957, 6.ª ed., pág. 138.
[2] *Ibidem,* pág. 138.

un *huerto* (v. 20) con olivares (v. 11), *manzanares* (v. 37), rodeado de hierbas olorosas (vv. 45-46, *salvia, rosas, lirios* y *violetas)*, tópicos acreditados. Acude la doncella (v. 56) y el enamorado la describe de acuerdo con las normas de la Retórica correspondiente en cuanto a su aspecto y vestido (vv. 57-97, con su *brial de xamet* y con las *luvas* en la mano); ella, cogiendo flores, va *cantando de amor,* mientras él está escondido. Al término de la canción, el enamorado se descubre y hay un diálogo en el que con discreción se reconocen los dos, pues un mensajero (v. 110) los había relacionado: él a ella por las *alfayas* (v. 123) y ella a él por la *cinta* (v. 125) y se besan. Permanecen juntos gran rato hasta que ella tiene que irse quedando él *desconortado* (v. 144).

El conjunto es perfecto: el encuentro ha sido afortunado, pues los dos cumplen con las condiciones establecidas: él es un escolar-clérigo, de buen linaje (v. 114); no es caballero, pero no realiza acción alguna de villano (vv. 75, 102); y ella posee la hermosura adecuada y conoce las reglas de la cortesía que le permiten cantar el amor y declarar lo que siente por el amigo-amado (vv. 78, 130-133). Esto mismo es lo que pretenderá después inútilmente el Arcipreste de Hita que, como Lupus de Moros «siempre dueñas amó» (v. 6), pero sin lograr lo que este otro escolar. En esta *Razón,* el convencionalismo de la cortesía europea actúa con eficiencia; en el Arcipreste de Hita, que tiene sus aventuras en los lugares de Castilla, las leyes del amor cortés se quiebran en su adaptación a un medio diferente, aunque se sigan enunciando como motivos poéticos de vida, pues tanto este escolar como el Arcipreste usan la autobiografía como procedimiento narrativo.

En lo que he mostrado, se manifiesta la concepción de la clerecía profana en relación con el tema del amor cortés, el *fin amor* (v. 55) que es el objeto de canciones que aquí se sitúan dentro de la narración personal (vv. 79-97) y que se convierten en términos del diálogo (vv. 131-134). La inclusión del debate entre el agua y el vino, que es lo que sigue, no varía este carácter clerical, antes lo acentúa, pues tanto las imprecaciones que se cruzan como la trascendencia simbólica que adquiere lo confirman.

142

4. EL *LIBRO DE BUEN AMOR* DEL ARCIPRESTE DE HITA

CARACTERÍSTICAS GENERALES

El logro poético más firme que se obtuvo en esta poesía clerical vernácula fue el *Libro de Buen Amor,* cuya fecha de composición, en su última versión conocida, se sitúa en 1343. La complejidad de esta obra es extrema, tanto por la variedad de las fuentes a que recurre el desconocido autor [1] como por la diversidad de formas poéticas que utiliza. De esto avisa Juan Ruiz en el preámbulo en prosa que intercala entre las estrofas 10 y 11: «E compósele otrosí a dar algunos leçión e muestra de metrificar e rimar e de trobar, ca trobas e notas e rimas e ditados e versos fiz conplidamente, segund que esta çiençia requiere.» El autor es un clérigo que conoce a fondo la ciencia literaria que cabe aplicar en la escritura de la poesía vernácula; y con un propósito deliberado escoge la fingida modalidad de una forma personal de la autobiografía amorosa para enlazar las piezas que junta en el libro. Como curso vertebrador del conjunto, el autor reúne sucesivamente estas aventuras amorosas: $A^1 + A^2 + A^3...$, y las rodea de prólogos y epílogos para glosar su intención. Y en relación con este curso vertebrador, Juan Ruiz va juntando piezas de muy diversa procedencia, unas mayores y otras menores, que ilustran y glosan cuestiones que se plantean en su curso. El conjunto (que

---

[1] Véase la relación de las mismas en Félix Lecoy, *Recherches sur le «Libro de Buen Amor»* [1938], Richmond, Gregg International, 1974, nuevo prólogo y bibliografía e índices de D. Deyermond, págs. 110-327.

no se conserva completo) resulta de difícil comprensión si se pierde este hilo conductor o no se interpreta adecuadamente este entramado propio de las exposiciones didácticas. Sólo que en último término todo revierte en la poderosísima potencia poética de Juan Ruiz que impone su condición personal de gran poeta al abigarrado conjunto.

a) LA AVENTURA CON LA DAMA

Las aventuras amorosas que vertebran el libro son distintas según sean las mujeres de cada una. Esta es la tercera de ellas: las precedentes (la de la dueña primera y la de Cruz Cruzada, una panadera) acabaron mal. El autor-relator no escarmienta y vuelve a la carga, pues esa es su estrella; la sucesión de aventuras amorosas no sirve para que el relator saque de ellas experiencia y se vuelva precavido. La enseñanza la percibe el oyente o lector considerando los casos expuestos y viendo la patética figura del clérigo enamorado. El protagonista reitera los enamoramientos de una manera mecánica porque esa es su función en la estructura de la obra; sin embargo, la condición humana que es el soporte del relato es tan rica y plurivalente que recrea con gran intensidad poética los motivos que pudieran ser más ajenos al autor y al público:

DE CÓMO EL AÇIPRESTE FUE ENAMORADO E DEL ENXIENPLO DEL LADRÓN E DEL MASTÍN

166   Como dize el sabio[1], cosa dura e fuerte
       es dexar la costunbre, el fado e la suerte:
       la costunbre es otra natura, çiertamente[2],
       apenas non se pierde fasta que vien' la muerte.

---

[1] *El sabio* por antonomasia es Aristóteles; recoge el sentido de la exposición del filósofo (*Ética a Nicómaco*, VII, 10, párrafo 4), que corrió por los escritores de la Edad Media, difundida tanto por Santo Tomás como por los cuentos y ejemplos.

[2] Obsérvese que en este verso la cesura no exige forzosamente pausa porque separa dos elementos unidos en el sintagma.

167   E porque es constunbre de ma[n]çebos usada
    querer sienpre tener alguna enamorada,
    por aver solaz bueno del amor con amada,
    tomé amiga nueva, una dueña ençerrada.

168   Dueña de buen linaje e de mucha nobleza,
    todo saber de dueña sabe con sotileza,
    cuerda e de buen seso, non sabe de vileza,
    muchas dueñas e otras, de buen saber las veza.

169   De talla muy apuesta e de gesto amorosa,
    loçana, doñeguil, plazentera, fermosa,
    cortés e mesurada, falaguera, donosa,
    graçiosa e donable [3], amor en toda cosa.

170   Por amor d'esta dueña fiz trobas e cantares,
    senbré avena loca ribera de Henares [4],
    verdat es lo que dizen los antiguos retráheres [5]:
    «Quien en arenal sienbra non trilla pegujares.»

171   Coidándola yo aver entre las ben[e]ditas,
    dávale de mis donas, non paños e non çintas,
    non cuentas nin sartal nin sortijas nin mitas,
    con ello estas cantigas que son deyuso escritas [6].

168d *veza:* acostumbra
169b *doñeguil:* elegante
169d *donable:* risueña

170d *pegujares:* cosecha propia
171c *mitas:* mitones?
171d *deyuso:* más abajo

---

[3] Estos versos son un alarde descriptivo del arte del autor: la acumulación de adjetivos sucesivos reúne una suma de cualidades que se resumen gozosamente en la palabra clave: *amor.*

[4] El verso, considerado como una sentencia, admite una plural significación: la biografía, referente a un autor que parece conocer bien los pedregales del río Henares; y la simbólica, en que la avena es símbolo de la lujuria.

[5] La autoridad implícita en los *antiguos retráheres* es de origen bíblico: «Qui autem super petrosa seminatus est...» (San Mateo, 13, 20). No es propiamente un refrán, sino un dicho o proverbio (que es la significación de *retráer,* un occitanismo) de raíces evangélicas.

[6] No figuran en el manuscrito las cantigas que se anuncian poco después, bien por no haberlas reproducido alguno de los que escribieron

172   Non quiso reçevirlo, bien fuxo de avoleza,
       fizo de mí bavieca; diz: «Non muestra[n] pereza
       los omnes en dar poco por tomar gra[n]d riqueza;
       levadlo e dezidle que malmercar non es franqueza.

173   »Non perderé yo a Dios nin al su paraíso
       por pecado del mundo que es sonbra de aliso;
       non soy yo tan sin seso, [que] si algo he priso,
       quien toma deve dar[7], dízelo sabio enviso.»

174   Ansí conteçió a mí con la dueña de prestar,
       como conteçió al ladrón que entrava a furtar[8],
       que falló un grand mastín; començóle de ladrar,
       el ladrón por furtar algo, començóle a falagar.

175   Lançó medio pan al perro, que traía en la mano:
       dentro ivan las çaraças, varruntólo el alano;
       diz: «Non quiero mal bocado, no serié para mí sano;
       por el pan de una noche non perderé quanto gano,

176   »[nin] por poca vïanda que esta noche çenaría,
       non perderé los manjares nin el pan de cada día;
       si yo tu mal pan comiese, con ello me afogaría,
       tú furtarías lo que guardo e yo gran traïción faría.

177   «Al señor que me crió non faré tal falsedat,
       que tú furtes su thesoro que dexó en mi fealdat:
       tú levarí[a]s el algo, yo faría grand maldat;
       ¡vete de aquí, ladrón, non quiero tu poridat!»

172a *avoleza*: vileza   173d *enviso*: experimentado
172b *bavieca*: tonto   175b *çaraças*: veneno

---

las copias anteriores, o porque el propio autor lo dice así y luego no las
pone por no ser necesarias al curso de la obra, en un grado de complici-
dad con el lector. El Arcipreste no le envía lo que esperaría la dama, y *con
ello* (es decir, con esas negaciones) añade las cantigas que también faltan
para el lector.

[7] Exposiciones semejantes abundan en la literatura medieval; hoy se
usa la expresión «Toma y daca» para referirse al cambio de favores.

[8] Es una fábula muy extendida en la literatura medieval; F. Lecoy
recoge siete piezas de igual contenido *(Recherches..., ob. cit.,* pág. 122).

178   Començó de ladrar mucho, mastín era mazillero;
tanto siguió al ladrón que fuyó de aquel çillero.
Así conteçió a mí e al mi buen mensajero
con aquesta dueña cuerda e con la otra primero.

179   Fueron dares valdíos, de que ove manzilla,
dixe: «Uno coida el vayo e otro el que lo ensilla» [9].
Redréme de la dueña e creí la fablilla
que diz: «Por lo perdido no estés mano en mexilla» [10].

180   Ca, segund vos he dicho, de tal ventura seo
que, si lo faz mi signo o si mi mal asseo,
nunca puedo acabar lo medio que deseo:
por esto a las vegadas con el Amor peleo.

EDICIÓN: Según la edición con notas críticas de Jacques Joset, Arcipreste de Hita, *Libro de Buen Amor,* Madrid, Taurus, 1990, págs. 143-149. Se atiene al criterio editorial de la colección «Clásicos Taurus»; la base es el manuscrito S, de la Biblioteca de la Universidad de Salamanca, frente al G de la Real Academia Española y al T de la Nacional de Madrid; y en otros casos G frente a T. Reduce las consonantes dobles de condición meramente gráfica según el uso actual, regulariza u/v e i/j, y, con acentuación, puntuación y uso de mayúsculas modernas, usa la apócope en pronombres y verbos, y otros pormenores.

COMENTARIO: La disposición del fragmento es una ilustración de la estructura que antes mencioné: por el plano de superficie se sucede

178a *mazillero:* dañino   180b *asseo:* compostura
178b *çillero:* despensa   180d *vegadas:* veces
179c *redréme:* me retiré

[9] Es una sentencia que se encuentra en latín y otras lenguas europeas y que el Arcipreste hace suya dándole forma de refrán.

[10] El Arcipreste recoge aquí una expresión común que Berceo usa de esta otra manera: «Sidie man a maxiella, planiendo so mal fado...» *(San Millán,* v. 209, b); es un gesto propio de los que lamentan algo ocurrido, y que Juan Ruiz expresa en forma de refrán. Estos versos fueron conocidos en el Modernismo por la cita que de ellos hizo Azorín en *Castilla,* en el capítulo de «Las nubes» (ed. J. M. Rozas, Madrid, Labor, 1973, pág. 135).

la aventura de la alta dueña, contada por Juan Ruiz, y en relación con esta aventura se inserta el ejemplo del mastín y el ladrón que glosa el caso personal del narrador y constituye el plano de resonancia didáctica, contada de manera impersonal en una pieza que puede aislarse de la anterior.

El narrador relata el caso amoroso y reflexiona sobre lo que le ocurre al mismo tiempo, entreverando ambos cursos, como ocurre en las ests. 166-167. La reflexión procede de Aristóteles *(el Sabio,* est. 166, *Eth. Nicom.* VI, 10, párrafo 4) y se formula libremente como justificación, apoyada por un maestro, de la intención de volver a enamorarse. La elegida es, en esta ocasión, una dama que se manifiesta con los rasgos propios de la descripción de la mujer perfecta (ests. 168-169): de buen linaje y hermosa, «amor en toda cosa». Una dama de esta categoría requería un enamorado parejo, y Juan Ruiz da lo que tiene, «trovas y cantares», pero no los regalos propios del trato cortés, paños, cintas, cuentas, sartales, sortijas y guantes, sino «cantigas» tan sólo. La dueña (ests. 172-173) plantea la cuestión con cordura de acuerdo con su posición social: si algo se quiere, cuesta lo que vale. Ella también reflexiona a su modo, con criterio femenino, pero no con la autoridad de un sabio como Aristóteles, sino de alguien que se justifica con un refrán: «Quien toma, debe dar» (est. 173, d). Y como Juan Ruiz no da —ni puede dar— sino cantigas, se retira de este intento de trato amoroso con la interesada señora. Para convencerse a sí mismo en el curso del caso, recurrió, como otras veces, al consuelo de la experiencia según le venía expresado en sus numerosas lecturas; todo esto lo vierte a la manera del refrán y con ello vigoriza el curso de la obra y la acomoda a la tensión clerical que es su menester: la enseñanza revierte en los oyentes y lectores que son el «pueblo de Dios» que percibe la obra.

Y, además de los refranes, recurre al ejemplo que sirve para convencerse a sí mismo, al tiempo que beneficia a los oyentes-lectores con la enseñanza. El ejemplo expuesto procede del fondo clerical: pertenece a la tradición esópica y fue vertido y aprovechado por los autores medievales en numerosas ocasiones. Y de acuerdo con la estructura del libro, el ejemplo se cita para el caso concreto de su aplicación al sujeto narrado. Estas piezas secundarias se integran así, con un objetivo definido, en el curso de la obra. El extraordinario valor del libro está en esta capacidad de integración que incorpora cualquier materia de una tradición, sea culta o popular, oral o escrita, a la unidad poética, esto es, recreadora de un fondo existente que así aparece en funciones que son nuevas gracias a la categoría del autor.

La reiteración de Juan Ruiz a través de sus decepciones con las mujeres supone una práctica del amor que también requiere su teoría correspondiente de acuerdo con la concepción medieval. El *Libro de Buen Amor,* que oscila, según dijimos, del relato del caso amoroso a su constante glosa, a la vez personal y erudita, se presenta en otras partes como una exposición teórica del amor en la que resulta patente la actitud goliardesca. El autor, como clérigo que es, conoce sus autoridades religiosas: la Biblia, y sus comentaristas, teólogos y moralistas, y con ellas urde parte de este ir y venir del relato a la glosa. Y también acude a las autoridades profanas, sobre todo a Ovidio, que en la Edad Media es el gran maestro del amor. El *Ars amatoria* es una de las obras más divulgadas en esta época, y sus manuscritos se copian una y otra vez en los escritorios clericales; también la materia que compone este libro de Ovidio se vierte en el *Pamphilus,* una versión dramática de condición cortés, y este fondo se reitera de muy diversas maneras en numerosos escritores de los siglos XII, XIII y XIV. Juan Ruiz también expone su «arte de amar» en el curso de su libro:

AQUÍ FABLA DE LA RESPUESTA QUE DON AMOR
DIO AL ARÇIPRESTE

423 El amor con mesura   diome respuesta luego:
      «Açipreste, sañudo   non sëas, yo te ruego,
      non digas mal de Amor   en verdat nin en juego,
      que a las vezes poca agua   faze abaxar grand fuego [1].
424 Por poco mal dezir   se pierde grand amor,
      por pequeña pelea   nasçe muy grand rencor,
      por mala dicha pierde   vassallo su señor;
      la buena fabla sienpre   faz' de bueno mejor [2].

---

[1] Juan Ruiz hace que don Amor, bajo el signo de la mesura que luego comentaremos, se valga de oposiciones para poner en claro lo que el Arcipreste no entiende o menosprecia: *verdad* (al menos, la que don Amor expone) frente a *juego* (lo que no es verdad, sino mentira, pero por la vía de la comicidad); *poca agua-mucho fuego,* dicho en un orden expresivo que se asemeja conscientemente al refrán.

[2] Obsérvese la construcción retórica de la estrofa: la anáfora *por,*

425 Escucha la mesura   pues dixiste baldón,
non deve amenaçar   el que atiende perdón;
do bien eres oído,   escucha mi razón:
si mis castigos fazes,   non te dirá muger non.

426 Si tú fasta agora   cosa non recabdeste
de dueñas e de otras   que dizes que ameste,
tórnate a tu culpa,   pues por ti lo erreste
porque a mí non veniste   nin viste nin proveste.

427 Quisiste ser maestro   ante que disçiplo ser,
e non sabes la manera   como es de aprender;
oy' e leye mis castigos   e sábelos bien fazer:
recabdarás la dueña   e sabrás otras traer[3].

428 Para todas mugeres   tu amor non conviene,
non quieras amar dueña   que a ti non aviene:
es un amor baldío,   de grand locura viene,
sienpre será mesquino   quien amor vano tiene.

429 Si leyeres Ovidio,   el que fue mi crïado,
en él fallarás fablas   que·l ove yo mostrado[4],
muchas buenas maneras   para enamorado:
Pánfilo[5] e Nasón   de mí fue demostrado.

430 Si quisieres amar dueñas   o otra qualquier muger,
muchas cosas avrás   primero de aprender;

425a *baldón:* insulto   427c *castigos:* avisos

repetida en cabeza de los versos a, b y c, sumando razones que, frente a la negatividad de las mismas, hacen que el curso desemboque en el verso d, que es la enseñanza positiva, expuestas en manera de proverbio.

[3] En una miniatura del aprendizaje clerical hay que oír y leer (aprender, glosar) los *castigos* (advertencias, teoría) y hacerlos (práctica) el resultado es que se logró el alto ministerio de la enseñanza, aplicado aquí a algo que no lo es: el logro de una y muchas mujeres. El guiño goliardesco es claro.

[4] Es la tan conocida *Ars amatoria,* de la que toma la materia expuesta de los libros I y II; véase F. Lecoy, *Recherches...,* ob. cit., págs. 295-296. Esta parte (ests. 431-435) recoge la tan sabida *descriptio* que los escolares aprendían en sus *Artes poéticas,* un patrón usado para establecer el aspecto de la perfecta señora. Ejemplos abundantes de esta *descriptio* en Edmond Faral, *Les Arts poétiques du XII et XIII siécle,* París, Champion, 1962, págs. 75-81.

[5] El *Pánfilo, Pamphilus* o *De Amore* es una comedia latina medieval, en la que se expone la materia del libro de Ovidio; puede leerse con traducción castellana en la edición de L. Rubio y T. González Rolán (Barcelona, Bosch, 1977).

para que ella te quiera   en su amor acoger,
sabe primeramente   la muger escoger.

431 Cata muger fermosa,   donosa e loçana,
que non sëa muy luenga   nin otrosí enana:
si podieres, non quieras   amar muger villana,
ca de amor non sabe,   es como baüsana.

432 Busca muger de talla,   de cabeça pequeña;
cabellos amarillos,   non sëan de alheña;
las çejas apartadas,   luengas, altas en peña;
ancheta de caderas: esta es talla de dueña.

433 Ojos grandes, someros,   pintados, reluzientes
e de luengas pestañas,   bien claros e reyentes,
las orejas pequeñas,   delgadas, para·l mientes
si á el cuello alto: atal quieren las gentes.

434 La nariz afilada,   los dientes menudillos,
eguales e bien blancos,   un poco apartadillos;
las enzivas bermejas,   los dientes agudillos;
los labros de la boca   bermejos, angostillos.

435 La su boca pequeña   así de buena guisa,
la su faz sëa blanca,   sin pelos, clara e lisa;
puna de aver muger   que la vëas sin camisa,
que la talla del cuerpo   te dirá esto a guisa [6].

436 La muger que enbïares [7],   de ti sëa parienta
que bien leal te sea,   no sëa su sirvienta;
non lo sepa la dueña   porque la otra non mienta;
non puede ser quien mal casa,   que non se arrepienta.

437 Puña, en quanto puedas,   que la tu mensagera
sëa bien razonada,   sotil e costumera,

431a *cata:* prueba
431d *baüsana:* espantapájaros
432b *de alheña:* teñidos con alheña
432c *en peña:* en ángulo
437a *puña:* pugna
437b *costumera:* despaciosa

[6] c y d. La descripción, que hasta aquí se refería a partes descubiertas de la cara, se interrumpe con esta violenta proposición: ver también lo cubierto. Para esto no es necesario que sea el amante el que vea el cuerpo de la dama. Las estrofas 436 y 443 se dedican a la mensajera que sí puede hacerlo, y por eso en la 444 se prosigue la descripción de las partes del cuerpo hasta la 445, que acaba en los pies.

[7] Como hemos indicado, don Amor presenta a la mediadora en los amores, que es un personaje incorporado al *Libro* con esta función específica: la de ser la *tercera, mensajera, trotaconventos,* cuyas cualidades se enumeran.

sepa mentir fermoso　　e siga la carrera,
ca 'más fierbe la olla　　con la su cobertera'.

438　Si parienta non tienes　　atal, toma [de unas] viejas
que andan las iglesias　　e saben las callejas:
grandes cuentas al cuel[l]o,　　saben muchas consejas,
con lágrimas de Moisén [8]　　escantan las ovejas.

439　Son [muy] grandes maestras　　aquestas pavïotas,
andan por todo el mundo,　　por plaças e [por] cotas:
a Dios alçan las cuentas　　querellando sus coitas:
¡ay!, quanto [de] mal saben　　estas viejas arlotas.

440　Toma de unas viejas　　que se fazen erveras,
andan de casa en casa　　e llámanse parteras:
con polvos e afeites　　e con alcoholeras
echan la moça en ojo　　e çiegan bien de veras.

441　E busca mesajera　　de unas negras patas [9],
que usan mucho fraires　　[e] monjas e beatas:
son mucho andariegas　　e meresçen las çapatas [10],
estas trotaconventos　　fazen muchas baratas.

442　Do están estas mugeres　　mucho se an de alegrar,
pocas mugeres pueden　　d'ellas se despegar;
porque a ti non mienta[n]　　sábelas falagar,
ca tal escanto usan　　que saben bien çegar.

443　De aquestas viejas todas,　　esta es la mejor;
ruega·l que te non mienta,　　muéstral[e] buen amor [11],
que mucha mala bestia　　vende buen corredor
e mucha mala ropa　　cubre buen cobertor [12].

437d *cobertera:* tapadera
438d *escantan:* hechizan
439a *pavïotas:* engañadoras
439b *cotas:* lugares cerrados

439d *arlotas:* bribonas
441b *usan:* frecuentan
441d *baratas:* tratos engañosos

---

[8] Estas *lágrimas de Moisés* acaso fueran adornos como lentejuelas o piedras de cristal que encantarían las orejas, o sea las harían accesibles a las peticiones.
[9] *patas: pecas* en el único ms.G, que se corrige así.
[10] *çapatas* es reconstrucción del manuscrito *pecas,* que no sigue la rima; entonces 'andariegas'.
[11] *buen amor:* 'amistad, consideración, buen trato'; conviene siempre tener en cuenta el sentido pluralmente equívoco de *buen amor* a través de sus varios usos en el *Libro.*
[12] Los dos versos están montados retóricamente sobre la oposición paralela *buen-mal* que empareja expresiones que adoptan un tono sentencioso.

152

444 Si dexier' que la dueña   non tiene miembros muy grandes
     nin los braços delgados,   tú luego le demandes
     si á los pechos chicos;   si dize sí, demandes
     contra la fegura toda   porque más çierto andes.
445 Si diz' que los sobacos   tiene un poco mojados
     e que á chicas piernas   e luengos los costados,
     ancheta de caderas,   pies chicos, socavados:
     tal muger non la fallan   en todos los mercados.
446 En la cama muy loca,   en la casa muy cuerda[13]:
     non olvides tal dueña,   mas d'ella te acuerda:
     esto que te castigo   con Ovidio concuerda[14],
     e para aquesta cata   la fina avancuerda.

EDICIÓN: Según la versión crítica de Giorgio Chiarini, *Libro de Buen Amor,* Milán-Nápoles, R. Ricciardi, 1964, págs. 86-92. El editor ajusta los versos a una rigurosa medida mediante el uso de signos diacríticos que ayuden al cómputo en el encuentro de determinadas vocales. Se basa en el manuscrito S, al que quita la pátina leonesa y elabora un sistema gráfico que «acercándose en lo posible al moderno, evita inútiles y fastidiosas dificultades de lectura» (pág. LXIII). Al pie de su texto da la base del manuscrito en que fundamenta la lectura propuesta en cada caso. Acentúa y puntúa y distribuye las mayúsculas con criterio actual; usa el punto alto para el apócope precedente y el apóstrofo para la elisión de vocal final.

COMENTARIO: He elegido este fragmento porque representa un ejemplo del libro en el que el autor se atiene a una fuente cercana de la latinidad, pero que no es una traducción. Al fin del fragmento anterior (est. 180), el autor se preguntó que por qué le van mal los asuntos del amor pues no consigue llegar al fin que se propone. Y

445c *socavados:* arqueados   446d *avancuerda:* aquí alcahuete

---

[13] Otra vez un ajustado concierto retórico logra uno de los mejores versos del *Libro:* la oposición *loca-cuerda* concuerda el equilibrio:

en la cama	[muy]	loca
en la casa		cuerda

La asonancia *cama-casa* enlaza aún más los términos.
[14] De nuevo don Amor recuerda que lo que dice está bajo la *auctoritas* del maestro Ovidio.

entonces busca pelea con Amor, que se le aparece como «un omne grand, fermoso, mesurado» (est. 181, c). Esto resulta anómalo, pues lo común es que la representación del Amor corra a cargo de un niño o de un adolescente. Pero cabe pensar que Juan Ruiz pudo «inventar» este Amor como sabio varón reuniendo en la figura que había de pelear con él mismo la resonancia de la tan difundida personalidad de Ovidio y la imagen de un contrincante que pudiese oponerse, en una pretendida igualdad de condiciones, a las razones que Juan Ruiz expuso contra el Amor, o sea, un contrario paralelo a él (o a la imagen que él pudiera hacerse de sí mismo con un evidente contraste irónico, pues no lo vieron así las mujeres precedentes). Una y otra imagen serían así semejantes y las razones que se cruzaban en la pelea quedaban igualadas. Obsérvese que de Ovidio dice Amor: «el que fue mi criado» (est. 429, a); *criado* en el sentido medieval de educado en su casa siendo Amor el señor, de manera que la relación entre Amor y Ovidio es la propia de la familiaridad jerárquica. Para establecer la pelea, en la primera ronda, Juan Ruiz expone un extenso discurso contrario al amor (242 estrofas), en el que acude a su bien provisto arsenal de razones. En el curso del mismo, además de las increpaciones personales que proceden de su decepcionada experiencia, hay ejemplos que proceden de los *fabliaux,* otro de Walter el inglés, desfilan los pecados capitales, también glosados con ejemplos de muy diversa procedencia, salta el risueño tema goliardesco de las horas canónicas pasados al lenguaje de amor, por citar sólo los más relevantes. Y acaba enojado: «Amor, ¡vete tu vía!» (est. 422, d).

Frente al airado alegato de Juan Ruiz, el Amor contesta con tono *mesurado* (est. 423, a). La respuesta es una lección magistral, expuesta bajo la autoridad de Ovidio (429, a) que, como dijimos, está prefigurado en don Amor. Pero el autor no sigue de cerca el tan conocido libro del autor latino: toma del libro I y II del *Ars Amatoria* lo que le conviene para urdir la trama de cómo enamorar a la hermosa. Lo mismo que otros escritores medievales, considera a Ovidio como un verdadero y legítimo maestro en su arte, emparejado con los otros sabios antiguos: el desenfado con el que Ovidio había escrito su libro se pierde en la interpretación medieval que toma en serio el propósito de establecer un *Ars Amatoria*. Juan Ruiz va urdiendo su exposición sobre retazos de Ovidio imponiendo un orden propio a la materia ovidiana, adecuado al curso de su relato biográfico, y acomodándose a su intención: proporcionar la relación amorosa en toda ocasión, tal como conviene a la veleidad del protagonista, pues lo que él pretende es enamorarse una y otra vez, y no permanecer en el amor que no logra. Por otra parte también cita el *Pamphilus de amore* (est. 429, d), emparejado con Nasón, considerado aquí por la teoría y que más adelante aprovecha, igual que en esta ocasión, como materia argumental —esto es, como práctica— en una transfusión Pamphilusprotagonista del *Libro de Buen Amor*. Esto crea una de las mejores aventuras del libro mediante la unión de Pamphilus-personaje con el autor de la comedia, tal como lo estará más adelante Juan Ruiz, autor declarado de la obra, con don Melón (ests. 580-591). Este material y otras implicaciones, esparcidas por los *Disticha Catonis* y otras obras semejantes, se convierten en esta soberbia exposición de carácter didáctico de Amor: «oy' e leye mis castigos» (est. 427, c); esto se lo dice Amor a Juan Ruiz que escucha la doctrina para que le sirva de aviso y se anticipe a la experiencia. En cabeza de la exposición está la descripción de la mujer que merece el amor (ests. 431-435). Pero el frío esquema retórico se convierte en esta mujer que Juan Ruiz describe de una manera tan viva y aun desvergonzada (est. 435, c), que puede proceder tanto del tirón de la experiencia como de modelos árabes. Juan Ruiz se comporta siempre como un alegre rompedor de figuras retóricas y de encantos librescos en favor de un acercamiento a la experiencia del joven clérigo de un lugar castellano que es y no es goliardo.

c)   EL «LIBRO DE BUEN AMOR» COMO CANCIONERO

. Otra consideración que admite el *Libro de Buen Amor* es la de cancionero, pero no en la acepción que representa, por ejemplo, la colección poética que reunió Juan Alfonso de Baena, sino de una manera restrigida por cuanto es obra de un solo autor, pero esto no impide que recoja una diversidad de formas y asuntos que le permite ser una representación, a escala reducida, de lo que sería una antología de la lírica de la época. Ya indiqué que la forma métrica predominante en el *Libro de Buen Amor* es la cuaderna vía, como es propio de la poesía clerical común, pero el autor indicó en el prólogo que daría muestra y lección de metrificar, rimar y trovar. Y, en efecto, en el curso de la obra, lo mismo que dentro de la biografía literaria caben las glosas y los ejemplos, también abre sus páginas a diversas piezas líricas, unas de orden religioso (cuatro *Gozos* y cuatro *Loores de la Virgen,* un *Ave María,* dos *Pasiones de Cristo*) otras, profanas (cuatro cantos de serrana, dos de escolares, dos de ciego y una trova cazurra); se anuncian otras piezas que o no las escribió (y así el *Libro de Buen Amor* sería un borrador avanzado con el testimonio de varios textos) o no se copiaron, como indicaremos en el caso de la poesía escogida. Pero lo que queda, escrito en los manuscritos del *Libro,* permite establecer esta consideración de la obra como cancionero, que es ya un signo de enriquecimiento literario del grupo clerical al que pertenece, y a la vez, lo es de que ya la cuaderna vía pierde su vigencia literaria como sistema poético cerrado. Elegimos la cantiga de la serrana de Tablada:

CÁNTICA DE SERRANA

1022   Cerca la Tablada [15],
     la sierra passada,
     falléme con Alda [16]
     a la madrugada.

1023   Encima del puerto
     cuidéme ser muerto
     de nieve e de frío,
     e desse rucío
     e de grand elada.

1024   *Ya* ä la decida,
     dï una corrida:
     fallé una serrana,
     fermosa, loçana
     e bien colorada.

1025   Dixle yö a ella:
     «Omíllome, bella.»
     Diz: «Tú que bien corres,
     aquí non te engorres,
     anda tu jornada.»

1026   Yo l' dix: «Frío tengo
     e por esso vengo
     a vos, fermosura:

1024a *decida:* descenso   1025d *engorres:* pares

[15] *Tablada* es un puerto de la sierra de Guadarrama que el protagonista ha de pasar de vuelta de Segovia.
[16] El nombre de *Alda* aparece *Aldara* en los ms. S y G, pero la restitución es necesaria para la medida silábica; además así se llama a la serrana como Alda, la *belle Aude* de Roldán y la *Alda* de Guillaume de Blois, la Alda que aparecería en nuestros romances de don Roldán («En París está doña Alda, la esposa de don Roldán...»).

queret, por mesura,
oy darme posada.»

1027 Díxome la moça:
«Pariente, mi choça
el que en ella posa
comigo s' desposa
e dame soldada.»

1028 Yo l' dixe: «De grado,
mas yo só casado
aquí, en Ferreros [17];
mas de mis dineros
darvos he, amada.»

1029 Diz: «Trota comigo.»
Levóme consigo
e dióm buena lumbre,
como es de costumbre
de sierra nevada.

1030 Diom pan de centeno
tiznado, moreno;
e diom vino malo,
agrillö e ralo,
e carne salada;

1031 dióm queso de cabras.
«Fidalgo», diz, «abras
esse braço e toma
un canto de soma,
que tengo guardada.»

1032 Diz: «Uéspet, almuerza,
e beve e esfuerça,
caliéntate e paga
—de mal no s' te faga—:
fasta la tornada;

1033 quien donas me diere
quales yo pediere,

1027c *soldada:* pago   1031d *soma:* pan de salvado
1031d *canto:* rebanada

---

[17] *Ferreros* es una aldea situada en la provincia de Segovia, hoy
llamada Otero de los Herreros.

157

avrá buena cena
e lechiga buena
que no l' cueste nada.»

1034 «Vos que esso m' dezides
¿por qué non pedides
la cosa certera?»
Ella diz: «¡Maguera!
¿E si m' será dada?

1035 Pues dám una cinta
bermeja, bien tinta,
e buena camisa,
fechä a mi guisa,
con su collarada;

1036 e dám buenas sartas
d' estaño, e hartas;
e dame halía
de buena valía;
pelleja delgada;

1037 e dám buena toca
listada, de cota;
e dame çapatas
de cuello, bien altas,
de pieça labrada.

1038 Con aquestas joyas,
quiero que lö oyas,
serás bien venido:
serás mi marido
e yo tu velada.»

1039 «Serrana señora,
tantö algọ, agora
non trax, por ventura:
faré fiadura
para la tornada.»

1040 Díxome la heda:
«Do non ay moneda

1033d *lechiga:* cama
1034d *¡maguera!:* ¡ojalá!
1035d *guisa:* medida
1036c *halía:* joya

1037b *de cota:* rayada
1038c *velada:* esposa
1039d *fiadura:* fianza

                non ay merchandía,
                nin ay tan buen día
                nin cara pagada;
1041   non ay mercadero
                bueno, sin dinero;
                e yo non me pago
                del que no m' dä algo,
                nin le do posada;
1042   nunca d' omenaje
                pagan ostalaje;
                por dineros faze
                omne quanto l' plaze:
                cosa ës provada.»

EDICIÓN: Según la edición crítica de Joan Corominas, *Libro de Buen Amor,* Madrid, Gredos, 1967, pp. 403-411, ests. 1022-1042. Corominas parte de la medida métrica de los versos que establece teniendo en cuenta la variedad de los hemistiquios, heptasílabos y octosílabos; esta oscilación queda registrada cuidadosamente y a ello aplica un análisis de la tradición manuscrita, comparando sobre todo las formas del mismo *Libro* unas con otras, con especial atención a las rimas. En este caso se trata del verso hexasílabo; se pueden observar los signos que indican la condición de las vocales inmediatas a los efectos del cómputo.

COMENTARIO: La estrofa resulta ser muy diferente de la cuaderna vía, pues es una copla de cinco versos (A A B B X) en relación con el estribillo *(X X X X).* La medida hexasilábica había sido usada en la lírica gallega, y en Juan Ruiz aparece ya establecida para la castellana. En la constitución de esta estrofa se encuentra el pareado como combinación de base en una forma que luego no fue común, pues lo más ordinario sería la copla de rimas cruzadas en los cuatro versos.

No obstante el artificio de la forma métrica, la pieza tiene la apariencia de ser un canto de serrana, tal como el propio autor ha indicado en la est. 1021, que precede a la misma:

        De quanto que me dixo   e de su mala talla,
        fize bien tres cantigas,   mas non pud' bien pintalla:
        las dos son chançonetas,   la otra de trotalla,
        de la que te non pagares,   veyla e ríe e calla.
                                    (ed. J. Joset, pág. 443)

1040a *feda:* fea   1042b *ostalaje:* hospedaje

El copista sólo escribió una de las tres; según M. R. Lida cree, la primera, pero no queda claro si la pieza elegida es una de las chanzonetas o la cantiga de *trotalla* (según Corominas para ir de camino aprisa, y entonces esta lo sería, y también por su vivo ritmo; en la est. 1029 le dice la serrana: «*Trota* conmigo»). El canto de serrana es propio para acompañarse en el paso de la sierra o para recordarlo, pues la serrana era la guía por los difíciles caminos del Guadarrama. Y Juan Ruiz nos hizo antes, en las estrofas que anteceden al canto, una descripción violenta y ruda de la serrana (ests. 1008-1020) que representa la contraria de la hermosa mujer que pintó Ovidio. Contrasta este horrendo *vestiglo* (est. 1008, 'figura monstruosa y deforme que asusta') con la que aparece en la canción; es cierto que la llama en un caso *heda* (est. 1040, fea) pero también *fermosa* y *loçana* (est. 1024) *bella* (est. 1025). ¿A qué carta quedarse? Se cruzan, como tantas veces, en una misma pieza, contradictorios sentidos: uno sería la pastorela cortés de la lírica francesa y provenzal, y otro sería el canto de camino, procedente del folklore literario. Menéndez Pidal[18] encontró una composición francesa, anterior a 1341, en la que la pastora (que en este caso sería el paralelo de la serrana) es fea con horror y el caballero se dirige a ella cortésmente; siendo posible que en la pastorela francesa se diese a veces este contraste, el caso es que Juan Ruiz oscila otra vez entre los extremos en una misma poesía, de acuerdo con su habitual pendulación que sorprende al oyente-lector. Propósito de burla y desconcierto, esto no impide que, preparado el lugar del suceso *(Tablada,* est. 1022), aparezca la serrana en ocasión oportuna y Juan Ruiz la trate como si fuera una hermosa dama para congraciarse con ella. El caso es conocido: la serrana lo acoge en su cabaña: «como es de costumbre | de sierra nevada» (est. 1029), le da de comer *(almuerza,* est. 1032) y para luego ofrece cena y lecho, a satisfacción (est. 1038), siempre que el viajero traiga los dones que pide la serrana, que permiten una descripción esta vez del traje popular de las fiestas (ests. 1035-1038). Pero Juan Ruiz pretende dar los dones a la vuelta y ella no acepta el trato: primero el dinero o los dones y luego lo acordado. Otra vez se le escapa al protagonista la ocasión de dormir con la bella que se ha vuelto fea cuando ha puesto estas condiciones; pero ¿quién es el viajero?: un vecino de Ferreros (est. 1028), casado y no un arcipreste. ¿Miente? No hay que entenderlo así: es que el que sostiene la biografía cambia de condición siempre que es necesario al curso de la obra: está en el libro para correr aventuras poéticas y no para documentar una vida real. Por eso puede ser a un tiempo un vecino

---

[18] Ramón Menéndez Pidal, «Sobre primitiva lírica española», en *De primitiva lírica española y antigua épica,* Buenos Aires, Espasa-Calpe, 1951, págs. 127-128.

de un pueblecito segoviano que conoce su folklore, los trajes y las comidas del pueblo y, un clérigo joven que sabe de poesías en las que los caballeros interpelan a las pastoras.

d) JUAN RUIZ SE CONFIESA COMO AUTOR

Para cerrar esta selección conviene saber lo que Juan Ruiz pensaba de su libro y cómo recomienda que lo entienda el que lo oiga o lo lea:

S   CVII   (fº 99 rº)

De coͫo diσe el arciprefte que ʃe ha de entender eʃte fu libro

1626   Por que ʃanta marja, Segund que dicho he [19],
es comienzo E fyn del bien, tal eʃ mj fe,
fiç le quatro cantareʃ E contanto fare
punto amj librete, maʃ non lo çerrare.

1627   buena propiedat ha do quier que ʃea,
que ʃi lo oye alguno que tenga muger fea,
oʃy muger lo oye que ʃu marido vil fea,
faσer adjos ʃerujçio En punto lo deʃea.

1628   Deʃea oyr mjʃaσ E faσer oblaçoneʃ (sic),
deʃea dar apobreσ' bodigoʃ E rraσioneσ',
faσer mucha lymoʃna E deσjr oraçioneʃ,
dioʃ con eʃto ʃe ʃirue, bien lo vedeʃ varoneʃ.

1629   qual quier oͫe que lo oya, ʃy bien trobar ʃopiere,
maʃ ay añadir [20] E emendar ʃi quiʃiere,
ande de mano en mano aquien quier quel pydiere,
como pella alaʃ dueñaʃ, tomelo quie podiere.

1629d *pella:* pelota

---

[19] Lo había dicho al comienzo del *Libro*:

> E porque de todo bien   es comienço e rraíz
> la Virgen Santa María...
>
>   (est. 19, a y b)

[20] *mas ay añadir* es la lección que presenta el manuscrito S, pero la mayor parte de editores prefieren la de Toledo: *puede más añedir.*

1630 Pueſ es de buen amor, enpreſtadlo de grado,
non deſmjntadeſ ſu nonbre njn dedeſ rrefertado,
non le dedeſ por djneroσ vendjdo njn alquĩlado,
ca non ha grado njn graçiaσ njn buen amor conplado.

1631 ffiς vos pequeno libro de teſto, maf la gloſa [21],
non creo que eσ chica ante eſ byen grand (sic) proſa [22],
que ſobre cada fabla ſe entyende otra coſa,
ſyn la que ſe a lega en la Raσon fermoſa.

1632 De la ſantidat mucha eſ byen grand lyçionario,
maſ de juego E de burla eſ chico breujario,
por ende fago punto E çierro mj almario,
Sea vos chica fabla ſolaσ E letuario.

1633 Señoreσ, he vos ſevujdo con poca ſabidoria,
por vos dar ſolaσ a todoſ fable vos en jugleria;
yo vn gualardon vos pido: que por djos en rromeria
digadeſ vn pater noſter por mj E ave marja.

1634 Era de m̄jll E treσjentoſ E ochenta E vn años [23]
fue conpueſto el rromançe, por muchos maleſ e dañoσ
que faσen muchos e muchaſ aotraſ con ſus engaños,
E por moſtrar alos ſynplex (sic) fablas e verſos
[eſtraños.

EDICIÓN: Según la edición paleográfica de Jean Ducamin, *Libro de Buen Amor. Texte du XIVe siècle, publié pour la première fois avec les leçons des trois manuscrits connus,* Toulouse, E. Privat, 1901, págs. 310-312, ests. 1626-1634; ofrezco la lección que corresponde al ms. S. Esta edición representó en su fecha una gran aportación a la filología

1630b *rrefertado:* reprobado
1632c *almario:* armario, libro
1632d *letuario:* dulce
1634d *estraños:* extraordinarios

[21] Se vale de los términos de la enseñanza clerical: *libro de testo,* el libro básico sobre el que se ha de tejer la *glosa* o comentario que lo aclare.
[22] *prosa:* también en el sentido clerical de poema en verso de contenido religioso (como en la est. 11, c), sólo que tomado en un sentido burlesco porque todo el libro no es así; también el texto y su glosa antes citados conjuntamente, pero no *prosa* frente a *verso,* según la tradición procedente del latín de los gentiles.
[23] Esta fecha de 1381 es la que trae el manuscrito S, que es el que Ducamin transcribe, y se corresponde al año 1343 de nuestra era; es el más tardío porque el manuscrito T indica 1368 (1330 de la era cristiana).

española, pues estaba establecida con un criterio de carácter paleográfico, el más riguroso que se había aplicado hasta entonces. Trata de reflejar el texto manuscrito lo más fielmente posible y se vale de tipos especiales de imprenta para las varias claes de *s, z* e *i*. Sólo usa en grado mínimo la puntuación moderna.

COMENTARIO: Estas estrofas son un epílogo que constituye una declaración de la Poética dentro de la cual se ha compuesto la obra. El autor también aquí prosigue con la alegría de las burlas; hay que tomarlo como es. Dice: *fablévos en juglería* (est. 1633, b) y no es cierto, pues hay en su libro mucha ciencia literaria aunque, por modestia tópica, diga que no la tiene (est. 1633, a); y sí es cierto en parte porque compuso coplas que pudiera cantar un juglar (mejor un *cazurro),* y también porque a veces hace reír como uno de ellos y usa sus fórmulas para dirigirse al público oyente (ests, 1628, d, y 1633, a) y para pedir un galardón por su obra (est. 1633, c y d), aunque este sea religioso, como ya había hecho Gonzalo de Berceo, otro clérigo más cabal que nuestro revuelto Arcipreste. Prueba de este buen humor es que diga que los que tienen mujer fea o marido vil, que busquen consolarse con el servicio de Dios (est. 1627). Y también que siga jugando con la expresión *buen amor* que, por propuesta de Menéndez Pidal, da título al libro: el buen amor se entrega, se presta y no se vende o alquila (est. 1630). Lo que sí está claro es que es un libro de composición clerical (est. 1631): hay un texto y una glosa que es mayor, y constituye una *prosa,* acepción que significa un comentario que sirve para poner en claro las cuestiones del texto con una disciplina espiritual. No obstante, presentará su contenido de manera equívoca a través de dos versos muy bien hechos desde un punto de vista retórico (est. 1632, a y b):

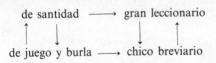

de santidad ⟶ gran leccionario (libro extenso donde se exponen lecciones, avisos)

de juego y burla ⟶ chico breviario (libro pequeño de oraciones)

Si el lector o el oyente pretende entender lo contrario, allá él; y entonces hay que recordar lo que había escrito (est. 1629) poco antes: que cualquiera que lo oiga, si es buen poeta (¡atención!), puede añadir y enmendar en el texto; este criterio es lo opuesto a lo que intenta un autor clerical que se precie, que pretenderá que el libro permanezca como él lo escribió y que nadie lo toque. Juan Ruiz lo lanza en medio del patio para que, como si fuera una pelota, las damas jueguen con él quitándoselo unas a otras. La literatura como juego representa, sin embargo, un altísimo logro poético.

163

5. EL *LIBRO RIMADO DEL PALACIO* DE PEDRO LÓPEZ DE AYALA

CARACTERÍSTICAS GENERALES

En contraste con lo poco que sabemos de Juan Ruiz, de Pedro López de Ayala (1332-1407) contamos con abundantes datos históricos que nos permiten rodear su obra de un marco biográfico muy documentado[1]. Lo que hemos considerado en otras poesías como un propósito clerical literario, penetra con Ayala en el ámbito cortesano y le sirve como apoyo de su intensa actividad política. El escritor vive en relación con el monasterio de San Miguel del Monte, de la Orden de los Jerónimos, dedicada a una labor de reforma de la vida pública y privada de la época; de ahí que su obra participe de esta intención. El *Libro rimado del Palacio* (como lo llamó Fernán Pérez de Guzmán, o *Rimado de Palacio*, con más brevedad) es un *Libro de poemas,* una especie de suma de piezas poéticas, como lo era también el de Juan Ruiz, sólo que en este caso el argumento vertebrador de la biografía poética no aparece tan claro como ocurrió con el recurso de una biografía poética. Sin embargo, también se observa que en sus diversas partes está asimismo presente el autor-narrador Ayala, no como actuante directo, sino como observador de la vida cortesana y glosador de los hechos que en ella ocurren y en los que él de algún modo participa. Este *Libro rimado,* como el *Libro de Buen Amor,* está vertebrado por un curso de estrofas de la

---

[1] Véase Michel García, *Obra y personalidad del Canciller de Ayala,* Madrid, Alhambra, 1982.

cuaderna vía que sostienen gran parte de la obra, pero también, como aquel, admite otras especies métricas. En cierto modo, cabe aplicarle la condición de Cancionero, pero las piezas componentes son de distinta condición y más independientes, menos trabadas en apariencia que las de aquel. Tiene también sus autoridades: en este caso son el *Libro de Job* y los *Libros morales* de San Gregorio, pero no es Ovidio. Y su característica predominante es que es una obra compuesta con un criterio rectilíneo, frente al zigzagueante *Libro de Buen Amor;* aquí no existe esa personalidad deslizante y entrometida, sino un criterio directo que va sin vacilación al blanco propuesto. El autor escribe como si hiciese la pública confesión de sus pecados, según dice en una estrofa de los preliminares:

> Pensando yo en la vida   d'este mundo mortal,
> que es poca e peligrosa,   llena de mucho mal,
> faré yo *confisión*   en la manera qual
> mejor se me entendier,   si Dios aquí me val.

La confesión (ests. 21-190) aquí permite reunir juntos los pecados personales y los sociales de los que el escritor, representante de los demás, se siente partícipe por la experiencia vivida; y, al mismo tiempo, como autor adoctrina con sentencias, consejos y ejemplos: Job, sobre todo, es el ejemplo más preclaro por su sujeción a Dios, probada hasta los últimos extremos. La teoría política [2] resulta así una consecuencia de esta posición: el gobernante debe aspirar a ser perfecto para merecer la adhesión del súbdito. Este fragmento recoge una reflexión política sobre la necesidad que los reyes tienen del buen consejo para ejercer el gobierno de sus pueblos, y que este adoctrinamiento procede de quienes poseen experiencia y virtud:

a) LOS BUENOS CONSEJEROS

287   E sean con el rey al consejo llegados
       prelados, cavalleros, doctores e letrados,

---

[2] Véase H. L. Sears, «The *Rimado de Palacio* and the *De regimine principum* tradition of de Middle Ages», *Hispanic Review,* XX (1952), págs. 1-27.

buenos omnes de villas, que ay muchos onrados,
e pues a todos tañe, todos sean llamados[3].

288   Quien del rey o del regno entendiere ocasión,
luego le aperçiba e muestre su razón;
segunt ley de Partida[4] caería en traiçión
el que lo encubriese un punto nin sazón.

289   Los reyes deven ser muy mucho avisados
de bien examinar entre los sus privados:
non amen lisonjeros nin mucho arrebatados;
si así se engañaren, ellos son los culpados.

290   Otrosí al consejo deven sienpre llamar
a aquellos que sopieren en tal caso fablar,
ca, segunt dizen en Françia[5], mucho es de rebtar
aquel que se entremete de ánsares ferrar.

291   Quien non sabe la cosa nin la ovo ensayado
non puede en el consejo ser mucho avisado,
e serié grant perigro e grant yerro provado
si el tal consejero oviese a ser llamado.

292   Séneca diz: «Las artes avrién buena ventura
si los que las bien saben las toviesen en cura»[6];
ca nunca bien disputan en la Santa Escriptura
ferrero, carpintero, alfayate de costura.

290c *rebtar:* reprehender   292d *alfayate:* sastre
292b *en cura:* en cuenta   296b *fallescemos:* cometemos falta

---

[3] Frente al criterio limitado del consejo de los conocedores de la política, se impone el otro criterio abierto a la consulta del cuerpo político entero; la sentencia, extendida desde el siglo XIV como máxima, procede de Justiniano: «quod omnes tangit debet ab omnibus approbari» (V, 59,5).

[4] Se refiere a la ley «Quáles deben ser los consejeros del Rey» *(Partidas,* II, 9, 5); en cuyo texto se lee: «Onde en todas guisas ha mester quel rey haya buenos consejeros, et que sean sus amigos, et homes de buen seso et de gran poridat»; y que ellos «hayan saber de consejarle lo mejor siempre; et que dotra guisa lo ficiese, faría trayción conoscida...» (tomo II, *ed. cit.,* págs. 62-63).

[5] No se ha identificado el cuento o refrán francés al que Ayala hace referencia.

[6] La cita proviene de una fuente apócrifa, y tiene su primera formulación en Cecilio Balbo, de donde pasó a una colección seudosenequista; véase Karl Alfred Blüher, *Séneca en España* [1969], Madrid, Gredos, 1983, pág. 94. Es común referirse a Séneca en materia de consejos, y así lo hace Alfonso X en cabeza de la ley antes citada *(Partidas,* II, 9, 5).

293   Segunt diz Sant Gregorio [7], dévese entremeter
cada uno en su arte e en su menester,
ca nunca puede un filósofo con todo su saber
governar una nao nin mástel le poner.

294   Si quisieres fer nao, busca los carpinteros;
si quieres çamarra, busca los pellejeros;
ofiçios son partidos caminos e senderos:
por unos van a Burgos, por otros a Zebreros [8].

295   [El] buen zelo me faze en aquesto fablar:
non digo por ninguno en esto acusar
mas por aperçebir, e conviene avisar
al que ha por consejos sus fechos governar.

296   Ca de tal masa somos formados, ¡mal pecado!,
que todos fallesçemos, qualquier en su estado [9]:
por ende el poderoso Señor sea rogado
que de nos emendar lo tenga en cuidado.

297   En todos los estados ay perigros asaz:
príncipes e señores, en guerra e en paz,
este mundo los turba e muy quexados faz;
quien cuida que ha sosiego asaz tiene de agraz.

EDICIÓN: Según Jacques Joset, Pero López de Ayala, *Libro rima-do de Palaçio*, Madrid, Alhambra, 1978, págs. 148-151, ests. 287-297. Adopta como manuscrito básico el N, de la Biblioteca Nacional de Madrid, y como accesorios el E, de la Biblioteca de El Escorial, junto con dos fragmentos; regulariza *i/j* y *u/v*, usa la acentuación y puntua-ción gráficas según las normas actuales, y los signos de apócope y diéresis cuando son necesarios y normaliza la grafía *r-rr*.

COMENTARIO: El tema del buen gobierno es general en la época y tiene su libro de cabeza en el *De regimine principium*, de Egidio Romano, como se ha estudiado [2]. El rey solicita el consejo de los que componen el grupo social: gentes de Iglesia, de armas y de letras, y los honrados *hombres buenos* (est. 287); el Código justiniano (est. 287, d) se reúne con la mención de *Las Partidas* de Alfonso X (est. 288, c y d) [3]. El Canciller insiste en la experiencia y conocimientos del conseje-ro, y autoriza esto con un dicho francés (ests. 290-292). Para apoyarlo

[7] San Gregorio, en sus *Morales* (XXVIII, 24 y sgtes.).
[8] Mención de lugares concretos, adonde hay que ir a buscar a los que conocen bien un oficio para realizar una obra determinada; es el mismo uso del Arcipreste de Hita.
[9] *estado:* clase, condición social dentro de la comunidad.

además con autoridades, menciona una antigua, Séneca (de fuente imprecisa) y otra cristiana, San Gregorio *(Morales,* XXVIII, 24 y ss.). Pero al mismo tiempo se vale de una incursión en la vida cotidiana: referencia a los carpinteros y pellejeros y la indicación de que unos caminos van a Burgos y otros a Cebreros, hacia Ávila, o sea, que hay que seguir el conveniente (est. 294). El procedimiento de la actualización del relato es semejante al de Juan Ruiz pero con menos chispa y más juego intelectual (est. 292, c y d, y est. 293, c y d). Ayala desconfía de los hombres y la exclamación *¡mal pecado!* le sale una y otra vez del corazón y de la inteligencia; es una posición pesimista frente a la alegría de Juan Ruiz. La turbación domina y el sosiego nunca llega; así que se bebe el vino agrio, de uva sin madurar (est. 297, d), en vez del vino reposado que conforta.

b) SOBRE LOS LETRADOS

AQUÍ COMIENÇA DE LOS LETRADOS

315 Si quisieres parar mientes   cómo pasan los dotores,
maguer han mucha sciencia,   mucho caen en errores,
ca en el dinero tienen   todos sus finos amores [10],
el alma han olvidado,   della han pocos dolores.

316 Si quisieres sobre un pleito   con ellos aver consejo,
pónense solepnemente,   e luego abaxan el cejo [11].
Dize: «Grant quistión es esta   e grant trabajo sobejo,
el pleito será luengo,   ca atañe a todo el concejo.

317 »Pero pienso que podría   aquí algo ayudar,
tomando muy grant trabajo,   en mis libros estudiar,
mas todos ⟨los⟩ mis negocios   me conviene a dexar,
e solamente en aqueste   vuestro pleito estudiar» [12].

315b *maguer:* aunque   316c *sobejo:* extraordinario
315c *ca:* pues   316d *luengo:* largo

---

[10] *finos amores:* se refiere al amor cortés, tal como se vio antes en la *Siesta de amor* (v. 55); en vez de dedicarse a estos ejercicios de la cortesía, como el escolar de la *Siesta,* prefieren el dinero.

[11] Los gestos acompañan aquí el diálogo entre el letrado y un cliente (en curso novelesco y no personal como en *Buen Amor*); a través del diálogo aparecen rasgos «reales» del caso mediante la interpretación de la aparatosidad verbal del letrado.

[12] Se repite *estudiar* en la consonancia con el verso b.

318 E delante el cuitado   sus libros manda traer;
ý veredes decretales,   clementinas[13] rebolver,
e dize: «Veinte capítulos   fallo *por* vos enpescer,
e non fallo más de uno   con que vos pueda acorrer».

319 «Creed», dize, «amigo,   que este pleito es muy escuro,
ca es punto de derecho   si lo ha en el mundo, duro.
Mas si tomo vuestra carga   e [si] yo vos aseguro,
fazed cuenta que tenedes   las espaldas en buen muro.

320 »Pero non vos enojedes   si el pleito se alongar[14],
ca non podrían los términos   menos se abreviar;
veremos qué non piden   o qué quieren demandar
ca como ellos tronparen   así conviene dançar[15].

321 »Yo só un bachiller   en leyes e decretales[16],
pocos ha en este regno   atán buenos e atales.
Esto aprendí yo   pasando muchos males,
e gastando en las escuelas   muchas doblas e reales.

322 »La heredat de mi padre   toda la fiz⟨e⟩ vender
por continuar el estudio   e algunt bien aprender;
finqué ende muy pobre   del mueble e del aver,
e con aquesta sciencia   me conviene mantener.

323 »Yo non quiero aver conbusco   ningunt prescio atajado:
como yo razonaré,   así.*m* faredes pagado,
mas ⟨yo⟩ tengo un buen libro,   en la villa enpeñado,
vos traedme veinte doblas,   o por ellas buen recabdo».

324 «Señor», dize el cuitado,   «cométenme pleitesía
que me dexe deste pleito   e dar me han una quantía;

318b *ý:* allí
318c *enpescer:* impedir
320d *tronparen:* tocaren la trompa

322c *finqué:* quedé
322c *ende:* por ello
323a *conbusco:* con vos

---

[13] Tanto las *clementinas* (decretales de Clemente V) como las *decretales* (de Gregorio IX) son libros de la literatura jurídica relativa al Derecho canónico.

[14] Entiéndase *se alongare,* como una supervivencia de la *-e* paragógica en el juego de la consonancia, confundiendo el infinitivo con la forma personal.

[15] Va implícito algún refrán semejante a: «Bailá, Perantón, pues os hacen el son» (Gonzalo Correas, *Vocabulario de refranes y frases proverbiales* (1627), Burdeos, Université, 1967, ed. Louis Combet, pág. 349).

[16] *en leyes y decretales:* en el Derecho civil y en el canónico.

170

e quanto mi muger en   este consejo sería,
e a mí en confisión   así mandan cada día»[17].

325 «Sería muy grant vergüença», le dize el bachiller,
«que, podiendo vos lo vuestro   algunt tiempo defender,
sin provar vuestros derechos   o lo que *pudiere* ser,
así ⟨tan⟩ baldamente   vos ayades a vencer.

326 »Los pleitos, en mis comienços,   todos atales son:
quien lo cuida tener malo,   después falla opinión
de algunt dotor famado   que sosterná su razón,
e pasando así el tienpo,   nasce otra conclusión.

327 »Solamente por mi onra,   pues me avedes puesto en esto,
non querría que vos viesen   los otros mudar el gesto:
vos, amigo, esforçadvos,   que con glosas e con testo
ý será don Johan Andrés[18]   e yo con él, mucho presto».

328 Con estas tales razones,   el pleito se comiença
e pone en su abogado   su fe⟨e⟩ e su creencia:
nin quiere pleitesía,   nin ninguna avenencia,
e comiença el bachiller   a mostrar la su sciencia.

329 Pero fíncale pagado   lo que primero pidió,
e luego un grant libello[19]   de la respuesta formó;
poniendo las exepciones,   el pleito se alongó
e en los primeros días   la su parte esforçó.

330 Duró el pleito un año,   que más non pudo durar,
el cabdal del cuitado   ya se va rematar,
cada mes algo le pide   e algo le conviene dar,
véndense de ⟨la⟩ su casa   los paños e el axuar.

331 Pasado es ya el tiempo   e el pleito segudido,
e el cuitado finca dende   condenado e vencido.
Dízele el abogado: «Por cierto yo fui fallido
que en los primeros días   non lo ove concluido.

332 »Mas tomad vos buen esfuerço,   non dedes por esto nada,
que aún vos finca antel rey   de tomar la vuestra alçada[20];

328c *avenencia:* acuerdo   331b *finca:* queda

---

[17] Parece ser que significa que su mujer está de acuerdo en que deje el pleito, y lo mismo le aconsejan en la confesión.
[18] *Johan Andrés* es el canonista y jurisconsulto Giovanni Andrea (1275?-1348?), que gozó de fama en España pues lo cita Gonzalo Martínez de Medina en un decir sobre la justicia *(Cancionero de Baena*, n. 340).
[19] *libelo de respuesta* es el memorial que presenta para refutar las alegaciones.
[20] *alçada:* recurso de apelación ante una autoridad superior.

e dadme la vuestra mula,   que aquí tenedes folgada,
ante de veinte días,   la sentencia es revocada.

333 »Pues lo ál aventurastes,   non vos deve de doler
lo que aquí despendierdes   de todo el vuestro aver,
e veremos los letrados   cómo fueron entender
las leyes que este pleito   así ⟨lo⟩ ovieron a vencer».

334 No ha que diga el cuitado   ca non tiene coraçón;
prometióle dar la mula   por seguir la apelación.
Después, dize el bachiller: «Prestadme vuestro mantón
ca el tienpo es muy frío,   non muera por ocasión.

335 «De buscarme mill reales   vos devedes acuciar,
ca en esto vos va agora   el caer e el levantar.
Si Dios e los sus santos   nos quieren ayudar,
non ha leyes que vos puedan   nin sus glosas estorvar».

336 El cuitado finca pobre   mas el bachiller se va;
si no es nescio o pataco,   nunca más se perderá.
Así pasa, ¡mal pecado!,   e pasó e pasará;
quien a mí creer quisiere   de lo tal se guardará.

337 Por esta tal avaricia   anda oy ⟨día⟩, ¡mal pecado!,
con muy poca caridat,   todo el mundo dapñado.
Non es *sólo* este mal   en el tal mal abogado,
que allí anda todo omne   e aún cavallero armado.

EDICIÓN: Según la edición de Michel Garcia, «*Libro de Poemas*», o «*Rimado de Palacio*», Madrid, Gredos, 1978, págs. 171-178, ests. 315-337. Es una edición crítica: elige la que estima como mejor lección, que procede en la mayor parte del manuscrito N. No unifica la grafía de las lecciones elegidas y regulariza i/j, u/v, y la grafía r. Usa los acentos y signos de puntuación (estos, dice que con prudencia) y otros recursos que indica.

COMENTARIOS: Ayala examina en este fragmento la condición del letrado. El letrado es un clérigo civil; ha seguido los estudios de las artes liberales, sobre todo la parte de la retórica que puede aplicar a la oratoria y conoce profesionalmente el derecho que ejerce (ests. 321-322). El grave problema es que estos doctores, con su mucha ciencia, han olvidado la espiritualidad salvadora (est. 315, d), la caridad (est. 337, b), y caen en el pecado de la avaricia (est. 337, a) otro ¡mal

332c *folgada:* ociosa   336b *pataco:* patán
333a *lo ál:* las otras cosas

pecado! en el que el propio Ayala también había caído, tal como lo confiesa:

> E, Señor piadoso,   ave merced de mí
> ca, en este pecado,   asaz yo fallescí,
> cobdiciando e robando,   e sin razón pedí
> algo a mis vasallos,   que mal les gradescí.
>
> (est. 85)

Para exponer el caso de los letrados, no recurre a un ejemplo de animales ni a una anécdota humana: describe el martirio sucesivo del que ha de recurrir a un abogado. En este caso opera como Juan Ruiz en tantas ocasiones y es que lo cuenta como un sucedido, sólo que el autor no se funde con el narrador como en el *Libro de Buen Amor*, sino que escribe un relato, con abundante diálogo, que parece objetivo, pero que en realidad es una caricatura. Por un lado está la técnica científica: *decretales, clementinas, capítulos* (est. 318, b), la cita de Juan Andrés (est. 327, d); libelo de respuesta (est. 329, c), etc., y, por el otro lado, la rapacidad sin límites del bachiller que despoja al pleiteante de cuanto posee. También aquí Ayala pone de manifiesto su sentido de la burla pero no con la alegría de Juan Ruiz; la suya deja aquí, lo mismo que en el anterior fragmento, una nota de pesimismo frente a la maldad humana como resume en este terrible políptoton: «así pasa, ¡mal pecado!, e pasó e pasará» (est. 336, c). La defensa jurídica, propia de una sociedad bien organizada, se convierte en tapadera de artimañas que conducen al empobrecimiento del que la sigue, en una negación social.

c) LOS LOORES A LA VIRGEN MARÍA

Ayala, como Juan Ruiz, es un devoto de la Virgen y así escribe esta canción a la Señora, que elegimos para representar este aspecto de la obra:

(N 747)   760   (E 761)

Otrosí prometí luego mi rromería
a la imajen blanca de la Virgen María[21]

---

[21] En efecto, existe una estatua de mármol blanco de la Virgen de fines del siglo XII, que se conserva en el coro de la Catedral de Toledo.

173

que estaua en Toledo, e allí me ofreçía
con mis joyas e donas [22], segunt que yo deuía.

(N 748)   761   (E 762)

[El] fize dende luego un pequeño cantar,
e aquí lo escreuí por non lo oluidar;
quiera por su merçed, Ella me ayudar;
ca todo mi esfuerço en Ella fui dexar.

[comienza el cantar de romería]

(N —)   762   (E 763)

Señora mía muy franca, por Ti cuido ir muy çedo,
seruir tu imajen blanca de la eglesia de Toledo.

(N 749)   763   (E 764)

Quando me veo quexado, a Ti fago mis clamores;
e luego só conortado de todos grandes dolores;
en Ti son los mis amores e serán con esperança
que me tires tribulança e te situa muy más ledo.

(N 750)   764   (E 765)

Siempre oue deuoçión en la tu noble figura,
a quien fago oración quando yo siento tristura:
de mí quieras auer cura, pues espero perdonança
por Ti, e en oluidança, non me dexes yazer quedo.

(N 751)   765   (E 766)

Si tomaste contra mí, por los mis pecados saña,
Señora, te pido aquí que non sea ya tamaña,

762a *çedo:* pronto   763d *tribulança:* tribulaciones
763b *conortado:* consolado   763d *ledo:* alegre
763d *tires:* quites

[22] *joyas e donas:* donación de ornamentos que se hacía para enrique-
cer un culto.

e a la mi cuita estraña acorre con alegrança:
non muera en desesperança e en tormento tan azedo.

(N 752)   766   (E 767)

Señora mía muy franca, por Ti cuido ir muy çedo,
seruir tu imajen blanca de la eglesia de Toledo.

(N 753)   767   (E 768)

Esta cantiga me fizo mayor esfuerço tener
en esta Virgen muy santa, que tiene el poder
de valer a tal tormento qual yo iua padesçer
en la prisión tan dura[23] que omne non podría creer.

(N 754)   768   (E 769)

Yo estaua ençerrado en una casa escura,
trauado de una cadena asaz grande e dura;
mi conorte era todo, adorar la su figura;
ca nunca fallé christiano, que de mí ouiese cura.

EDICIÓN: Según la edición crítica de Germán Orduna, Pero López
de Ayala, *Rimado de Palacio,* Madrid, Gredos, 1987, págs. 267-268.
Partiendo del principio de que todo texto medieval vive en variantes,
indica que «sólo podemos aspirar a establecer un texto correcto en
cuanto esté libre de deturpaciones, errores, contaminaciones y aberra-
ciones textuales y se aproxime lo más posible al concepto que
hayamos podido establecer sobre el original del autor. El texto crítico
que editamos es facticio, regido por un trabajo de *recensio* y *emenda-
tio*...» (pág. 11). Las indicaciones sobre el número de las estrofas se
refieren a N (ms. de la Biblioteca Nacional de Madrid) y E (de El
Escorial).

Obsérvese que entre las estrofas de cuaderna vía números 761 y
767 se encuentran las estrofas números 762 a 766 que hay que leer de

765c *estraña:* extraordinaria   768c *conorte:* consuelo
765d *azedo:* áspero   768d *cura:* cuidado

---

[23] La dura *prisión* que padeció Ayala en el castillo de Obidos con
ocasión de la derrota de Aljubarrota frente a los portugueses (1385).

la manera conveniente para que se establezca el esquema métrico de las coplas devotas que contienen, a las que me referiré seguidamente en el comentario. El editor ha creído más conveniente imprimir la canción de esta manera, dejando al lector la adecuada intepretación métrica.

COMENTARIO: Seguimos con la misma estructura del *Libro de Buen Amor;* en este caso es el Canciller el que manifiesta su devoción a la Virgen María en un cantar que intercala, como el Arcipreste, en la trama de la obra. El cantar responde al esquema métrico XYXY (ests. 762 y 766) ABABBX'X'Y [...] (ests. 763-765), correspondiente a una cantiga devota con estribillo. La poesía es de carácter religioso, pero el registro léxico que usa Ayala es el que pertenece a la lírica cortés, que estudiaremos en un próximo capítulo; es una versión a lo divino, en la que el homenaje de amor a la dama se ha convertido en el loor a la Virgen. Dedicada a la *Señora mía* (est. 762, a), el trovador quiere *servir* (est. 762, b) en esta ocasión su *imagen blanca:* en Ella están sus *amores* (est. 763, c), de tal suerte que toda la estrofa segunda, aislada, podría valer en un sentido profano. Las estrofas 764 y 765 entremeten algunas palabras *(devoción,* est. 764, a; *oración,* est. 764, b; *pecados,* est. 765, a) que orientan hacia la religiosidad, pero el resto de la poesía persiste en permanecer dentro del léxico cortés. Esta ambigüedad permite el doble uso, y la vertiente profana se beneficia de ella porque asegura la elevada consideración de la mujer en esta lírica cortés, al menos en estas composiciones que se mantienen en este plano noble. El *pequeño cantar* (est. 761, a) tiene un aire zejelesco en la combinación de la estrofa que va glosando en tres ocasiones el estribillo, y esta disposición se prestaría a una interpretación musical alternante. El juego poético, sin embargo, no es intrascendente, pues tuvo una función en la vida real del Canciller; no es un amor «de mentiras», una devoción común en la época sino que fue consuelo en un trance difícil. La Señora fue su *conorte* (est. 768, c, un consuelo espiritual), aunque el canto se haga con las palabras profanas del amor cortés. De la clerecía que sostiene la mayor parte de la obra, pasamos a los usos literarios de la cortesía.

III
POESÍA SENTENCIOSA

LOS *PROVERBIOS MORALES* DE SEM TOB DE CARRIÓN

CARACTERÍSTICAS GENERALES

La situación geográfica de la Península Ibérica y los acontecimientos históricos ocurridos en los reinos cristianos de España, en especial en el de Castilla, hicieron que en la literatura de los mismos apareciesen unas obras en las que se establecía una relación peculiar entre las distintas «leyes» que existían en ellos. («Ley» en el lenguaje de la época, además de su sentido jurídico, significaba el orden de vida establecido sobre la base de una concepción religiosa determinada: cristiana, árabe y judía). Aparece entonces una literatura de escasa repercusión en algunos casos en la que un fondo árabe o hebreo se relaciona con las formas cristianas; así ocurre con la literatura mudéjar, tan peculiar de la situación española.

La figura más importante de esta literatura es la de Sem Tob de Carrión, un rabí que vivió en Carrión de los Condes en donde hubo una judería floreciente en el siglo XIV. Autor de obras literarias en lengua hebrea y castellana, importa sobre todo la que en esta última escribió y que se conoce con el título de *Proverbios morales:* su contenido es una reflexión sobre la vida de su época, constituida fundamentalmente por una sarta de proverbios enlazados por consideraciones de orden moralizante establecidas desde la experiencia personal del autor. La redacción primera pudo ser en tiempo de Alfonso XI y se difundieron en los de Pedro I. Debido a la condición en cierto modo miscelánea de la obra, su conservación manuscrita es anómala, pues los manuscritos que la conservan difieren entre sí [1], y uno de ellos está escrito en caracteres rabínicos.

En la cabeza de la obra figura una dedicatoria al rey don Pedro que comienza con los siguientes versos:

Señor, Rey noble, alto,   Oy este sermón
que vyene dezir Santó,   judío de Carrión;
comunal mente trobado [rimado]   de glosas [y] moral mente
de filosofía sacado,   Segunt aquí va syguiente.

> (Según la edición de González Llubera, ests. 1 y 2, acentuado y puntuado por nosotros; los fragmentos en cursiva proceden del ms. de El Escorial.)

Importa destacar en esta introducción que la obra se declara escrita a modo de *sermón* (y esto manifiesta que es una obra dedicada a la provechosa enseñanza del oyente o lector, aunque no proceda de un escritor clerical, como en la mayoría de los casos), *sacada de filosofía, moralmente* (y, por tanto, su contenido se refiere a la conducta de los hombres en cuanto a la convivencia civil), y *de glosa* (o sea, que está tomado de un fondo de autores notables, la Biblia sobre todo, a los que se sigue y comenta, aunque no se mencionen); y, finalmente, se trata de una obra que se encuentra *trovada* o *rimada:* o sea, que está escrita en trovas o en verso, que quiere decir: sometida a la disciplina rítmica de las formas poéticas; y esto se hizo *comunalmente,* ni muy alto ni muy bajo [2]. Esta intención, declarada en cabeza de la obra, condiciona el contenido, la forma y el público de ella.

---

[1] La concordancia entre las estrofas de los *Proverbios morales* se encuentra en la edición de J. González Llubera que es el segundo de los textos que citamos de él en esta Antología, págs. 154-162; añádase la concordancia que Luisa López Grijera establece en su estudio «Un nuevo códice de los *Proverbios morales* de Sem Tob», *Boletín de la Real Academia Española,* LVI (1976), págs. 221-281, con relación al nuevo códice que aporta. Sobre estas cuestiones y las del orden en la estructura de la obra, téngase en cuenta lo que indica Agustín García Calvo en su edición de la obra (Madrid, Alianza, 1974).

[2] La base de este adverbio, *comunal,* tiene esta significación en el siglo xv. Confirma este sentido una mención de la *Crónica general* de Alfonso X: «Nunqua se fazie de mayor linage de quanto era; siempre dizie que era de comunal, ni de muy alto ni de muy bajo; et a los uezes dizie por los de comunal que eran de meior que él» (ed. Menéndez Pidal, pág. 133,

ACABA EL PRÓLOGO Y COMIENÇA EL TRATADO

137   Pues trabajo me mengua [3]
       Donde pueda aver
       Pro, dire de mi lengua
140   Algo de mi saber.
          Si non es lo que yo quiero,
       Quiera yo lo que es;
       Si pesar he primero,
       Plazer avre despues.
145   Ca, pues aquella rrueda [4]
       Del çielo una ora
       Jamas non esta queda,
       Peora y mejora;
          Aun aqueste laso
150   Renovara esprito,
       Este pandero manso
       Aun con el su grito
          Sonara, y verna dia
       Que avra su libra tal
155   Preçio commo solia
       Valer el su quintal.
          Cuide que en el callar
       Abria mejoria,
       Aborreçi el fablar,
160   Y falle peoria;
          Que non so para menos
       Que otros de mi ley

139 *pro:* provecho   149 *laso:* cansado

1.ª cols., 12-16). Así *rimar comunalmente* era hacerlo de una manera mediana, ni muy alto ni muy bajo.

[3] Hemos señalado con sangría el comienzo de cada copla, aunque a veces se producen encabalgamientos entre ellas. Pudiera ser que el sentido de la copla fuese que ya estaba lejos del servicio del rey.

[4] Referente a la rueda de la Fortuna.

Que ovieron mucho buenos
Donadios del Rey.
165 Mas, verguença afuera,
Me tiro ya pro.
Si no tanto, no fuera
Sin honra y sin pro.
Si mi rrazon es buena,
170 Non sea despreçiada
Por que de honbre suena
Rahez, que mucha espada
De fino azero sano
Sale de rrota vaina,
175 Y del fino 'l gusano
Se faze seda fina.
Y astroso garrote
Faze muy çierto trechos,
Algund rroto pellote
180 Descubre blancos pechos.
Y muy sotil trotero
Aduze buenas nuevas,
Y algunt vil bozero
Presenta çiertas pruevas.
185 Por naçer en espino [5]
La rrosa, yo no siento
Que pierde, ni el buen vino
Por salir del sarmiento,
Nin vale el açor menos
190 Por que en vil nido siga,
Ni los enxenplos buenos
Por que judio los diga.
Non me tenga por corto,
Que mucho judio largo
195 Non traheria lo que porto,

164 *donadios:* donaciones
172 *rahez:* vil
178 *trechos:* espacios de camino
179 *pellote:* traje de pieles

181 *trotero:* caballo trotón
182 *aduze:* trae
195 *porto:* traigo

[5] Son las coplas más conocidas, y testimonian que Sem Tob se dirigía a los que no eran judíos.

Nin levaria tanto cargo.
Bien se que nunca tanto
Quatro trechos de lanza
Alcançarian, quanto
200   Una saeta alcança.
Y rrazon muy granada
Se dize en pocos versos,
Y çinta muy delgada
Sufre costados gruesos.
205   Al honbre entendido,
Por ser muy vergoñoso,
Hanlo por encogido
Para poco y astroso;
Y si viese sazon,
210   Mejor y mas apuesta
Diria su rrazon
Que aquel que lo denuesta.

EDICIÓN: Según Sem Tob de Carrión, *Proverbios morales,* ed. Guzmán Álvarez, Salamanca, Anaya, 1970, págs. 45-47. La base de la edición es el manuscrito de la Biblioteca de El Escorial, con ligeras modificaciones *(ñ,* por *nn; ç* por *sç; rr-, Rr; i* por *j* e *y);* señalamiento del apócope mediante apóstrofo y puntuación moderna.

COMENTARIO: La métrica de la obra es peculiar: los versos son heptasílabos, como en el hemistiquio de la cuaderna vía, y la rima utilizada es la copla redondilla ABAB. Aquí hemos impreso los versos resaltando en la alineación la constitución de la copla. Si consideramos el gran uso de la estrofa de la cuaderna vía en esta época, la que utiliza Sem Tob se asocia rítmicamente con ella en la medida del verso pero el uso de la rima cruzada en cada copla aporta al curso de la obra una cadena de rimas mucho más intensa. Este curso resulta, por tanto, más incisivo y entrecortado y favorece un peculiar encabalgamiento que acentúa este efecto; obsérvese el caso en los vv. 138-139, 153-154, 171-172, etc. Al mismo tiempo esta estrofa resulta propicia para la descomposición de la serie poemática en unidades menores del orden de las sentencias a modo de refranes. La poesía se sitúa en la línea de las obras de moralidades que en este caso ensarta el autor, un judío declarado, para que todos los castellanos puedan oír y leer. El autor busca un amplio espacio común en el que puedan coincidir *moralmente* judíos y cristianos. Sem Tob se dirige al hombre común y general en su tiempo, sea el Rey o el de apellidos más corrientes:

Con lo que Lope gana,
Rodrigo empobrece,
con lo que Sancho gana,
Domingo adolece.

(Ídem, ests. 163-164, ed. González-
Llubera, y 237-240, ed. G. Álvarez,
que en vez de *Rodrigo* trae *Pelayo*.)

Enunciando de esta manera la variedad humana, la enseñanza se
desprende de los hechos, sin más apoyo que una doctrina en los
límites en que coinciden cristianos y judíos, y una observación de la
vida en la que todos pueden estar de acuerdo por vivir en una misma
época difícil. En esta parte el autor declara su condición y de ella son
los versos que han obtenido mayor difusión (vv. 185-192) proclaman-
do que el judío puede ofrecer buenos ejemplos.

b)   ELOGIO DE LA SABIDURÍA

[IX]

326   En mundo tal cabdal   Non a como el saber;
      Nin eredat nin al,   Nin ningun otro aver.   664

327   El saber es la gloria   De Dios e la su graçia:
      Non a tan noble joya,   Nin tan buena ganançia;

328   Nin mejor conpañon   *Que* el libro [6], nin tal,
      E tomar entençion   Conel, mas que paz val.   668

329   Quanto mas fuer tomando   Conel libro porfia,
      Tanto yra ganando   Buen saber toda via.

326a   *cabdal:* capital   329b   *toda via:* siempre
326b   *al:* otra cosa

---

[6]   *libro* (como comentamos luego) son las Escrituras y para el autor lo
que estas crean, la Tora o libro de la ley religiosa de los judíos.

C 24]

330 Los sabios que queria   Veer, los fallara
    Enel, e toda via   Conellos fablara;   672

331 Los sabios muy granados   Que omre deseava,
    Filosofos onrrados   Que veer cobdiçiaba.

332   Lo que de aquellos sabyos   El cobdiçia auia,
    Era los sus petafios   E su sabyduria: 676

333 Ally lo fallara   Enel libro sygnado,
    E rrespuesta obra   Dellos por su dyctado.

334 Aprende nueba cosa   De muy buen saber, çierto,
    E mucha buena glosa   Que fyzyeron al testo [7].   680

C 24ᵛ]

335 Queria, sy non, leer   Sus letras e sus versos,
    Se que non por veer   Sus carrnes e sus guesos.

336 La su sabiençia, pura,   Escrybta la dexaron,
    Syn ninguna boltura   Corporal la sumaron,   684

337 Syn buelta terrenal   De ningun elemento:
    Saber çelestrial,   Claro entendimiento.

338 Por esto solo quier   Tod omre de cordura
    Alos sabios veer,   Non por la su fygura.   688

339 Por ende tal amigo   Non a como el libro
    —Pora los sabios digo,   Que con torpes non me libro— [8]

332b *petafios:* sentencias   336b *boltura:* envoltura

---

[7] Como ocurrió en el *Libro de Buen Amor*, *libro* (texto) y conocimento adquirido deben ir con la *buena glosa*, que los asegura y difunde según el grado de los lectores.

[8] Obsérvense las consonancias totales de *libro* (texto) y *libro* (del verbo *librarse*), propio de la literatura semítica.

340   Seer syervo del sabio   O señor de omre neçio:
    Destas dos non me agrabio   Que anden por vn preçio [9].692

341   El omre torpe [10] es   La peor animalia
    Que a en mundo: es-   to es çierto, syn falla.

342   Non entyende fazer   Sy non deslealtat,
    Nin *es* el *su* plazer,   Sy non fazer maldat.   696

343   Lo que el mas entyende   Que bestia, en acuçia
    De engaños lo espiende   E en fazer malyçia.

344   Non pued omre aver   En mundo tal amigo

C 25ᵛ]

    Como el buen saber,   Nin peor enemigo   700

345   Que la su torpedat;   *E* del torpe su saña
    Mas pesa, en verdat,   Que arena; nin *ma*ña

346   Non a tan peligrosa,   Nin ocasyon tamaña,
    Nin en tierra dobdosa   Caminar syn compaña.   704

EDICIÓN: Sem Tob de Carrión, *Proverbios morales,* ed. I. González Llubera, Cambridge, University Press, 1947, págs. 105-107 y 121-
122. Edición crítica establecida sobre el texto básico del manuscrito

343b *espiende:* gasta

---

[9] Es decir, que ser siervo, da lo mismo serlo del sabio que del necio,
pues en los dos casos se habrá perdido la libertad.

[10] En sus notas a estas coplas, Sanford Shepard cree que esta identificación entre el *omre torpe* y la maldad recoge una corriente de la literatura
hebrea (así en la *Ética de los Padres* y Maimónides); y esto hace en Sem
Tob «equivalente la oposición entre el saber y la ignorancia, y entre el
bien y el mal» (ed. de los *Proverbios Morales,* Madrid, Gredos, 1986, pág.
140).

de la Cambridge University Library, suplido en las partes perdidas por el de la Biblioteca Nacional de Madrid. Lectura de los caracteres rabínicos del manuscrito de Cambridge.

COMENTARIO: El editor, en este caso, ha preferido publicar los versos heptasílabos seguidos, agrupándolos en parejas, con rima doble. Aquí en esta parte Sem Tob realiza uno de los más firmes alegatos en defensa de la sabiduría enumerando sus beneficios para cualquier hombre. La base de la sabiduría es el libro, que puede ser el Libro de los libros (o sea la Biblia) o en participación, cualquier obra que contenga una demostración de sabiduría, en cualquiera de los órdenes. Con el libro el hombre se redime de la torpeza que lo convierte en el peor animal del mundo. Se trata de una defensa de la inteligencia que convierte a su autor en uno de los primeros escritores que pretende ser estrictamente intelectual por su apasionada posición en favor de las letras.

IV
LÍRICA TRADICIONAL

CARACTERÍSTICAS GENERALES:
LETRA, MÚSICA Y SITUACIÓN

De entre las diversas manifestaciones literarias propias del folklore medieval, la que se corresponde con la modalidad de la poesía lírica es la mejor documentada. Esta poesía lírica se manifiesta en la letra de lo que, en conjunto, se testimonia como una canción. Se trata, pues, de un texto poético aislado de lo que representa la unidad artística, que reúne la música y la letra en relación con una situación en la que la canción puede ser interpretada por un cantor en un medio determinado. Casi siempre el intérprete entona una canción que conoce por la vía tradicional y ocurre que el texto puede adaptarse a la situación que la motiva, a veces con leves modificaciones; y se puede llegar hasta una invención en grado relativo si el intérprete es hábil, siempre que se conserven las condiciones básicas de la Poética implícita en la modalidad de la canción.

Por este motivo, esta canción persiste por la vía de la tradición oral y no llega a fijar los textos en la escritura más que en los contados casos en que hay una oportunidad específica, tal como se indicará. El cruce entre la canción folklórica y otras manifestaciones de la canción de autor resultan posibles con frecuencia, y más si un movimiento de moda las pone en relación y se producen acercamientos, tanto en el plano musical como en el literario. En esta *Antología* recogemos un muestrario de esta lírica perteneciente a una línea tradicional que, en sus formas originales, pertenecía al folklore y que aquí se recoge por haberse escrito en ocasiones determinadas, única vía de acceso hasta los textos. La forma primitiva, imposible de alcanzar con certeza, era una unidad poética menor, de escasa extensión y pocos versos, de gran densidad comunicativa, directa, a la que denominamos «villancico básico».

a) *El caso de la lírica mozárabe:*
   la muguasaja y el zéjel

En este caso la letra de estas canciones se encuentra en lengua mozárabe y su escritura se hizo utilizando caracteres gráficos árabes o hebreos. Se trata de una moda literaria en la que se relacionan dos sistemas poéticos distintos, el uno dominante y el otro accesorio. En nuestro caso nos importa considerar la situación cultural en la que la lengua mozárabe (y su poesía) convive como accesoria junto a las fundamentales lenguas árabe y hebrea (y con sus respectivas poesías). De esta manera las composiciones conservan, gracias a esta corriente de la moda, las piececillas mozárabes que se encuentran escritas con el alfabeto de estas dos lenguas literarias. Su origen se encuentra en el variado y complejo estrofismo de la poesía árabe; una de sus manifestaciones más llamativas fue la *muguasaja,* que en su esquema métrico se remataba con un estribillo o jarcha que servía de salida graciosa y desenvuelta a la composición. La *muguasaja* estaba escrita en árabe clásico, pero en la parte de la jarcha o salida se admitía la variedad del uso del árabe vulgar y también de una lengua diferente que, por lo que hace a nuestro caso, era el mozárabe o dialecto que reúne las formas de la lengua vernácula de los cristianos sometidos a los árabes en Al-Andalus. Otra variedad métrica de la versificación andaluza, de grado folklórico más acusado, era el *zéjel,* con letra en árabe vulgar y cuyo esquema métrico ofrecía también la reiteración de un estribillo más o menos elemental. Ambas formas de versificación aparecieron en la España musulmana e, impulsadas por la novedad, se convirtieron en una moda poética que se extendió pronto por la literatura árabe de Oriente y de Occidente. En el propio Al-Andalus los poetas hispanojudíos acogieron esta moda y escribieron *muguasajas* en lengua hebrea con jarcha o salida también en mozárabe.

El cultivo de estas formas poéticas ocurrió en los siglos XI al XIV y, por tanto, la parte de los textos escrita en lengua mozárabe es una de las primeras manifestaciones más arduas de la literatura primitiva, que J. M. Sola-Solé resume en estos términos: «La mezcla de elementos lingüísticos diversos, en un romance primitivo hispánico casi desconocido, intercalado con elementos árabes y escrito todo ello en caracteres hebreos o árabes [...] dificulta enormemente la llana lectura e interpretación de tales composiciones» [1].

La jarcha resulta así componente de la *muguasaja* y su función estriba en establecer un contraste con el cuerpo de ella y ser una «salida» sorprendente; en nuestro planteamiento hemos de considerar el caso en que la jarcha esté en lengua mozárabe (mezclada en más o en menos con términos de la otra lengua); esta clase de composiciones representaría siempre para su autor una obra de difusión limitada y solía dirigirse a quienes tenían disposición de entender esta lengua vulgar de la salida, por cualquier motivo. En tales condiciones, la jarcha puede considerarse en sí como una pieza independiente en cuanto que, en gran número de casos, el poeta no la inventaría, sino que la adaptaría de la poesía tradicional del pueblo mozárabe. Considerando que en esta adaptación los poetas procurarían conservar las características de las canciones mozárabes, oídas sobre todo en el entorno urbano, cabe pensar en que la letra de las mismas, contenida en las *muguasajas,* es un reflejo aproximado de la mozárabe original. De esta manera la jarcha representa una aproximación a las formas folklóricas de la tradición. En efecto, un gran número de jarchas presenta características de las formas folklóricas de una poesía femenina en la que la mujer refiere las penas y alegrías del amor, el dolor que causa la ausencia del amado, la impaciencia por que se halle presente y el juego amoroso desde el punto de vista de ella. Tal como corresponde a la canción folklórica, las piezas son breves fundamentalmente, en estrofas de cuatro, dos y tres versos; y en los versos de la composición básica que la recoge suele haber referencias a una «canción» que entona una mujer y que se aplica a una situación que no se corresponde con la que la canción poseía en sí misma si se interpretase de acuerdo con su origen

---

[1] José María Sola-Solé, *Corpus de poesía mozárabe (Las ḫarǧa-s andalusíes),* Barcelona, Hispam, 1973, pág. 9.

folklórico; sin embargo, el encanto poético que se desprende de la canción, aun convertida en jarcha, permite esta asociación entre los dos sistemas coincidentes en estas composiciones.

Lo que en el árabe es el capricho de una moda, en la lengua vernácula representa un testimonio de supervivencia de la población sometida, salvado por un artificio poético.

El conocimiento de esta poesía románica que se encuentra sumergida en la otra poesía árabe, que es la que domina el conjunto de la composición, resulta difícil para los que no conocen la lengua árabe. Y la misma lengua mozárabe nos es poco conocida, casi siempre de forma indirecta[1 bis]. Para poder ofrecer al lector español un acercamiento a esta peculiar poesía, E. García Gómez verificó traducciones que se ciñen lo más que permite la lengua española a la árabe; más allá de un mero ajuste de sentido, García Gómez logra un subido acierto literario al recrear con rigor el sentido poético del original. Y esto lo hace tanto en lo que se refiere a la parte de la poesía que está escrita en lengua árabe como en la otra parte en que se manifiesta la presencia de la lengua mozárabe. He aquí un ejemplo en el que se aprecia la compleja constitución poética de tales composiciones. La jarcha, situada como es de rigor en la preceptiva del género al final, aparece en letras mayúsculas:

a') Muguasaja atribuida a Abul-Walid Yunus Ibn Isa Al-Jabbaz Mursi (¿siglo xii?)

Con objeto de que pueda percibirse en lengua española lo más cerca posible la compleja constitución de esta especie poética, figura a continuación una muguasaja, según la transcripción árabe y la versión en verso de Emilio García Gómez. Puestas las dos en paralelo, esta traducción que se ciñe lo más que permite la lengua española a la árabe es un acertado logro literario que nos permite aproximarnos al sentido poético del original. La jarcha, situada al final, es la salida de la poesía y aparece en letras mayúsculas:

[1 bis] Véanse las últimas informaciones de esta compleja cuestión en *Poesía estrófica. Actas del Primer Congreso Internacional sobre Poesía Estrófica Árabe y Hebrea y sus Paralelos Romances,* Madrid, Universidad Complutense-Instituto de Cooperación con el Mundo Árabe, 1991.

¿Man lī bi-ẓabyin rabībi,
yaṣīdu 'usda l-giyāḍi [1],
[wa-]lawà bi-dainī, lammā
ammaltu-bu bi·t-taqāḍī?

¿Quién me ayuda contra un ciervo
que a los leones combate,
y no me paga mi deuda
cuando espero que la pague?

1   1

Yaaltu ḥazziya min-hu
baina r-raŷà wa-t-tamannī.
Lam aẓhari l-ya'sa an-hu
lammā 'aṭāla t-taŷannī;
bal qultu: «¡Yā qalbī, ṣun-hu
ladai-ka an sū'i ẓannī,
wa-'anti, yā nafsī, ḍūbī,
wa-, yā muṭīl al-irāḍi,
naffid bi-mā ši'ta ḥukmā:
innī bi-ḥukmi-ka rāḍi! »

Siempre estoy, por obtenerla
entre esperanza y deseo,
y, por mucho que se enfade,
no por eso desespero.
Antes grito: «Alma, no tengas
sobre ella un mal pensamiento»,
y al pecho le digo: «Sufre»,
y a quien siempre cumple tarde:
«Haz lo que quieras, que nunca
airado estoy con lo que haces».

2   2

¡Yā man yunāfiru ẓulmā
man laisa 'an-hu bi-ṣābir!
Mā ḍarra 'in ḍubtu suqmā,
lau-lam takun liya hāŷir.
Ramaqun bī min-ka, lammā
wasnānun, sāŷī n-nawāẓir,
rāmin bi-sahmin muṣībi
mina ṣ-ṣiḥāḥi l- mirāḍi,
yarnū fa-yursilu sahmā
wa-l-qalbu fī l-i'tirāḍi.

Tú que desdeñas, injusta,
a quien aguante no acorre,
no importa que me consuma,
con tal que no me abandones.
Muerto estoy, cuando quien mira
con unos ojos gachones
y prepara agudos dardos
desde esos arcos fatales,
dispara contra mi pecho
saetas que son mortales.

3   3

¿Mā ḥālu qalbī ladai-ka,
lā tanqaḍī ḥasarātu-h?
Yaškū ŷawā-hu 'ilai-ka,
wa-laisa tuŷdī šukātu-h.
Rifqan, fa-fī rāḥatai-ka
ḥyātu-hu wa-mamātu-h.
¡Yā mumriḍī, yā ṭabībī!

Mi corazón ¿qué te ha hecho,
que sus penas no se acaban?
Te eleva quejas de amores
y no le sirven de nada.
¡Piedad! Mi vida y mi muerte
entre tus manos se hallan.
¡Tú que, al par, curas y enfermas!

Bi-fī-ka bur'u l-amrāḍi,
wa-fī-ka qad ḍubtu suqṃa,
fa-l-taqḍi mā 'anta qāḍi.

Puedes quitarme mis males.
Me derrito por quererte.
¡Haz de mí cuanto te agrade!

4

4

¿Man lī bi-tafūri ṭarfī-h,
wa-l-mautu fī laḥaẓāti-h?
In marra ṭāniya ʿiṭfi-h,
fa-l-ḥusnu fī-hi bi-ḍāti-h.
In rumtu 'idrāka waṣfi-h,
aʿyā-ni baʿḍu ṣifāti-h.
*Yaŷūlu laḥẓu l-kaʿibi
min jaddi-hi fī riyāḍi;
lākin ʿani l-qaṭfi yuḥmà
bi-murhifātin mirāḍi.*

¿Quién me ayuda, si en sus ojos
me está la muerte acechando?
Es la hermosura en esencia,
si se va contoneando.
Quisiera pintar sus prendas
pero no puedo lograrlo.
*Ver su mejilla es lo mismo
que en un jardín pasearse;
mas ¡guay de cortar sus frutos!
Lo impiden agudos sables.*

5

5

¡Li-llāhi ẓabyatu ḥiḍri,
qad ruwwiʿat bi-l-fīrāqi,
bintu ṭalātin wa-ʿašri,
tusīlu damʿa l-maʾāqi,
taqūlu fī ḥāli sukri
li-'ummi-hā bi-štiyāqi!:
YĀ MAMMÀ MW L-ḤABĪBI
BYŠ 'N MS TRNR'Ḍ
G'R K FRY YĀ MAMMÀ
NN BŶY'L L'ŠR'Ḍ.

La encerrada doncellica
a la que la ausencia aflige;
la que con sus trece años
llora, abandonada y triste,
embriagada de deseos,
qué bien que a su madre dice:
YĀ MAMMĀ, ME-W L-ḤABĪBE
BAIŠʿ E NO MÁS TORNARĀDE.
GĀR KÉ FARÉYO, YA MAMMĀ:
¿NO UN BEZ°YĚLLO LĚŠARĀDE?

Traducción de la jarcha final, propuesta por García Gómez:
«Madre, mi amigo / se va y no tornará más. / Dime qué haré,
madre: / ¿no me dejará [siquiera] un besito?» (pág. 195).

EDICIÓN: Según la lectura vocalizada de Emilio García Gómez,
Las jarchas romances de la serie árabe en su marco, Madrid, Sociedad
de Estudios y Publicaciones, 1965, págs. 190-195, núm. 21 a.

COMENTARIO: Paralelamente situados el texto árabe y la traducción en verso de Emilio García Gómez, puede observarse la constitución bilingüe de la muguasaja o poema completo. El autor propuesto
se denomina «el panadero de Murcia» y García Gómez lo aprecia
como «un artesano con talento poético» (pág. 403). Es una poesía

amorosa característica, con las quejas, sumisión, demanda de piedad, descripción de la hermosura del objeto amado; la estrofa final es muy ilustrativa para orientar la salida de la poesía, pues menciona la situación de una joven mozárabe que canta a su madre la jarcha en la que le dice que el amigo se fue y teme que no vuelva.

b')   JARCHA DE LAS MUGUASAJAS HEBREAS DE YEHUDA
       HALEVI Y TODROS BEN YEHUDA ABULAFIA

Base propuesta de lectura consonántica de la jarcha final de las muguasajas:

a)   by < y > š my(w) qwrʾswn dmyb   yʾ rb̆y šyš ṭwrnrʾd
     ṭʾn mʾl my dwlyr ʾlgryb   ʾynfrmw (yʾ)d qwʾn šnrʾd

b)   byš mw qrgwn dmyb   yʾ rb(b) šš mtwrnrd
     tn mʾl m(d)wlyd llḥbyb   ʾnfrmw yʾd kwnd šnrd

Lectura vocalizada:

a)   bay-še mio qoragon de mib   yā rab ši še me tornarad
     tan mal me doled li-al-ḥabīb   enfermo ŷed kuand šanarad

b)   bay-š mio qorason de mib   yā rabbī ši š ṭornarad
     ṭan mal mio doler al-garīb   enfermo ŷed quan šanarad

Traducción:

  a)   «Mi corazón se va de mí, / ¡Oh Dios (mío)! ¿acaso me volverá? / Tan mal me duele a causa del amigo, / (que) está enfermo, ¿cuándo volverá?»
  b)   «Mi corazón se va de mí; / ¡Oh Dios mío! ¿acaso volverá? / Tan mal (es) mi doler extraño / (que) enfermo está (mi corazón), ¿cuándo sanará?»

EDICIÓN: Según la versión de Sola-Solé, cit., pág. 249, núm. XXXVIII, a y b. *Criterio:* Lectura filológica y versión modernas, justificadas en págs. 245-250.

COMENTARIO: Las *muguasajas* son de procedencia hebrea: las dos son poemas panegíricos en forma de requiebro amoroso, cuyo texto

197

no imprimimos más que en la salida de la jarcha. La transición hacia la jarcha es explícita en el segundo: «Mi corazón enfermo vuela como una golondrina hacia él, mientras exclamo en la lengua de Edom (o de la Cristiandad).» La jarcha es una de las más conocidas y es una canción en la que la amada se duele del mal que le produce la ausencia y ansía la vuelta de *al-ḥabīb*. Estrofa en forma de cuarteta octosilábica con concordancia alterna plena.

b) LÍRICA TRADICIONAL CASTELLANA: FORMAS Y PERVIVENCIA

El conocimiento de la lírica tradicional castellana se vio favorecido por otra corriente de la moda literaria que introdujo esta poesía en los Cancioneros del siglo XV. Uno de los motivos sería el cansancio que se habría producido por causa del intenso cultivo de la lírica cortés durante la Edad Media; la casuística que presentaba esta poesía cortés era limitada y su expresión se había establecido en los límites de un reiterado formulismo que estaba perdiendo eficacia poética. Los orígenes de esta forma de recoger y glosar la lírica tradicional son difíciles de precisar en cuanto a esta moda. Sin embargo, los límites entre la lírica tradicional y la de autor, entre las composiciones populares y las procedentes de las cortes señoriales, nunca fueron claros en muchos casos. Acercamientos de esta clase se encuentran en abundancia en la lírica gallegoportuguesa y aparecen dentro de obras clericales como en Juan Ruiz. La corriente que hace más vivo este acercamiento en esta especie de poesía y, sobre todo, la orienta hacia los Cancioneros acaso proceda de la Corte de Alfonso V en Nápoles. El hecho es que en la Península Ibérica, en especial en el reino de Castilla, pronto se difundió y los poetas adaptaron de manera conveniente estas breves canciones de procedencia folklórica y las glosaron creando así unas formas peculiares y matizadas con las que contribuyeron a la renovación de la lírica escrita por los poetas de las cortes literarias. La base de esta lírica fue, como en el caso anterior de la poesía tradicional mozárabe, el «villancico básico» que así obtiene otra vía para manifestarse en la escritura. El núcleo poético que aparece en los testimonios escritos de estos poetas podía ser este «villancico básico» o bien su adaptación al nuevo fin poético que modificase el texto primitivo. Hay que contar con que, asegurado el éxito de esta poesía, un autor culto podía «imitar» estas poesías de la tradición y crear otras semejantes, tan legítimas como las primeras, siempre que interpretase fielmente la Poética de la lírica tradicional. En manifiesta relación con el villancico inicial, esta poesía ofrece siempre un desarrollo o extensión en forma de glosa, que procede de la adaptación del núcleo poético primario a una segunda intención literaria, más amplia y precisa. Es muy raro que el villancico inicial se dé solo, y estas glosas a veces también presentan un claro sello tradicional, y otras veces muestran ser obra de un autor que mantiene más o menos un cierto aire tradicional; y puede darse el caso de que abandone esta relación y siga por una vía culta en la glosa. Son, pues, numerosos los matices que ofrecen estas composiciones en cuanto a su aspecto poético, casi siempre en relación con determinada intención del poeta o con el contexto en que se encuentra situada la poesía. Por tanto, esta poesía, aparentemente simple, resulta, sin embargo, de una gran complejidad constitucional, que hemos de aceptar tal como se ofrece en los testimonios conservados y huir de falsos acercamientos a una forma folklórica sólo intuible, pero no alcanzable con un sentido de fidelidad poética.

Las vías más frecuentes por las que esta poesía de factura tradicional se introdujo en la literatura castellana fueron los pliegos sueltos de la imprenta del siglo XVI, y, sobre todo, la inclusión de algunas de estas canciones en los libros de música, así como el cultivo intencionado de esta lírica en alguna ocasión en los libros de pastores y de otra especie. Otra vía de acceso fue el teatro que, desde sus primeras manifestaciones, recogió este material poético, sobre todo en el caso de la comedia española a la manera de Lope. Cualquiera que fuese la vía, ocurrió lo mismo que con las jarchas, y es que la letra iba con la música en la forma de la canción; lo mismo que se dijo allí, la situación ambiental en la que aparece la canción se convierte en una incidencia del relato que incorpora esta lírica a la narración; o bien la trama escénica del teatro es la causa que motiva la interpretación de la canción en la escena. Dadas las condiciones de esta poesía, su testimonio ha de extenderse fuera de los límites de la Edad Media, en tanto exista la posibilidad del trasvase de la pieza tradicional a la obra literaria, pues la consideración científica del folklore como ciencia no ocurre hasta la segunda mitad del siglo XIX. Por eso para esta *Antología* tomamos las muestras de libros de comienzos del siglo XVI porque se entiende que los villancicos de base eran los mismos que en la Edad Media, dentro de la condición ligeramente fluctuante de la poesía tradicional.

a') CANCIÓN DE MAYO

Entra mayo y sale abril,
tan garridico le vi venir.

Entra mayo con sus flores,
sale abril con sus amores,
5 y los dulces amadores
comienzan a bien servir.

EDICIÓN: Según el *Cancionero musical de los siglos XV y XVI*, ed. F. Asensio Barbieri, Madrid, 1890; reproducido en *Lírica de tipo tradicional* de D. Alonso y J. M. Blecua, Madrid, Gredos, 1964², pág. 18, núm. 30.

COMENTARIO: La relación con el folklore en cuanto a que sea una canción de mayo puede establecerse a través de Covarrubias: «Maya y mayo es una manera de representación que hazen los muchachos y las donzellas poniendo en un tálamo un niño y una niña, que significan el matrimonio»[2]. El asunto procede de la persistencia del tema ancestral de la llegada de la primavera y de la fusión del amor con la naturaleza, y esto asegura su carácter tradicional, tal como aparece manifiesto en el sencillo estilo de la pieza; el movimiento de entrada y salida que ofrece el verso primero puede asociarse con una danza popular por sus movimientos de avance y de retroceso, que justificaría también la personificación de los meses; el término *garrido* es propio de este filón poético.

La condición de canto tradicional del villancico de cabeza es clara; lo recoge como tal Sánchez Romeralo[3] en la antología de su estudio en la parte popular. Existe la variante: «¡cuán garridico me le vi venir!» que prueba el índice de variabilidad del texto[4]. Gonzalo

---

[2] Sebastián de Covarrubias, *Tesoro de la lengua castellana o española* (1611), ed. M. de Riquer, Barcelona, S. A. Horta, 1943, pág. 780; véase Ángel González Palencia y Eugenio Mele, *La Maya* [...], Madrid, CSIC, 1944.

[3] A. Sánchez Romeralo, *El villancico (Estudios sobre la lírica popular en los siglos XV y XVI)*, Madrid, Gredos, 1969, pág. 397, núm. 26, y pág. 491, núm. 506.

[4] En el *Romancero espiritual,* de Josef de Valdivielso, según la misma *Antología de lírica de tipo tradicional,* núm. 457.

Correas recoge el villancico entre los refranes, y como tal obra popular también menciona las variantes: «Entra maio i sale abril, kuán floridito le vi venir!», o «Ké florido le vi venir!»[5].

La glosa, aunque breve, orienta la poesía hacia la lírica cortés: la sencillez del villancico de cabeza, con un movimiento de danza *(entra-sale)* que también se recoge, da entrada a la mención de unos *dulces amadores* que pretenden *bien servir*, términos que se orientan al servicio del amor cortés.

Los versos 1 y 2 forman un villancico básico, de 8-10 sílabas, con rima asonante: *xx*. El desarrollo (vv. 3-6) presenta el arte de estribote o zéjel en su forma más sencilla: *AA:Ax*.

b') CANCIÓN DE ALBA

Al alva venid, buen amigo,
al alva venid.

Amigo, el que yo más quería,
venid a la luz del día.

5   *Al alva venid, buen amigo,*
al alva venid.

Amigo, el que yo más amava,
venid a la luz del alva.

Al alva venid, buen amigo,
10   *al alva venid.*

Venid a la luz del día,
non trayáys compañía.

Al alva venid, buen amigo,
al alva venid.

---

[5] Gonzalo Correas, *Vocabulario de refranes y frases proverbiales* (1627), ed. L. Combet, citada, pág. 139; además, menciona un refrán sobre la misma base que dice: «entra maio y sale abril; si no canta el cucubil (cuclillo), por muerto le rezibid».

15   Venid a la luz del alva,
non traigáis gran compaña.

Al alva venid, buen amigo,
al alva venid.

EDICIÓN: Texto del *Cancionero Musical de Palacio* en la versión de Margit Frenk, *Corpus de la antigua lírica popular hispánica,* Madrid, Castalia, 1987, núm. 452, págs. 206-207.

COMENTARIO: La repetición de las palabras poéticas que son clave en la poesía es el procedimiento elemental de que se vale la composición y crea series paralelas y alternativas a partir de la cabeza. La mención del vocativo *buen amigo* indica que canta la mujer dirigiéndose al amigo ausente, y por eso toda la poesía está bajo el signo desiderativo; la reiteración es lenguaje de deseo, amoroso en este caso, aunque propiamente no se hable de amor. Hay, pues, un intenso y logrado tono de afectividad, expresado con insistencia, pero a la vez con discreción: se pide que el amigo venga solo.

El leve juego de la variación *alba-luz* se corresponde con el de *compaña-compaña* y con el de *quería-amaba,* formando así un curso reiterativo, pero diverso. El juego de rimas asonantes *í-a, á-a* ofrece otra variación de alternancias destinada a producir el encanto casi mágico, como el conjuro amoroso, que comporta la bella poesía.

Los versos 1-2, 5-6, 9-10, 13-14 y 17-18 (que, por nuestra cuenta, hemos impreso en cursiva) están organizados de la manera más elemental: la reiteración del enunciado simple del contenido *Al alba venid,* con el vocativo en el centro, formando dos líneas de verso, de [5 + 4] [9], o [6 + 4] si se cuenta con cesura intensa la primera parte del verso primero. No existe rima, salvo que se independice la reiteración *venid-venid.*

Las estrofas siguientes son pareados consonánticos oscilantes entre 7 y 9 sílabas.

Es una de las piezas más características de la canción paralelística, llamada *cosaute* en los Cancioneros. Recoge el sistema de la «canción de amigo» gallegoportuguesa, hasta el punto de que se ha pensado que fuese traducción de una de estas cantigas, pero el arraigo de los cantares paralelísticos en Castilla está asegurado. Los dos primeros versos pueden considerarse como el villancico básico, pero en este caso la compenetración de la cabeza con el desarrollo es de tal naturaleza, que ha de entenderse que toda la pieza es tradicional y popular, y que actúa poéticamente como un conjunto.

La repetición de la palabra *alba* clasifica esta poesía como una canción de alba, en la que la mujer espera al amigo para encontrarse con él cuando llegue la luz del alba. Esta especie poética es una de las más extendidas del folklore poético universal.

c') CANCIÓN DE AMOR A LA CASADA

Quiero dormir y no puedo,
qu'el amor me quita el sueño.

Manda pregonar el rey
por Granada y por Sevilla
5 que todo hombre namorado
que se case con su amiga.
Qu'el amor me quita el sueño.

Quiero dormir y no puedo,
que'l amor me quita el sueño.

10 Que tod'hombre namorado
que se case con su amiga:
¿qué haré, triste cuytado,
qu'es ya casada la mía?
Qu'el amor me quita'l sueño.

15 *Quiero dormir y no puedo,*
qu'el amor me quita el sueño.

EDICIÓN: Según la versión de M. Frenk en el *Corpus* citado en la poesía anterior, núm. 304C, pág. 141, procedente de los *Villancicos* de Juan Vásquez; obtuvo, como demuestra M. Frenk, una gran difusión y se encuentra en el actual folklore español y en el judeo-español.

COMENTARIO: Procede de una edición musical; esto aparece en la repetición de versos que dan a la pieza un tono reiterativo y melancólico. La glosa se desarrolla así, con esta organización reiterativa, sobre base octosilábica:

$$xx \parallel abcbx \mid xx \parallel cbcbx \mid xx$$

La forma irregular del esquema estrófico reiterativo procede de que se trata de una versión en la que la interpretación cantada impone un desarrollo a la letra acomodado a la melodía. El caso referido podía ser conocido por los oyentes, pues existe un romance en el que esta queja se encuentra dentro del relato de un caso atribuido a los amores de un moro que se queja de lo mismo. (¿Procede de ahí la referencia a Granada y Sevilla?) En este caso encontramos un villancico básico aplicable a muchos casos de amor y, por tanto, de fácil glosa con muy diversos motivos; en este caso la glosa inclina hacia un tono de dolida queja personal del amante que expone su caso como experiencia en esta canción, cuya música acentuaría el lirismo del tema del amor a la casada.

V

LÍRICA CANCIONERIL

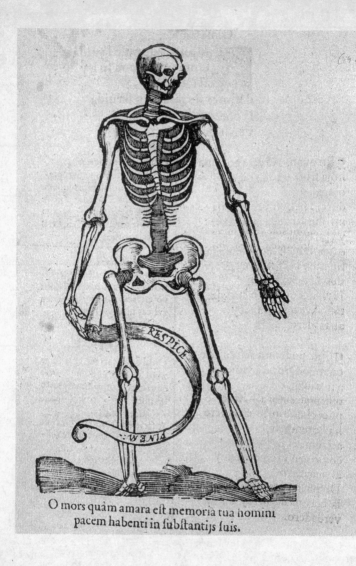

O mors quàm amara est memoria tua homini
pacem habenti in substantijs suis.

Ilustración de las *Coplas a la muerte de su padre* de Jorge
Manrique. Madrid, Biblioteca Nacional

CARACTERÍSTICAS GENERALES:
LA CORTESÍA LITERARIA

Si las manifestaciones de la lírica tradicional a través de la vía folklórica acompañaron siempre el proceso de la lengua vernácula, estas otras que reúno debajo del título de lírica cancioneril proceden de un origen preciso en tiempo y espacio. No entramos aquí en la gran discusión sobre el origen de las mismas porque la lírica cancioneril castellana recoge manifestaciones ya establecidas dentro de un sistema de contenido y formas asegurados. El propósito de lograr una lírica de condición «elevada» (palabra que preferimos a «culta») en el castellano se encuentra en relación con un conjunto relativamente homogéneo que tiene su origen en la poesía provenzal. La denominación de «elevada» se establece en oposición doble: por una parte, a la poesía de la tradición en sus manifestaciones folklóricas, y en ese caso hay que entender que la una es artística en relación con un arte explícito y que la otra lo es en relación con un arte implícito, de orden popular. La otra oposición se establece con la poesía escrita en el latín medieval (que puede llegar al antiguo); en este caso la oposición se establece entre la lengua latina y las vernáculas, en el sentido de que una lengua «nueva» crea el propósito de constituir una literatura noble. La elevación que se menciona es el esfuerzo por lograr y asegurar una poesía en una lengua moderna, y en esto se empeñan los *troubadours, trouvères* y trovadores catalanes, gallegos y castellanos. Esta elevación por la vía del arte acontece en el marco social de las cortes y dentro del ejercicio de la cortesía.

La cortesía llegó a convertirse en una disciplina espiritual que caracterizó la vida social de los caballeros de linaje, pues otorgaba con su ejercicio un signo de nobleza a su vida. Su significación es muy compleja [1]; la cortesía se consideraba, en la vida civil, la más elevada condición del alma, tanto desde el punto de vista moral como en lo que suponía como ciencia y conocimientos. En este sentido, la cortesía representaba un paralelo a la exigencia espiritual de la vida religiosa, sólo que establecida en el dominio profano de la vida civil de la corte. En los *Castigos* (o avisos) del Rey de Mentón, del libro de caballerías titulado *El Caballero Cifar,* se dice primero: «... con el saber puede hombre ser cortés en sus dichos y en sus hechos». Pero esto no pareció bastante y se añadió: «... cortesía es suma de (y otro manuscrito trae: todas) las bondades...» [2]. Se entendía como el ejercicio de la conducta en la que rige el temor de Dios, la vida sin secretos, el saber dominarse, practicar el bien con todos, contentarse con lo que se tuviere, usando de buena manera de las riquezas, sin dejarse llevar del despecho: otra de sus demostraciones era también saber comportarse con las damas, hablarles con buenas palabras.

La cortesía obtenía un gran número de manifestaciones, y aquí nos importan las que afectaron a la lengua y a su proyección artística en la literatura «cortés», de orden lírico en nuestro caso. La gente de la corte, nobles caballeros y sus damas, y los que los servían, por ser esta poesía uno más de los signos aparentes de su vida social, conocían los recursos del arte propio de esta clase de composiciones, extremadamente sutil, y representan el público adecuado para apreciarla en lo que eran sus méritos literarios. Y en las cortes se hallaba el ambiente propicio para que se diesen las situaciones que requería el juego de amor, que era el soporte argumental de esta poesía, o el comentario del moralista sobre los vicios de los estados sociales y del gobierno, o la anécdota desvergonzada, que constituían los aspectos más generales del contenido de la misma. En estas cortes de reyes o grandes señores se tuvo en gran estima el saber apreciar la poesía, y se le reconocía una función en la vida social que todos aceptaban como señal de nobleza, tanto para el que la escribía como para los oyentes. A veces se unía el señorío de linaje con la gracia de la

---

[1] José Antonio Maravall, «La cortesía como saber en la Edad Media» (1965), en *Estudios de historia del pensamiento español,* Madrid, Cultura Hispánica, 1967, págs. 261-274.
[2] *El libro del Cauallero Zifar,* ed. Ch. Ph. Wagner, Ann Arbor, University of Michigan, 1929, pág. 294.

poesía, pero si no iban juntos, entonces el noble se valía del arte de un poeta a su servicio, encargándole una poesía adecuada para su situación amorosa personal; y el poeta ejercía la maestría que le era propia realizando una obra en nombre del señor y siendo un intérprete poético. En esta composición, hecha «de encargo», el aprecio se medía por la cuantía del galardón recibido, sin que esto supusiera degradación en el poeta que así realizaba un servicio a un tiempo personal y social.

Una poesía de esta naturaleza tardó en componerse en lengua castellana. Hubo primero un conocimiento de la poesía provenzal y después su adopción en Portugal y Castilla. Los intérpretes de la poesía provenzal extendieron su conocimiento por las cortes de los reinos españoles y fue una moda que arraigó profundamente hasta el punto de que sirvió para orientar una creación paralela en ellos, adoptándose en mayor o menor medida a las circunstancias literarias de cada uno. En lo que se refiere a Castilla, Menéndez Pidal [3] distingue dos períodos: el de la interpretación juglaresca occitánica (1135-1230) y el de la gallega (1230-1330). La culminación de este influjo se verificó en la corte de Alfonso X el Sabio, donde se reunieron las diversas modalidades y se aseguró el gran desarrollo posterior.

Esta poesía se escribió en provenzal o en gallego-portugués, que fueron las lenguas iniciales de este grupo genérico. El castellano acabará por recoger el legado, con el sistema poético correspondiente, a través de un período de transición en el que la lengua poética fue un híbrido gallego-castellano, de características fluyentes en la geografía y en el tiempo. Rafael Lapesa ha clasificado esta situación en los siguientes grupos que ofrecen unas líneas generales:

«A) Poesías gallegas de autor gallego. En ellas debe desecharse como yerro de copia todo castellanismo que no estuviera ya introducido en el gallego común. [...]

»B) Poesías compuestas por trovadores de lengua castellana con intención de usar el gallego, pero en las cuales hay castellanismos atribuibles al autor por exigirlos el metro o las rimas en alguna de sus composiciones. [...] Como es imposible averiguar la maestría y cuidado efectivos de cada poeta al valerse del gallego, será arbitrario todo intento de restaurar los textos originales. [...]

---

[3] Ramón Menéndez Pidal, *Poesía juglaresca y orígenes de las literaturas románicas, ob, cit.,* caps. V y VI, págs. 101-198.

»C) Poesías castellanas de autores gallegos, donde el castellano es lo general, pero con mayor o menor número de galleguismos. [...] En ellas habrá que dar por buenos los textos de los cancioneros, prefiriendo las variantes gallegas aceptables, [...]

»D) Poesías castellanas de autores castellanos, con huellas lingüísticas del largo empleo que tuvo el gallego como lengua de la lírica. Puede aconsejarse igual criterio textual que el recomendado para el grupo anterior»[4].

Esta poesía en Castilla apareció como una manifestación conjunta de un código poético aceptado de una manera general por los autores y el público de las cortes. Por otra parte, las corrientes renovadoras procedentes de Italia enriquecieron esta uniformidad y crearon cauces paralelos que ascendían al común origen provenzal, diversificado por un cultivo de muchos años en circunstancias diferentes. De ahí que, como consecuencia de esta situación, la poesía lírica cortés escrita en lengua castellana se conserve generalmente en «cancioneros»[5] o códices que, por lo común se hallan escritos con buena letra y bellamente caligrafiados, como es propio de una obra que pertenece a un ambiente cortés. La poesía conservada en estos cancioneros es de muy diversa procedencia, y casi siempre son varios los autores que se reúnen en cada uno, aunque también puede ser de un solo poeta. El que esta poesía se haya conservado en estos códices ha servido para que se llame cancioneril a la obra en conjunto y al estilo que puede describirse en su consideración.

La poesía cancioneril ofrece diversos cauces de realización en los que se condicionan contenidos y forma. Su establecimiento recoge la de la experiencia provenzal y su descendencia gallego-portuguesa y el hibridismo gallego-castellano: el castellano asegura esta tradición y la amplía con la nueva experiencia italiana. El resultado fue en extremo afortunado pues perdura en los si-

---

[4] Rafael Lapesa, «La lengua de la poesía lírica desde Macías hasta Villasandino», *Romance Philology*, VII (1953), pág. 58.

[5] El conjunto de los Cancioneros que conservan esta poesía se encuentra reseñado, con noticia de sus contenidos, en Brian Dutton, *Catálogo-Índice de la Poesía Cancioneril del siglo XV,* Madison, Hispanic Seminary of Medieval Studies, 1982; los textos están en curso de publicación en la obra monumental del mismo B. Dutton, *El Cancionero del siglo XV, c. 1360-1520,* Salamanca, Universidad, 1990, I (Manuscritos del Ateneo de Barcelona y Biblioteca March); II (Biblioteca Nacional de Madrid) y los que seguirán.

glos XIV y XV, y aún penetra en los siguientes estableciendo una continuidad compatible con las nuevas corrientes poéticas. El término inicial que recoge el sentido de esta poesía es copla (< *copŭlam*); los versos de ella han de hallarse copulados, en una unión de consonantes perfecta y armónica. La música representa el curso melódico dentro del cual la palabra adopta un ritmo de canción; la mención de *cantiga* es frecuente, aplicada en términos generales al conjunto de melodía y palabra poética, sobre todo en el caso de la canción de amor. Como ejemplos de la canción de amor, hemos escogido dos de estas piezas.

Otra manifestación muy generalizada de la poesía cancioneril es el *decir;* esta denominación se opone en primer lugar a la canción, de la que se diferenciaría por la ausencia de melodía, y, en consecuencia, porque la función rítmica del conjunto se establece sólo sobre los recursos de la palabra. Baena [6], en su dedicatoria inicial a Juan II, se refiere a las cantigas (identificables de cerca, como he dicho, con la canción de amor) diciendo que son «muy dulçes y graçiosamente assonadas de muchas e diversas artes»; de los decires señala que son «muy lymados e bien escandidos». La oposición *asonado/escandido* = 'música'/'medida de versos' aparece en principio para designar esta condición literaria, dejando aparte que también en alguna ocasión se cantasen.

Por otro lado, el decir se abre a una gran variedad de asuntos: recoge el tema del amor cortés y lo amplía con diversas variaciones, a veces hacia formas descriptivas; recibe el contenido de otros grupos genéricos ya establecidos en castellano, como los del mester de clerecía y los dictados didácticos, políticos y cortesanos.

El decir usó diversas estrofas de arte menor y mayor, y en este

---

[6] Cancionero de Juan Alfonso de Baena, ed. cit., pág. 3, dedicatoria inicial; el texto completo, comentado, en *Las poéticas castellanas de la Edad Media,* ed. Francisco López Estrada, Madrid, Taurus, 1984, págs. 29-38; puede completarse para la terminología con una *Ars Praedicandi,* una de cuyas partes se refiere a «De Rithimorum Formacione», que es un breve tratado de versificación, escrito en latín y aplicable a la poética medieval hispana (véase Charles B. Faulhaber, «Medieval Spanish Metrical Terminology and Ms. (589 of the Biblioteca Nacional, Madrid», *Romance Philology,* XXXIII (1979), págs. 43-61. La pieza fundamental para el establecimiento de la poética cancioneril es el *Prohemio* del Marqués de Santillana, publicado por Ángel Gómez Moreno, con amplios comentarios en *El «Prohemio e carta» del Marqués de Santillana y la teoría literaria del siglo XV,* Barcelona, PPU, 1990.

caso he elegido como ejemplo el caso de un decir que adopta el nuevo verso de arte mayor.

a) CANCIÓN TROVADORESCA O CANTIGA DE AMOR

ESTA CANTIGA FIZO EL DICHO ALFONSO ALUAREZ POR AMOR E LOORES DE DOÑA JUANA DE SOSSA, MANÇEBA DEL RREY DON ENRRYQUE

Amoroso rryso angelical,
soy presso en vestro poder.
Quered vos merçed aver
de miña[7] cuyta[8] desygual.

5   Desque vos vy, noble señor,
nunca fyz synon penssar
en vos seruir, e syn dubdar
jamas en quanto vivo for.
Sy vosa merçet non me val,
10 eu morre ssyn fallesçer.
Por en vos plega de querer
que eu non passe tanto mal.

Vos me pusistes en prision
do eu non poss salyr;

1 *rryso:* sonrisa	10 *ssyn fallesçer:* sin duda
8 *for:* fuere	11 *en:* ello
9 *vosa:* vuestra	11 *plega:* pide
10 *eu morre:* yo moriré	14 *poss:* puedo

---

[7] La cercanía idiomática entre el gallego y el castellano y la condición convencional del léxico utilizado en esta poesía harían fácil la comprensión lingüística del texto: *miña* por *mía, eu* por *yo, vosso* por *vuestro* no serían probablemente difíciles de entender para un oyente o lector de la pieza.

[8] *Cuita* es una palabra de la lírica provenzal, adoptada por el léxico gallego y castellano, para designar la mortificación del amor expectante, no correspondido, el dolor que produce el amor como enfermedad espiritual según la medicina de la época.

15 señora, ssy[n] vos ffallyr
vosso serey e de otra non.
Vossa nobleza seia tal
en me querer ben rresponder,
que meu cor possa perder
20 dolor e grant cuyta mortal.

EDICIÓN: Según la versión establecida por J. M. Azáceta, *Cancionero de Juan Alfonso de Baena*, Madrid, CSIC, 1966, vol. I, p. 104, que recoge la poesía del fol. 19 del códice, transcrito con fidelidad gráfica, salvo la *j* en contacto con *m, n, u* que se imprime *i;* puntuación moderna. Ligeras rectificaciones nuestras.

COMENTARIO: Desde el punto de vista métrico, esta cantiga ofrece la forma más común de esta poesía, la canción de amor, compuesta sobre un verso que quiere ser octosílabo y cuyas rimas se caracterizan por esta combinación, en relación con el desarrollo del contenido.

CONTENIDO

RIMAS

A ⎫
  ⎪ *Estrofa inicial:* Sirve para plantear el asunto, casi siempre amoroso. El poeta se dirige a la mujer amada como
B ⎪ si estuviera presente y le pide que se compadezca de su
  ⎬ cuita: la sonrisa de ella, propia de los ángeles, le hizo
B ⎪ sentirse preso de su poder.
  ⎪
A ⎭

C ⎫
  ⎪ *Primera estrofa,* en su parte primera, rimas independientes: El poeta declara su voluntad de servir a la señora
D ⎬ durante toda la vida.
  ⎪
D ⎪
  ⎪
C ⎭

15 *ffallyr:* faltar

A
B   *Primera estrofa,* en su parte segunda, rimas como la
B   estrofa inicial: El poeta dice que morirá sin falta si ella
A   no lo atiende. Por eso le pide que no ocurra un mal tan
     grande como es la muerte.

E
F   *Segunda estrofa,* en su parte primera, rimas indepen-
F   dientes: El poeta se declara preso en un lugar del que no
E   puede salir. Siempre será de ella, y no de otra alguna
     mujer.

A
A   *Segunda estrofa,* en su parte segunda, rimas como la
B   estrofa inicial: Le pide que, por razón de la nobleza de
B   ella, le responda, para que así su corazón pierda la cuita
     de muerte en que se halla.

Obra de Alfonso Álvarez de Villasandino (1424?); la canción
está escrita por amor y loor de una manceba de Enrique II (reinó
de 1369 a 1379). J. Ventura [9] estima que ya en 1374, y aun antes,
hacía versos laudatorios a las mancebas de Enrique II. La desig-
nación de *manceba* denota la condición de dama preferida del rey,
su amante, pues la esposa era doña Juana Manuel, hija del
escritor del mismo nombre, y de doña Blanca de la Cerda y Lara.
Este matrimonio había sido concentrado por conveniencias políticas, pues estaba preparado desde 1350, en que la novia tenía
once años, y se había realizado en 1357; la manceba era, pues, la
señora elegida libremente por amor. El poeta actúa como trovador y maestro en el arte de la poesía, y realiza la obra por encargo
del Rey con la perfección formal propia del arte. Aunque es una
canción de amor, no existe una situación sentimental subjetiva,
pues todos sabían que el trovador canta amores ajenos, de su
señor, el rey en este caso. Se admite por principio la situación

---

[9] José Ventura Traveset, *Villasandino y su labor poética según el
Cancionero de Baena,* Valencia, Doménech, 1906, pág. 25.

convencional porque entra en el juego de las formas de vida de la sociedad: la bondad de la poesía no depende de su autenticidad sentimental, sino del arte con que se elabore, de su maestría técnica.

La poesía está escrita en la lengua del grupo genérico de la lírica cancioneril en la modalidad de la canción de amor; esta lengua literaria en este caso es un híbrido gallego-castellano (propia del grupo B en la clasificación de R. Lapesa, antes citada), tal como corresponde a los poetas que trovaron entre 1360 y 1425. El texto del *Cancionero* es inseguro, pues hay que contar con la vacilación del hibridismo y, además, con las variantes de las copias que han precedido al texto examinado, probablemente orientadas, en su sucesión, hacia un mayor dominio del castellano.

El poeta (trovador que elabora la poesía para el Rey) se sitúa ante la señora en actitud de ruego: ella es la *noble señor* (v. 5) (masculino, como corresponde al léxico del género) o *señora* (v. 15). Únicamente pide la respuesta (v. 18), aun siendo como él es el Rey en la realidad social; el poeta manifiesta su *cuita* (vv. 4 y 20). Como puede notarse, esta poesía reúne los términos más característicos de la lírica cortés:

El Rey, mediante la palabra del poeta, se siente en prisión; la expresión —evidentemente paradójica pues él es el señor de todos— sólo tiene una validez poética, lo mismo que *servir* (v. 7), otro término propio de la base del sistema establecido. El *rysso* (v. 1) de ella aparece adjetivado como *amoroso* y *angelical,* término este del lenguaje religioso, usado por la poesía en sentido profano en correspondencia con la *nobleza* (vv. 5 y 17) de la dama, cualidad social con resonancia espiritual y en el linaje. No importa, sin embargo, la condición del caso de amor, anómala desde el punto de vista moral: el Rey, el personaje enamorado y suplicante en la poesía, está casado, y doña Juana de Sosa es su amante, de la que es de suponer que podría obtener los favores que quisiese. El poeta, intérprete de la situación y que presta su arte al Rey, se sitúa dentro del sistema poético establecido; y a la validez del sistema se supedita hasta el mismo Rey, y a ella se condiciona la anómala situación moral del caso, sobre la que los moralistas clamaban en sus sermones y escritos sobre la pecadora vida de la Corte.

b) LAS «*COPLAS*» DE JORGE MANRIQUE POR LA MUERTE DE SU PADRE

Estas *Coplas* constituyen el poema medieval que mayor difusión ha obtenido, bien sea dentro del conjunto de las obras de su autor o en su entidad poemática, publicadas solas o con glosas, y traducidas al alemán, francés, holandés, inglés, italiano, latín y noruego. Además, como escribe M. Carrión [1], se hallan presentes en casi todas las antologías de nuestro siglo, tanto escolares como eruditas.

Fueron pocos los escritores de la Edad Media que obtuvieron una firme repercusión en los Siglos de Oro; Jorge Manrique (h. 1440-1479) penetra a través del Renacimiento con vigor por esta sola composición, porque las demás que escribió quedaron entre el gran río de la poesía cancioneril del siglo XV, y son semejantes a las de otros muchos poetas de la época. En esta penetración en una nueva época, las *Coplas* se encuentran entre las primeras poesías que aparecieron en pliegos sueltos (su extensión era propicia para esta vía editorial), junto a los romances y canciones. También fueron objeto de abundantes glosas; y uno de sus glosadores, el protonotario Luis Pérez, clérigo, autor de poesías y aficionado a tratar de los animales, escribió en el prólogo de la suya que Jorge Manrique «aquí nos toca del mundo, del tiempo, amor, fortuna y fama, y lo último de la muerte; aquí toca en breve todo aquello que el famoso micer Petrarcha tan extensamente en sus *Triumphos* habló; aunque la obra sea breve en sus palabras, es copiosa en sus sentencias; y porque ansí el texto como la glosa va sacado del texto de la Sagrada Escriptura y de los sanctos doctores que la Yglesia appruebe, y de otros sabios, aunque gentiles...» [2]. Esta indicación vale para orientar la identificación de los motivos de esta amplia difusión de las *Coplas:* el poema es una cifra (obsérvese la mención general a la brevedad)

---

[1] Manuel Carrión Gútiez, *Bibliografía de Jorge Manrique (1479-1979)*, Palencia, Diputación Provincial, 1979, pág. 40; también Vicente Beltrán, «La transmisión textual de las *Coplas* manriqueñas (1480-1540)», *Incipit*, VII (1987) págs. 95-117.

[2] *Glosa famosa sobre las coplas de don Jorge Manrique*. Compuesta por el protonotario Luys Pérez [Valladolid, 1561], fols. 7v.-8, en la edición de Antonio Pérez Gómez, *Glosas a las Coplas de Jorge Manrique*, III, facsímil, Cieza, «...la fonte que mana y corre...», 1962.

de los motivos comunes de la poesía medieval en relación con la vida y el tránsito del hombre que se siente cristiano y que, al mismo tiempo, asegura el orgullo de su condición social de noble caballero; amor y fama, fortuna y muerte, tiempo y eternidad van dejando sus notas conflictivas en el ajustado cuerpo expresivo de las estrofas manriqueñas.

El contenido es común con otras piezas paralelas: Manrique se vale, como notó Luis Pérez, del fondo de las Escrituras y de los autores religiosos y profanos que dijeron algo sobre los varios asuntos de las *Coplas;* antigüedad gentil y modernidad cristiana, previamente jerarquizadas, se armonizan en versos que muchos aprendieron de memoria, y que llegan a ser fórmulas ajustadas de la expresión de ideas y sentimientos que así se hicieron patrimonio de generaciones de la hidalguía española. El acierto de la expresión poética de estas tensiones (expresadas sobre todo en antítesis) es sumo; Pedro Salinas, un gran poeta de nuestro siglo, tituló su estudio sobre Manrique precisamente «tradición y originalidad» [3].

EDICIÓN: Nos valemos de la edición que Giovanni Caravaggi preparó para la colección «Temas de Hoy» (Madrid, Taurus, 1984); es una edición escolar hecha con el siguiente criterio: «Sin la pretensión de ofrecer ahora una nueva edición crítica, se intenta corregir las faltas más evidentes de la edición *vulgata* con el subsidio de los manuscritos y antiguas impresiones...»; «Se ha conservado la grafía arcaica, con escasas modernizaciones...» (págs. 36 y 37). Acentuada y puntuada a la moderna. Todo lo que figura entre corchetes ha sido añadido por los editores de la Antología.

---

[3] Pedro Salinas, *Jorge Manrique o tradición y originalidad,* Buenos Aires, Editorial Sudamericana, 1947.

[COPLAS] DE DON JORGE MANRRIQUE
POR LA MUERTE DE SU PADRE

[Exhortación sentenciosa del poeta]

[I]

Recuerde el alma dormida,
abive el seso e despierte [4]
contemplando [5]
cómo se passa la vida,
5 cómo se viene la muerte
tan callando [6],
     quán presto se va el plazer,
cómo, después de acordado,
da dolor;
10 cómo, a nuestro parescer,
qualquiere tiempo passado
fue mejor [7].

---

1 *recuerde:* rememore

---

[4] El poeta inicia la composición desde la exposición sentenciosa en la que resuena una epístola paulina: el cristiano es hijo de la luz, y esta lo descubre y por eso se dice en las Escrituras: «Despierta, tú que duermes, y levántate entre los muertos y te iluminará Cristo» (Ep. a los Efesios, 5, 14). Hay otros textos aducibles, y esto responde a lo que expresó Luis Pérez en cuanto a la cercanía de las Sagradas Escrituras, como se hará patente en otras notas.

[5] *Contemplando: contemplar* en el sentido de visión comprometida del alma. *Contemplar* fue primero palabra de léxico religioso, usada entre otros por Berceo. En el *Cancionero de Baena* hay un uso: *contemplar con los ojos del alma* (Decir de Fray Diego de Valencia, comps. 516) aplicable aquí. Manrique invita a *contemplar* lo que enseguida extiende a través de los *cómos* anafóricos y el *cuán.* La contemplación misma implica la reflexión y el compromiso de tener para sí la enseñanza consecuente; véase la misma palabra en el comentario del soneto 36 del Marqués de Santillana.

[6] G. Caravaggi (ed. cit., pág. 156) encuentra aquí la reminiscencia de uno de los versos más conocidos de Dante: «Nessun maggior dolore | che ricordarsi del tempo felice nella miseria...» (inf. V, vv. 121-123), acaso a través de una versión de Santillana.

[7] «Nunca digas: ¿Por qué es que los tiempos pasados fueron mejores?,

218

Pues si vemos lo presente
cómo en un punto s'es ido
15 e acabado,
si juzgamos sabiamente,
daremos lo non venido
por passado.

Non se engañe nadi, no,
20 pensando que ha de durar
lo que espera
más que duró lo que vio,
pues que todo ha de passar
por tal manera [8].

[III]

25 Nuestra vidas son los ríos
que van a dar en la mar [9],
qu'es el morir;
allí van los señoríos [10]
derechos a se acabar

14 *punto:* momento   19 *nadi:* nadie

porque nunca preguntarás esto sabiamente» (*Eclesiastés,* 7, 10). El comentarista dice que este pregunta se formula sólo ante la consideración del bien pasado y el mal presente, y no tiene en cuenta la contraria.

[8] Este pie quebrado, si bien cuenta con cinco sílabas, la primera de ellas se ha de incorporar al octosílabo anterior que, como es agudo, absorbe esta sílaba; es la llamada compensación. Téngase esto en cuenta en otros casos en que se presente.

[9] Esta comparación es también de procedencia bíblica; aprovecha uno de los más conocidos versículos del comienzo del *Eclesiastés,* cuando se refiere a que no hay nada nuevo: «Pasa una generación y viene otra, pero la tierra es siempre la misma» (1, 7); y porque: «Los ríos van todos a la mar y la mar no se llena; allá de donde vinieron tornan de nuevo, para volver a correr» (1, 7). Manrique no aprovecha la evocación del ciclo completo, sino una parte, e identifica el mar con la muerte como igualadora de la humanidad.

[10] *señoríos:* en el sentido jurídico *señorío* «es poder que home ha en su casa de facer della et en ella lo que quisiere segunt Dios et segunt fuero»

30 e consumir; *flowing*
    allí los ríos caudales,
    allí los otros medianos
    e más chicos,
    allegados son yguales
35 los que viuen por sus manos
    e los ricos.

no importa
quien eres cuando
venga la muerte —
es igual para todo

[Reflexión sobre la mayor autoridad]

INUOCACIÓN

[IV]

    Dexo [11] las inuocaciones *invocations*
de los famosos poetas
y oradores;

> *to not be frivolous*

40 non curo de sus fictiones;[12],
    que trahen yervas secretas [13]
    sus sabores;
        Aquel sólo m'encomiendo,
        Aquel sólo invoco yo

---

31 *caudales:* los más caudalosos   40 *curo:* me preocupa

(Alfonso X, *Partidas,* III, 28, 1, ed. R. Academia de la Historia, tomo II, pág. 710); y hay señorío de Emperadores y Reyes, y señorío de cada uno sobre sus bienes propios o recibidos en frutos, rentas y feudos.

[11] Manrique usa el tópico de dejar de lado lo que pudiera poner un aire de frivolidad o pedantería a su propósito; es un recurso propio de los poetas que conocen bien el procedimiento de valerse de los adornos de las citas de los antiguos, como luego repite en la est. 15. Santillana hizo lo mismo en otras ocasiones.

[12] En esta estrofa se plantea el rechazo de la *ficción,* bloque en el que encierra la literatura de *poetas* y *oradores* de cualquier suerte que sean; frente a este rechazo, sólo la dedicación a Cristo es válida. Es un lugar común de la literatura de la época, que el propio Manrique contradice porque después, en las estrofas 27 y 28, ha de comparar a su padre con los grandes emperadores antiguos.

[13] *yervas secretas;* referencias a que la ficción, aparentemente dulce como algunas hierbas que curan enfermedades, puede ocultar un tósigo y matar.

45 de verdad,
    que en este mundo viviendo,
    el mundo non conoció
    su deydad.

        [El mundo]

              [V]

    Este mundo es el camino
50 para el otro, qu'es morada
    sin pesar;
    mas cumple tener buen tino
    para andar esta jornada
    sin errar;
55   partimos [14] quando nascemos,
    andamos mientras vivimos,
    y llegamos
    al tiempo que feneçemos;
    assí que quando morimos
60 descansamos.

              [VI]

    Este mundo bueno fue
    si bien usásemos dél
    como devemos,
    porque, segund nuestra fe,
65 es para ganar aquel
    que atendemos.

the Christiandad opposite of avenam.

48 *deydad:* condición divina

53 *jornada:* camino de un día
66 *atendemos:* esperamos

---

[14] A partir de aquí, implica en la reflexión a los lectores y oyentes (uso de la primera persona de plural) e implícitamente a todo el mundo, haciendo que lo que dice sea doctrina válida universalmente a través de la experiencia. En el comentario nos referimos a esta estrofa que sigue la vida en un curso.

221

Haun aquel fijo de Dios
para sobirnos al cielo
descendió
70 a nascer acá entre nos,
y a vivir en este suelo
do murió.

[VII] [15]

Si fuesse en nuestro poder
tornar la cara hermosa
75 corporal,
como podemos hazer
el alma tan gloriosa,
angelical,
¡qué diligencia tan viva
80 toviéramos toda hora,
e tan presta,
en componer la cativa,
dexándonos la señora
descompuesta!

[VIII]

85 Ved [16] de quánd poco valor
son las cosas tras que andamos
y corremos,
qué, en este mundo traydor,
haun primero que muramos

74 *tornar:* volver   82 *cativa:* esclava, el alma
80 *toda hora:* siempre   83 *señora:* el cuerpo

---

[15] El orden de las coplas no es el mismo en todos los textos; esta
estrofa aparece en algunos de ellos como la número 13; la cuestión del
orden es muy compleja, y aquí nos atenemos al texto elegido.
[16] *Ved* en cabeza de esta estrofa y *dezidme* en cabeza de la siguiente
son imprecaciones imperativas que dirigen la atención del oyente o lector
presentes.

222

90 las perdemos.
        Dellas [17] deshaze la edad.
    dellas casos desastrados
    que acaheçen,
    dellas, por su calidad,
95 en los más altos estados
    desfallescen.

        fall, weaken

                    [IX]

        Dezidme: La hermosura,
    la gentil frescura y tez
    de la cara,
100 la color e la blancura,
    quando viene la vejez,
    ¿cuál se pára?
        Las mañas e ligereza
    e la fuerça corporal
105 de juventud,
    todo se torna graveza
    cuando llega el arraval
    de senectud.

            old age

                    [X]

        Pues la sangre de los godos [18], *(goths)*
110 y el linaje e la nobleza

102 *para:* queda   117 *arraval:* afueras de la ciudad
106 *graveza:* pesadez

---

[17] *Dellas* se repite en situación anafórica, y son la especificación de las *cosas* nombradas en el verso b, y a su vez anuncian el contenido de las estrofas IX (edad), X *(casos desastrados,* en el sentido latinizante: *casos* 'caída', acaso recordando el conocido *De casibus virorum illustrium,* de Boccaccio, y *des-astrado* 'mala conjunción de astros'); y XI (Fortuna).

[18] El origen de la nobleza se sitúa en los godos, como es común en la época, y a través del linaje se conserva y debe crecer; se pierde por el *menos valer,* figura jurídica recogida en las *Partidas:* «Usan los homes a

tan cresçida,
¡por quántas vías e modos
se sume su grand alteza
en esta vida!

115   Unos, por poco valer,
por quán baxos e abatidos
que los tienen;
otros que, por non tener,
con officios non devidos
120 se mantienen.

[XI]

Los estados e riqueza,
que nos dexen a deshora
¿quién lo duda?,
non les pidamos firmeza
125 pues que son d'una señora
que se muda:
que bienes son de Fortuna [19]
que rebuelve con su rueda
presurosa,
130 la qual non puede ser una
ni estar estable ni queda
en una cosa.

---

113 *sume:* hunde   131 *queda:* quieta

---

deçir en España una palabra que es *valer menos;* et menos valer es cosa
que el home que cae en ella non es par de otro en corte de señor nin en
juicio» (VII, 5, 1, *ed. cit.,* tomo III, pág. 553). Las mismas *Partidas*
indican luego: «Eso mismo serie [enfamado] quando el caballero que se
debe trabajar en fecho de armas, arrendase heredades ajenas en manera de
merca» (*Id.,* VII, 5, 4, tomo III, pág. 557); y antes, las *Partidas* indican
que se puede perder la caballería: «si usase públicamente él mismo de
mercadoría, o obrase de algunt vil mester de manos por ganar dineros»
(*Id.,* II, 22, 25, tomo II, pág. 219).

[19] *Fortuna:* es la tan sabida alegoría de la *rueda de la Fortuna,* que
levanta o abate sucesivamente la vida de los mortales; recuérdese la otra
gran obra de la épica, el *Laberinto de Fortuna,* de Juan de Mena, y véase el
texto y comentario de las estrofas 56-59 de esta obra.

224

[XII]

Pero digo c'acompañen
e lleguen fasta la fuessa
135 con su dueño:
por esso non nos engañen,
pues se va la vida apriessa
como sueño;
    e los deleites d'acá
140 son, en que nos deleytamos,
temporales,
e los tormentos d'allá,
que por ellos esperamos,
eternales.

[XIII]

145   Los plazeres e dulçores
desta vida trabajada
que tenemos,
non son sino corredores [20],
e la muerte, (la çelada)
150 en que caemos.
    Non mirando a nuestro daño,
corremos a rienda suelta
syn parar;
desque vemos el engaño
155 e queremos dar la buelta,
no(n) ay lugar.

Like La Celestina
except " "
emphasizes the
suffering "celada",
whereas here it
is only death

---

134 *fuessa:* sepultura   149 *çelada:* engaño de guerra

[20] *corredores:* son los que van en las correrías, que se describen así en las *Partidas:* «la corredura es quando algunos homes salen de algunt lugar, et toman talegas para correr la tierra de los enemigos et tórnanse a alvergar al logar onde salieron» (II, 23, 29); y la ley siguiente se refiere a la técnica de las celadas, que en este uso poético representan a la muerte. Obsérvese el empleo de términos bélicos, propio de un caballero guerreador como era Manrique.

[XIV]

Esos reyes poderosos [21]
que vemos por escripturas
ya pasadas,
160 con casos tristes, llorosos,
fueron sus buenas venturas
trastornadas;
assí que non ay cosa fuerte,
que a papas y emperadores
165 e perlados,
assí los trata la Muerte
como a los pobres pastores
de ganados.

[Repaso de los que vivieron]

[XV]

Dexemos [22] a los troyanos,
170 que sus males non los vimos,
ni sus glorias,
dexemos a los romanos,

165 *perlados:* prelados

[21] A partir de aquí, las *Coplas* adoptan el ritmo expositivo de la
Danza de la Muerte. Véase en el comentario de la *Danza General de la
muerte* la llamada de la muerte al papa, el emperador y el labrador (ests.
14 y 50), que es el desarrollo de lo que aquí insinúa Manrique en sus
Coplas.

[22] *Dexemos:* el poeta, a través de esta exhortación anafórica (versos a
y d), hace desfilar las gentes en su evocación ante los lectores y oyentes.
Troyanos y romanos quedan lejos; el *ayer* es lo cercano, el ámbito que
recuerda el poeta. Los antiguos podrían dar un aire de exhibición artística
que no conviene, como antes dijo el poeta (est. 4.º). Para esta evocación
téngase en cuenta que Jorge había nacido hacia 1410. Francisco Rico ha
propuesto que en el entramado de esta estrofa hay unas fiestas celebradas
en Valladolid en 1428 («Unas Coplas de Jorge Manrique y las fiestas de
Valladolid en 1428» [1965] en *Texto y contexto. Estudios sobre la poesía
española del siglo xv,* Barcelona, Crítica, 1990, págs. 169-187).

226

haunque oímos e leýmos
sus estoria[s]
175   non curamos de saber
lo d'aquel siglo passado
qué fue d'ello;
vengamos a lo d'ayer,   *yesterday is forgotten*
que tan bien es olvidado
180 como aquello.

[XVI]

¿Qué[23] se hizo el rey don Joan?[24]
Los Infantes d'Aragón[25]
¿qué se hizieron?
¿Qué fue de tanto galán,
185 qué de tanta invinción
que truxeron?
        Las justas y los torneos,
paramentos, bordaduras
e cimeras
190 ¿fueron sino devaneos,
        waste of time, trivial

176 *siglo:* época
185 *invinción:* empresa, señal de reconocimiento

187 *paramentos:* adornos de los caballos
189 *cimeras:* adorno del casco
190 *devaneo:* pasatiempo

[23] Aquí comienzan las tan conocidas interrogaciones retóricas, a las
que se pueden señalar fuentes bíblicas y antiguas, y también de autores
doctrinales de la Edad Media; se encuentran en la poesía vernácula, sobre
todo, entre la lírica cancioneril del siglo XV; véase Margherita Morreale,
«Apuntes para el estudio de la trayectoria que desde el *Ubi sunt* lleva
hasta el «¿Qué le fueron sino...? de Jorge Manrique», *Thesaurus,* XXX
(1975), págs. 471-519.
[24] *el rey don Joan* es Juan II, que comenzó a reinar bajo la regencia de
don Fernando de Antequera y doña Catalina de Lancaster en 1406 y
murió en 1454.
[25] *los infantes de Aragón:* hijos de don Fernando, el de Antequera, que
pasó a ser rey de Aragón: don Alfonso (que fue rey de Aragón, V de su
nombre, el Magnánimo), don Juan (rey primero de Navarra y luego de
Aragón), don Enrique y don Pedro.

227

qué fueron sino verduras
de las eras?[26]

[XVII]

¿Qué se hyzieron las damas,
sus tocados e vestidos,
195   sus olores?
¿Qué se hizieron las llamas
de los fuegos encendidos
d'amadores?
¿Qué se hizo aquel trobar,
200   las músicas acordadas
que tañían?
¿Qué se hizo aquel dançar,
aquellas ropas chapadas
que trayan?

[XVIII]

205   Pues el otro, su heredero,
don Anrique[27], ¡qué poderes
alcançaua!
¡Quánd blando, quánd alag[u]ero,
el mundo con sus plazeres

203 *chapadas:* laminadas   208 *alag[u]ero:* lisonjero

---

[26] *verduras en las eras:* es un símil usado en la Biblia (ejemplo: serán los hombres «como la hierba de los campos, verdura tierna» (Isaías, 37, 27). Otras versiones ordenan los versos de la segunda subestrofa: d, e, g, a, b, c. *Era,* como lo recogió después Covarrubias, significó también «el cuadro de tierra en que el hortelano siembra las lechugas, rávanos, puerros y otras legumbres» (*Tesoro, ob. cit.,* s.v. *era,* pág. 529).

[27] Don Anrique es Enrique IV; coronado en 1454, la estrofa indica en su primera parte el comienzo de su gobierno hasta los tristes sucesos de 1465, en que Enrique IV fue destronado en efigie y proclamado rey el infante don Alfonso. Aún militando Manrique en el bando de la nobleza, contraria al Rey, su referencia de los hechos es discreta, salvando el valor de la realeza.

210 se le dava!
      Mas verás quánd enemigo,
   quánd contrario, quánd cruel
   se le mostró;
   aviéndole seydo amigo,
215 ¡quánd poco duró con él
   lo que le dio!

[XIX]

      Las dádivas desmedidas,
   los edificios reales
   llenos d'oro,
220 las baxillas tan febridas,
   los enriques e reales
   del thesoro,
      los jaezes, los cauallos
   de sus gentes e atavíos
225 tan sobrados,
   ¿dónde yremos a buscallos?
   ¿qué fueron sino rocíos
   de los prados?

[XX]

      Pues su hermano el innocente [28],
230 qu'en su vida sucessor
   se llamó,
   ¡qué corte tan excellente
   tuvo e quánto grand señor
   le siguió!

220 *febridas:* bien trabajadas   225 *sobrados:* abundantes
221 *enriques:* monedas

---

[28] *su hermano el innocente* es el príncipe Alfonso que fue proclamado
rey en Ávila en 1465 a los once años, y murió en 1468; los nobles entonces
propusieron al Rey que la heredera fuese su hermana Isabel.

229

235   Mas, como fuesse mortal,
       metióle la Muerte luego
       en su fragua.
       ¡O, juyzio divinal,
       quando más ardía el fuego,
240   echaste agua!

[XXI]

       Pues aquel grand Condestable[29],
       maestre que conoscimos
       tan privado,
       non cumple que dél se hable,
245   mas sólo cómo lo vimos
       degollado.
       Sus infinitos thesoros,
       sus villas e sus lugares,
       su mandar,
250   ¿qué le fueron sino lloros?
       ¿qué fueron sino pesares
       al dexar?

[XXII]

       E los otros dos hermanos[30],
       maestres tan prosperados
255   como reyes,

---

243 *privado:* preferido

---

[29] *el gran Condestable* fue don Álvaro de Luna, Maestre de Santiago, que había sido privado de Juan II, y al que cortaron la cabeza en Valladolid en 1453 por orden del rey, que murió poco después. A pesar de que fue enemigo político de la familia de los Manrique, el caso del Condestable se cuenta de una manera impersonal como ejemplo de la caída de privados; y esto es otra muestra de la ecuanimidad del poeta.

[30] *los otros dos hermanos* eran Pedro Girón, maestre de Calatrava, y Juan Pacheco, maestre de Santiago, activos dirigentes de la oposición de la nobleza a Juan II.

c'a los grandes e medianos
truxieron tan sojuzgados
a sus leyes;
aquella prosperidad
260 qu'en tan alto fue subida
y ensalzada,
¿qué fue sino claridad
que estando más encendida
fue amatada?

[XXIII]

265   Tantos duques excellentes,
tantos marqueses e condes
e varones
como vimos tan potentes,
di, Muerte, ¿dó los escondes
270 e traspones?
    E las sus claras hazañas
que hizieron en las guerras
y en las pazes,
quando tú, cruda, t'ensañas,
275 con tu fuerça las atierras
e desfazes.

[XXIV]

    Las huestes ynumerables,
los pendones, estandartes
e vanderas,
280 los castillos impugnables,
los muros e valuartes
e barreras,
    la cava honda, chapada,

---

256 *c'a:* que a
264 *amatada:* apagada
275 *atierras:* derribas

280 *impugnables:* invencibles
283 *cava:* trinchera
283 *chapada:* protegida con chapas

231

o qualquier otro reparo
285 ¿qué aprovecha?
Quando tú vienes ayrada,
todo lo passas de claro
con tu flecha.

[XXV]

Aquel de buenos abrigo,
290 amado por virtuoso
de la gente,
el maestre don Rodrigo
Manrique[31], tanto famoso
e tan valiente;
295 sus hechos grandes e claros
non cumple que los alabe,
pues los vieron,
ni los quiero hazer caros,
pues qu'el mundo todo sabe
300 quáles fueron.

[Panegírico de don Rodrigo]

[XXVI]

[32] Amigo de sus amigos,
¡qué señor para criados
e parientes!
¡Qué enemigo d'enemigos!

---

284 *reparo:* defensa   298 *caros:* queridos
287 *de claro:* de parte a parte

---

[31] Don Rodrigo Manrique (1406-1476) casó con doña Mencía de Figueroa, y tuvo seis hijos y dos hijas; Jorge fue el quinto hijo de este matrimonio (don Rodrigo casó otras dos veces). Recibió el título de conde de Paredes de Nava.

[32] Se ha propuesto corregir el verso primero: *¡Qué amigo de sus amigos!* para igualarlo a la anáfora general de *qué,* que articula las dos sextillas.

305 Qué maestro d'esforçados
  e valientes!
    ¡Qué seso para discretos!
    ¡Qué gracia para donosos!
    ¡Qué razón!
310 ¡Qué benino a los sugetos!
    ¡A los bravos e dañosos,
    qué león!

[XXVII] [33]

En ventura Octaviano [34];
Julio César en vencer
315 e batallar;
  en la virtud, Affricano [35];
  Haníbal en el saber
  e trabajar;
    en la bondad, un Trajano;
320 Tyto en liberalidad
  con alegría;
  en su braço, Aureliano;
  Marco Atilio [36] en la verdad
  que prometía.

310 *sugetos:* vasallos

---

[33] Las dos estrofas siguientes son un cúmulo de comparaciones con grandes hombres de la Antigüedad y constituyen un ejemplo más de una modalidad, usada en la época, del elogio personal. Conviene notar que Manrique, mostrando otra vez discreción, no se vale del «sobrepujamiento» o elogio desmesurado en el que el héroe moderno (en este caso don Rodrigo) sobrepasa a los antiguos, sino que lo iguala con ellos. Estas listas son frecuentes, y parece ser que Manrique la formó basándose en la *Primera Crónica General* de Alfonso X (Ernst R. Curtius, «Jorge Manrique und kaisergedanke», *Zeitschrift für Romanische Philologie,* LII [1932], págs. 129-151). El mismo Fernán Pérez de Guzmán en su *Mar de historias* acumula «vidas» de héroes y santos por su función ejemplar. Los términos de referencias sólo pertenecen a la antigüedad y únicamente anotamos lo que pudiera resultar de difícil interpretación.
[34] *Octaviano* es César Octavio Augusto, el Emperador.
[35] *Africano* es Publio Cornelio Escipión.
[36] *Marco Atilio* es el cónsul Régulo Marco Atilio.

[XXVIII]

325   Antoño Pío [37] en clemencia;
Marco Aurelio en ygualdad
del semblante;
Adriano en eloquencia;
Teodosio en humanidad
330 e buen talante.
        Aurelio Alexandre fue
en deciplina e rigor
de la guerra;
un Costantino en la fe,
335 Camilo [38] en el grand amor
de su tierra.

[XXIX]

        Non dexó grandes thesoros,
ni alcançó muchas riquezas
ni baxillas;
340 mas fizo guerra a los moros,
gañando sus fortalezas
e sus villas;
        y en las lides que venció,
quántos moros e cavallos
345 se perdieron;
y en este officio ganó
las rentas e los vasallos
que le dieron [39].

---

332 *deciplina:* disciplina

---

[37] *Antoño Pío* es Antonino Tito, llamado el Pío.
[38] *Camilo* es L. Furio Camilo, llamado el segundo Rómulo, que en el siglo II antes de Cristo dedicó su vida a la conservación y engrandecimiento de Roma.
[39] La Orden de Santiago fue el medio por el que don Rodrigo mantuvo el auge de su casa y sustentó a los suyos.

Pues por su honra y estado,
350 en otros tyenpos pasados
¿cómo s'uvo?
Quedando desamparado,
con hermanos e criados
se sostuvo.
355 Después que fechos famosos
fizo en esta misma guerra
que hazía,
fizo tratos tan honrosos
que le dieron haun más tierra
360 que tenía.

[XXXI]

Estas sus viejas estorias[40]
que con su braço pintó
en joventud,
con otras nuevas victorias
365 agora las renovó
en senectud.
Por su gran abilidad,
por méritos e ancianía
bien gastada,
370 alcançó la dignidad
de la gran Cavallería
dell Espada[41].

[XXXII]

E sus villas e sus tierras
ocupadas de tyranos[42]

---

[40] *estorias:* ilustración de los sucesos ocurridos en sus primeros tiempos, que él mismo *pintó* (realizó) en su juventud, y en la vejez *renueva nuevas* (poliptoton) *victorias.*

[41] La dignidad es el maestrazgo de Santiago, que tuvo desde 1474.

[42] *tyranos* en el sentido jurídico de las *Partidas:* «Tirano tanto quiere

375   las halló;
más por çercos e por guerras
e por fuerça de sus manos
las cobró.
     Pues nuestro Rey natural,
380 si de las obras que obró
fue servido,
dígalo el de Portugal
y en Castilla quien siguió
su partido.

[XXXIII]

385   Después de puesta la vida
tantas vezes por su ley
al tablero[43];
después de bien seruida
la corona de su rey
390 verdadero;
    después de tanta hazaña
a que non puede bastar
cuenta cierta,
en la su villa d'Ocaña
395 vino la Muerte a llamar
a su puerta

[Diálogo entre la Muerte y el Maestre]

[XXXIV]

    diziendo[44]: «Buen cavallero,
dexad el mundo engañoso
e su halago;

decir como señor cruel que es apoderado de algún regno o tierra por
fuerza, por engaño o por traición» (II, 1, X, *ed. cit.*, tomo II, pág. 11); se
refiere a sus enemigos políticos.
  [43] *al tablero,* empeñada la vida en el juego de la guerra.
  [44] Comienza el diálogo entre la Muerte y el caballero, como en las
Danzas; el encabalgamiento estrófico (raro) resalta el cambio.

400 vuestro corazón d'azero
     muestre su esfuerço famoso
     en este trago;
         e pues de vida e salud
     fezistes tan poca cuenta
405 por la fama,
     esfuércese la virtud
     para sofrir esta afruenta
     que vos llama.»

[XXXV]

     «Non se os haga tan amarga
410 la batalla temerosa
     qu'esperáys,
     pues otra vida más larga
     de fama⁴⁵ tan gloriosa
     acá dexáys.
415   Aunqu'esta vida d'onor
     tampoco no es eternal
     ni verdadera;
     mas, con todo, es muy mejor
     que la otra temporal,
420 peresçedera.»

[XXXVI]

     «El bivir qu'es perdurable⁴⁶
     non se gana con estados

402 *trago:* adversidad

---

⁴⁵ La *fama* es el recuerdo que queda del hombre sobre la tierra
después de su muerte y que es consecuencia de las acciones que realizó
durante su vida; se entiende que es una *buena* fama. Manrique la elogia,
pero con mesura pues no es la vida eterna ni la verdadera (en la estrofa 4,
h-i, se invocó como *verdad* sólo a Cristo). De todas maneras, la prefiere a
la estricta vida humana.
⁴⁶ La *vida perdurable* comprende la perduración en la tierra (fama) y

237

mundanales,
ni con vida delectable
425 donde moran los pecados
infernales;
      mas los buenos religiosos
gánanlo con oraciones
e con lloros;
430 los cavalleros famosos,
con trabajos e afflictiones
contra moros.»

like el
Conde Lucanors
instruction from
el sabio!

[XXXVII]

      «E pues vos, claro varón,
tanta sangre derramastes
435 de paganos,
esperad el galardón
que en este mundo ganastes
por las manos;
      e con esta confiança
440 e con la fe tan entera
que tenéys,
partid con buena esperança,
qu'estotra vida tercera [47]
ganaréys.»

---

435 *paganos:* no cristianos, moros

---

en el cielo (salvación); y no se gana con las atracciones del mundo (los
estados mundanales), con la carne y otros pecados que conducen al
infierno. Cada uno la gana en su condición humana: el religioso, con
oraciones y lloros, y los caballeros famosos (esto es, que merecen fama) en
la lucha contra los moros. Compárese esto con lo que dice Mena en su
Leberinto (antes comentado) sobre la guerra contra los moros (est. 152).
    [47] La *vida tercera* es la que espera al hombre después de la muerte en
el destino de su juicio final.

[XXXVIII]

445   «Non gastemos tiempo ya
en esta vida mesquina
por tal modo,
que mi voluntad está
conforme con la divina
450   para todo;
    e consiento en mi morir
con voluntad plazentera,
clara e pura,
que querer hombre vivir
455   quando Dios quiere que muere,
es locura.»

(*Del Maestre a Cristo:*)

[XXXIX]

    «Tú[48] que, por nuestra maldad,
tomaste forma servil
460   e baxo nombre;
tú, que a tu divinidad
juntaste cosa tan vil
como es el hombre;
    tú, que tan grandes tormentos
sofristes sin resistencia
465   en tu persona,
non por mis merescimientos
más por tu sola clemencia
me perdona.»

---

447 *por tal modo:* por tal hecho

---

[48] Prosigue el diálogo, aquí de don Rodrigo con Cristo.

Fin

[XL]

Assí, con tal entender,
470 todos sentidos humanos
conservados,
cercado de su mujer,
y de sus hijos e hermanos
e criados,
475 dio el alma a quien ge la dio
(el qual la ponga en el cielo
en su gloria)[49],
que haunque la vida perdió,
dexónos harto consuelo
480 su memoria.

COMENTARIO: La estrofa usada por Manrique en esta obra es la sextilla, reunidas en grupos de dos, pero independientes en las rimas y con sentido completo, con algún encabalgamiento; cada sextilla a su vez se divide en dos partes, cada una de las cuales se compone de dos octosílabos y su pie quebrado, un tetrasílabo.

El esquema operativo es el siguiente:

8A 8B 4C | 8A 8B 4C || 8D 8E 4F | 8D 8E 4F ||...

Suele llamarse *copla de pie quebrado* (por antonomasia, porque hay otras) y también *estrofa manriqueña* (por el éxito de la difusión de estas *Coplas*)[50].

Este esquema métrico es común en la poesía del siglo XV y obliga a un curso cerrado del sintagma poético, relativamente complejo por la brevedad de los tetrasílabos y las tres consonancias de cada sextilla. Sin embargo, Manrique le dio una gran agilidad. Esta agilidad se debe en parte al ajuste del sintagma con la unidad del verso, subestro-

---

[49] *gloria* en el cielo y *memoria* (la de su buena fama) en la tierra; la primera se asegura por la virtud del caballero y su piadosa muerte; y la segunda es el escritor, uno de los hijos presentes, el que la afirma en la tierra con su obra poética.

[50] Véase el estudio de Tomás Navarro Tomás, «Métrica de las Coplas de Jorge Manrique», en *Los poetas en sus versos: desde Jorge Manrique a García Lorca,* Barcelona, Ariel, 1973, págs. 67-86.

fa y estrofa y doble estrofa, de manera que los elementos claves en el significado suelen hallarse en fin de verso realzados por el acento final del mismo, y, por tanto, con relieve poético; y los encabalgamientos son suaves y dan fluidez al curso. Sirva como ejemplo esta estrofa V:

> Este mundo es el *camino*
> para el otro, qu'es *morada*
> sin pesar;
> mas cumple tener *buen tino*
> para andar esta *jornada*
> sin errar.
> Partimos quando *nascemos,*
> andamos mientras *vivimos,*
> y llegamos
> al tiempo que *fenecemos;*
> assí que quando *morimos,*
> *descansamos.*

La sensación itinerante se apoya en el *camino* que va hacia la *morada* celestial; el camino es sólo *jornada* (el espacio del viaje). Y luego siguen los verbos consecutivos: *nascemos → vivimos → fenescemos,* o sea el *descanso* de la jornada. De esta manera el viejo tópico del *homo viator* (el hombre viajero por este mundo) obtiene la conveniente expresión poética dentro de las *Coplas,* al compás del ritmo métrico.

Una cuestión discutida por los críticos es el género en que conviene agrupar esta obra; la indicación antigua de *dezir* (usada en la primera aparición como poesía suelta, Zaragoza, 1482?) no prosperó, pero es indicio de que la obra se entendería más por el lado del *decir* (según antes señalamos) que por el de la *canción;* además el *decir* permitía con más libertad el juego interno del cambio del curso y el acercamiento a las modalidades dramáticas. La denominación de *Coplas* (desde el *Cancionero de Íñigo de Mendoza,* 1483) fue la común, y es la general, que sólo compromete al sistema métrico, tan rigurosamente *acoplado* en su desarrollo.

Ya mencionamos un juicio de las *Coplas* en un glosador del siglo XVI, Luis Pérez; y es indudable que pronto se percibió que la obra implicaba una complejidad, extraordinariamente resuelta con gran acierto en unidad poemática [51]. Esta compleja unidad poética llega aún vivamente al lector actual; y esto se debe al gran sentido selectivo

---

[51] Un comentario minucioso de estas *Coplas* y bibliografía en Frank A. Domínguez, *Love and Remembrance,* Kentucky, University Press, 1988, págs. 85-140.

de Jorge Manrique que supo elegir de entre las diversas posibilidades que le ofrecía la lengua literaria de la época aquellas que perdurarían por pertenecer a la más genuina tradición. Lo expresa así T. Navarro: «Sobre este fondo, las Coplas mantienen su no envejecido estilo y su clara imagen sonora. Su perpetua modernidad tiene sus raíces en el subsuelo del idioma» [52].

Y si esto es en lo que toca a la forma lingüística y su cauce métrico, también el contenido medieval sigue siendo moderno porque se refiere a cuestiones que tocan muy directamente a la vida de cualquier hombre, en cualquier época histórica en que viva: todos sienten el paso inevitable del tiempo y la certeza de la muerte y su resonancia sobre la criatura viviente. La esperanza de la salvación que propone el poeta pertenece a la bóveda religiosa, de índole clerical, que ampara el poema, y cuenta como un presupuesto que no afecta a la significación estrictamente humana del contenido, pero que da cohesión a la obra situándola en un determinado sistema cultural [53].

Dentro de esta complejidad, se destacan dos interpretaciones básicas de la obra: las Coplas a) como elegía y b) como panegírico o elogio del Maestre. Como elegía supone valorar las reflexiones universales sobre la muerte que se desprenden del caso concreto de la memoria panegírica de un ilustre muerto: don Rodrigo Manrique. Y esta memoria a su vez se bifurca en a) el caso de la pérdida para la sociedad de un ilustre noble; b) el muerto es el padre del poeta, causa de un dolor personal, y por ello lírico; o sea la defunzión que era una forma de este orden literario.

En relación con la elegía y el panegírico se enlaza la consideración de la danza de la muerte, una peculiar manifestación de la literatura europea que obtuvo también su cultivo en los Reinos de España, como consideraremos más adelante al tratar de este orden poético. Este baile de la muerte implicaba la actuación de la Muerte como personaje que guía la danza; la Muerte con su juicio y razones irrefutables invita a representantes de las diversas clases sociales, profesiones y oficios, grupos diversos de gentes, a entrar en ella; y tampoco don Rodrigo podía dejar de recibir la invitación.

En la estructura conjunta de la obra los críticos han notado partes diferentes según fuera el punto de vista establecido en cada caso para la división. Unos indican que las partes son dos (tomando la copla 25

[52] T. Navarro, «Métrica de las Coplas de Jorge Manrique», art. cit., pág. 86.

[53] Véase Enrique Moreno Báez, «El gótico nominalista y las Coplas de Jorge Manrique», Revista de Filología Española, LIII (1970), págs. 95-113; el gótico nominalista es el llamado comúnmente florido, en donde se hallan las raíces de la devotio moderna y la afirmación de lo concreto individual, bajo el signo de Guillermo de Occam.

como centro); otros, que son tres en una sucesión de universalidad, ejemplificación e individualización. En nuestro comentario, reconociendo la legitimidad de estas interpretaciones, estableceremos una división basada en el uso de un determinado recurso expresivo: la variación de los puntos de vista que van apareciendo a lo largo del poema, y que enfocan el desarrollo del contenido desde distintos ángulos, con diferentes intervenciones del autor en participaciones distintas de los oyentes implicados en el texto de la obra. Esta variación se armoniza con la unidad del conjunto y de esta manera se anima y enriquece el poema con esta sucesión de los cambios en los planos de la expresión. Con esto también se evita la monotonía que hubiese supuesto el uso de un solo enfoque.

He aquí esta partición y los cambios que sucesivamente se van realizando:

I) *Exhortación sentenciosa del poeta* a los lectores y oyentes para que se avive su conciencia ante el paso del tiempo (uso de la impersonalidad verbal y de la primera persona de plural *nosotros,* que implica un *vosotros* más el yo del poeta). Estrofas 1-3.

II) *Reflexión sobre la mayor autoridad:* no los que saben la poética, sino la verdad de Cristo es la suma autoridad (uso de la primera persona del autor). Estrofa 5.

III) *Interpretación del mundo:* el poeta considera el mundo y su experiencia social como noble caballero (uso mayoritario de la primera persona de plural, con apóstrofes de un *vos* para individualizar y potenciar lo que se dice). Estrofas 5 a 14.

IV) *Repaso de los que vivieron y acabaron danzando con la Muerte* en los mismos tiempos que el poeta (ests. 15-22); Manrique, dejando el pasado lejano, considera el ayer cercano, revisa los reyes y señores que conoció, y las mujeres y hombres que convivieron con él (seguimos con la impersonalidad sentenciosa y las recaladas en el plural y singular de primera persona).

V) *Imprecación a la muerte* (ests. 23-25). El poeta se dirige a la Muerte (uso del *tú)* y le echa en cara su destrucción.

VI) *Panegírico de don Rodrigo* (ests. 26-33). Después de la estrofa 25, en que el poeta terminaba su imprecación a la muerte, Manrique se dirige a los oyentes contemporáneos que han de corroborar lo que él dice en el panegírico, redactado, como era norma del género, como una narración impersonal, abundante en comparaciones que ponen a prueba el conocimiento de los oyentes y elevan el tono de la composición.

VII) *Diálogo entre la Muerte y don Rodrigo y cabo final* (ests. 34-39). La Muerte busca a don Rodrigo y le invita de manera cortés a su danza elogiando su vida mortal y avisándole sobre la imperecedera. Don Rodrigo le contesta animosamente encomendándose a Cristo y así acaba rodeado de los suyos.

Dentro de esta complejidad han cabido muchas perspectivas sobre un hecho fundamental: la muerte. La reflexión general se hizo contando con los lugares comunes del caso, pero el gran acierto consistió en implicar la experiencia de la vida del poeta y, a través de ella, la de todos los oyentes y lectores: siempre hay *hermosura* en torno y al mismo tiempo *senectud;* siempre hay *deleites* y *tormentos* en la vida. Y la ocasión de lo uno y de lo otro es transitoria, pues la vida es un curso que se desliza de una manera imparable a través del tiempo y que acaba siempre en la muerte.

Y si de la reflexión general pasamos a lo que el poema representa de experiencia personal para el poeta, entonces encontramos la evocación del noble don Rodrigo que realiza su propio hijo. No se trata, por tanto, de una *defunzión* hecha de encargo a un acreditado poeta, ni la que pudiera haber hecho un amigo a otro que le es querido, sino de la expresión de la pena honda que siente el hijo en el trance de la muerte de su padre. Y tratándose de una situación en la que el desgarro quedaría justificado, Manrique escribe su obra con una gran elegancia, evitando cualquier violencia en la expresión del dolor, dentro del exquisito manierismo de un fin de época. Y calificamos las *Coplas* como manieristas porque, aunque Manrique se vale de un material común y general, usado por otros muchos poetas, el perfil y postura lingüísticos con que este material se trata hace que esta obra sea, como conjunto, única y la más representativa de entre las de su tiempo qe tratan el mismo asunto.

Cuanto dijimos en el comentario tiende a poner de relieve el sumo acierto del apurado equilibrio con que Manrique compone las *Coplas* y las desarrolla con un ritmo que aún hoy conserva su eficacia poética. El lector actual vibra todavía con lo que le dijo hace más de cinco siglos Manrique en su peculiar escritura. Otra vez testimoniamos el milagro del ritmo logrado, el sumo acierto de la poesía. Mientras la estrofa manriqueña siga valiendo para esto y pueda revivir en la lengua de hoy, esta poesía será también patrimonio del hombre actual. Pocas veces una forma métrica se ha fundido en cuerpo poético con un contenido de orden general y común como es la reflexión —posible en cualquier época y circunstancia— sobre la muerte.

Una impresión de melancolía queda de la percepción de las *Coplas;* melancolía que es propia de cualquier hombre que ha pasado el umbral de la madurez, dentro de la cual se escribieron las *Coplas:* madurez del poeta en relación con su existencia personal y social, madurez de la poética empleada en la escritura, madurez de la época, que no en vano esta poesía se considera como una de las más características del otoño de la Edad Media en España. Melancolía que está al mismo tiempo empapada de consuelo del alma; P. Salinas acaba su estudio así: «Las *Coplas* son el gran poema consolatorio de la lírica española. Cuando expiran las palabras postreras de la elegía, en el último aliento, tan sereno y tan conforme como el del Maestre, el soplo de estos dos vocablos —*consuelo, memoria*— persiste agitando delicadamente las capas del alma, como viento que ya pasó, y cuyos rizos aún quedan en la faz del agua. ¿No será, siempre y dondequiera, la poesía, consuelo, magia consolatoria, por excelencia?»[54].

---

[54] P. Salinas, *Jorge Manrique o tradición y originalidad, ob. cit.,* págs. 230-231.

VI
POESÍA DE ARTE MAYOR

CARACTERÍSTICAS GENERALES:
LA POÉTICA DEL ARTE MAYOR

Reunimos en este grupo la poesía que usa el verso rítmico antes considerado, y que se organiza en la estrofa llamada «copla de arte mayor», «octava de arte mayor» o «antigua o octava castellana» y también «copla de Juan de Mena». Esta denominación implica que es un verso que establece una clara determinación en su contenido (arte mayor que obliga a una materia elevada, de condición religiosa o civil) y en el tratamiento del mismo (establecido en el cauce retórico que asume el arte mayor); ha sido el módulo formal más comprometido con el uso de una retórica propiciatoria de los procedimientos del «ornato difícil», hasta el punto de que ha podido fijarse para él una poética propia de esta modalidad de verso.

Aparece constituido en sus rasgos básicos en el *Deitado* sobre el cisma de Occidente, incluido en el *Libro rimado del Palaçio*, de Pedro López de Ayala (con partes de 1398 y 1403) antes mencionado; a pesar de su tardía implantación, es un verso dominante en la poesía del siglo XV y que desaparece muy pronto en el siglo XVI ante la implantación del endecasílabo, después de Boscán y Garcilaso.

En cuanto al motivo que hubo para lograr un tan amplio triunfo literario en el siglo XV, Lázaro Carreter[1] cree que esto

---

[1] F. Lázaro Carreter, «La poética del arte mayor castellano», en *Estudios de poética, ob. cit.,* págs. 75-111.

pudo deberse a su consideración como verso equiparable a los modelos de los antiguos latinos traspasados al dominio de la literatura vernácula castellana, y se convirtiese así en un potente signo del humanismo que tan amplio desarrollo obtiene en esta época, sobre todo en relación con el fuerte influjo de las formas léxicas y sintácticas tomadas del latín; el humanismo del siglo XV es un ejercicio a la vez lingüístico y poético establecido en el verso y en la prosa, base necesaria para la depuración que luego obtendría en su continuidad en el humanismo propio del siglo XVI, de índole más compleja y efectos compensatorios en la lengua y en el uso de las poéticas. De ahí que los historiadores lo llamen «humanismo prerrenacentista». Como se aprecia en las muestras elegidas, la poesía de arte mayor también presenta, en cuanto a la expresión, una relación consciente y efectiva con la Antigüedad, sólo que de un signo diferente la que luego se dio en la poesía a partir de Garcilaso. Una prueba nos la ofrecen las impresiones que obtuvo el *Laberinto de Fortuna,* de Juan de Mena, del que se hicieron ediciones comentadas en las que la participación de la poesía en la latinidad aparece señalada específicamente como en la estrofa que publicamos a continuación, extraída de la edición que indico:

Copla
cxlix.

¶Mucha morisma vi descabeçada
mas que reclusa detras de su miuro
y avn que gozaua de tiempo seguro
quiso la muerte por saña de cipada
y mucha otra i mas por pieças tajada
que quiere la muerte tomar la mas tarde
huyendo no huye la muerte el couarde
que mas a los viles es siempre allegada.

¶Mucha morisma vi descabeçada Prosigue el auctor las victorias del rey don Juan contra los moros y dize que vio muchos d los moros que salieron a pelear con el en cã
po muertos, y mas grãd numero de
los que estauan que dos en sus lugares que no quisierõ salir a la batalla,
los quales como medrosos murieron
vilmente, tomados sus lugares de
los rpianos y entrados por fuerça de armas: lo qual se ha de referir alo que dixo en la copla precedente, tomando castillos ganando lugares. ¶Reclusa. Aqui significa encerrada, pero en latin recludo quiere dezir abrir, y recluso lo abierto. ¶Y avn que gozaua de
tiempo seguro. Avn que pudieran estar seguros cada vno en su lugar quisieron mas salir a pelear por la defension dela patria con auentura dela vida que no viendo la defensa
y gozar de seguridad. ¶Que quiere la muerte tomarla mas tarde. Significa los que
por miedo dela muerte no osaron salir a la batalla los quales no por eso escaparon la vida
porque la muerte mas sigue al couarde. ¶Y mas a los viles es siempre allegada. Assy dize Doratio en el tercero delas odas la muerte psigue al couarde y Uergilio: y Seneca e la
tragedia mede a la fortuna teme a los fuertos y persigue a los cobardes.

El glosador [2], después de especificar la materia del contenido (a la que me referiré dentro de poco: se trata de la victoria de

---

[2] Copla 149 del *Laberinto* y comentario que la explica en la edición

Juan II en la batalla de la Higueruela, cerca de Granada), comenta una palabra latina y luego apoya el verso g en las autoridades de Horacio, Virgilio y Séneca.

a) FRANCISCO IMPERIAL

DECIR DE FRANCISCO IMPERIAL A LA ESTRELLA DIANA (ENTRE 1390 Y 1404)

Este dezir fizo el dicho Miçer Françisco Imperial por amor e loores de vna fermosa muger de Seuilla que llamó el Estrella Diana, e fízolo vn día que vio e la miró a ssu guysa, ella yendo por la puente de Sseuilla a la yglesia de ssant'Ana fuera de la çibdat.

			Identificación de hemistiquios
1.ª est.		Non fue por cïerto mi carrera vana,	AX
		passando la puente de Guadalquivir,	AB
		atan buen encuentro que yo vi venir	AB
		rribera del río, en medio Trïana,	AA
Fol. 75 r del Códice	5	a la muy fermosa Estrella Dïana [3]	AA
		qual sale por mayo al alua del día,	AA
		por los santos passos de la romería:	XX [AA]
		muchos loores aya Santa Ana [4].	DX
2.ª est.		E por galardón demostrar me quiso	BX
	10	la muy delicada flor de jazmín,	AE
		rossa nouela de oliente jardín,	DB

Glosa sobre las trezientas del famoso poeta Juan de Mena, de Hernán Núñez de Toledo, Granada, Juan Varela, 1505.

[3] Este nombre aparece en Guido Guinizelli en dos sonetos; también se encuentra la misma denominación en el *Roman de Paris et Vienne,* referido a la madre de la heroína: «madame dyanne, c'est le nom d'une tres belle estelle qui se monstre chascun matin», Rafael Lapesa, «Notas sobre Micer Francisco Imperial, VI. La Estrella Diana: Imperial y Guinizelli», *Nueva Revista de Filología Hispánica,* VII (1953), págs. 348-350.

[4] Se refiere a la iglesia de Santa Ana, situada en lo que fue calle Larga, hoy Betis.

e de verde prado gentil flor de lyso,	XA	[AA]
el su graçioso e onesto rysso,	AA	
ssenblante amorosso e viso ssüaue,	AA	
15 propio me paresçe al que dixo: *Aue,*	AX	
qüando enbïado fue del paraýsso.	AX	

3.ª est.

Callen poetas e callen abtores,	DA	
Omero, Oraçio, Vergilio e Dante,	AA	
e con ellos calle Ovidio *D'amante* [5]	AA	
20 e quantos escripuieron loando señores,	AA	
que tal es aqueste entre las mejores,	AX	[AA]
commo el luçero entre las estrellas,	DX	[AA]
llama muy clara a par de çentellas,	DA	
e commo la rrosa entre las flores.	AD	

4.ª est.

25 Non se desdeñe la muy delicada	DA	
Enfregymio [6] griega, de las griegas flor,	AY	[AB]
nin de las troyanas la noble señor,	AB	
por ser aquesta atanto loada;	DA	
que en tïerra llana e non muy labrada	XA	
30 nasçe a las vezes muy oliente rrosa;	DX	
assy es aquesta gentil e fermosa,	AA	
que tan alto meresçe de ser conprada.	GA	

12 *lyso:* lis	15 *Aue:* Ave, María
13 *rysso:* sonrisa	25 *desdeñe:* incomode
14 *viso:* apariencia	30 *conprada:* comparada

---

[5] Esta lista no es indicio de que su autor conozca estos autores según un criterio humanístico; listas parecidas se encuentran en otros poetas del *Cancionero* que se mantienen fieles a la imaginería provenzal de los orígenes. Así ocurre con Alfonso Alvarez de Villasandino, el cual, ante la obra mal realizada, propone que:

> Quemen sus libros, do quiera que son
> Virgilio e Dante, Oracio e Platón
> e otros poetas que diz la leyenda.
> *Cancionero de Baena,* composición núm. 60.

[6] *Enfrigymio* es la grafía con que se escribe Ifigenia, la hija de Agamenón y Clitemnestra. La otra referencia es a Elena de Troya. La elección es cabal porque Ifigenia, hija de Agamenón, está en el bando griego, y Elena aparece como troyana, ambas de gran belleza, y así las dos representan a griegos y troyanos en la más nombrada contienda antigua.

EDICIÓN: Según el *Cancionero de Juan Alfonso de Baena,* ed. crít. cit. de J. M. Azáceta, págs. 455-456, composición número 231. Con algunas leves modificaciones. Propuestas de lectura: verso 20, quantos scripuieron; verso 32, comp[a]rada.

COMENTARIO: Es una de las primeras manifestaciones de la poesía de arte mayor. Se encuentra aún en relación evidente con la poesía cancioneril; lo mismo que las composiciones de esta clase, tiene un epígrafe introductor que sitúa la obra e identifica a los actores del encuentro cortés: Imperial y una dama.

La poesía se escribió probablemente entre 1394 y 1404, según deduce María Rosa Lida[7]. La iglesia de Santa Ana es quizá la más antigua de Sevilla; fue construida por Alfonso el Sabio, de 1276 a 1280, y pertenece al estilo gótico, con algunas reformas de tiempos del reinado de don Pedro (1350-1369), probablemente en estilo mudéjar.

Desde un punto de vista estético, encontramos esta conjunción del arte gótico, con tratamientos mudéjares, propia de Sevilla, con una poesía de fondo cancioneril con rasgos italianizantes. La ciudad de Sevilla como fondo, con su río y el puente hacia la otra orilla donde está el barrio portuario de Triana, ponen el marco de una sociedad que no es propiamente cortés de alto rango. El autor, genovés de ascendencia y poeta en lengua castellana, está en condiciones de conocer las novedades italianas que proceden del *dolce stil nuovo,* en especial los libros de Dante. El poeta ha sido admitido, aun contando con su ascendencia extranjera, entre el señorío de la ciudad. La ciudadanía italiana de origen comercial queda así afirmada como garantía de linaje, e Imperial aparece incorporado a la sociedad sevillana, cuyas características económicas y sociales permiten esta adaptación.

Si bien el contenido es lírico, el cauce de la expresión no es la canción de amor antes considerada, sino un relato abierto, sobre la base de la primera persona, y que se extiende en cuatro estrofas (las necesarias para el caso) con una intención, laudatorio-descriptiva. Por tanto, aunque el decir se hizo por un motivo de «amor y loores de una hermosa mujer», este motivo, propio de la canción de amor, se convirtió en narración personal; está escrito en primera persona, como las canciones, pero es fundamental la visión de ella *(yo vi,* v. 3), lo mismo que al comienzo de la *Vita nuova* Dante había visto a Beatriz[8]. La hermosa mujer recibe, como en los otros poetas del

---

[7] María Rosa Lida, «Un decir más de Francisco Imperial: *Respuesta a Fernán Pérez de Guzmán»*, *Nueva Revista de Filología Hispánica,* I (1947), pág. 175.
[8] «...ed io la vidi» (a los nueve años): «...apparve a me...» (otros

Cancionero, la denominación de *señor,* si bien de una manera indirecta *(que tal es aqueste entre las mejores* [v. 21], precedido de *señores* [v. 20). Hay una situación determinada en lugar y tiempo, que permite la mención de un término que trae una connotación popular: el de la *romería* (v. 7), probablemente de Santa Ana, el 26 de julio. La ocasión de la fiesta, con la nota local del puente sobre el río, permitió que ella por *galardón* (v. 9) mostrase el rostro al poeta. El autor le da un nombre poético: *Estrella Diana* (v. 5)[9]. Imperial, después de establecer el nombre poético sobre la base metafórica, continúa con la referencia comparativa: «qual sale por mayo al alua del día» (v. 6), que trae consigo otras dos palabras indicativas de la lírica popular, *mayo* y *alba* rodeando la hermosura de la mujer.

Romería, mayo y *alba* denotan una vertiente hacia la poesía tradicional que sólo se apunta en los términos poéticos mencionados, pero que no se desarrolla. La poesía, diferenciándose de la canción de amor y de la canción popular, busca el cauce elevado que muestra el metro —la copla de arte mayor— y las alusiones explícitas e implícitas. Entre las explícitas se cuentan las citas concretas de Homero, Horacio, Virgilio y Ovidio en el *Ars Amatoria* (vv. 18 y 19).

Hemos anotado que Imperial se vale del tópico de la lista de autores antiguos para dar prestigio a su decir, y también que cita a las grandes heroínas de la guerra de Troya para realzar la belleza de su dama. Y añadimos que también participa entre los nombres antiguos el del moderno Dante, con un crédito literario equiparable al de aquellos. Y esto no es obstáculo para que al mismo tiempo Imperial reconozca a los que escribieron *loando señores;* así, usado el término en masculino, el poeta se refiere a la poesía trovadoresca, extendida por Occidente tal como luego lo había de asegurar el Marqués de Santillana.

Pero, además, el elogio de la hermosa mujer se hace de una manera directa, mediante la sucesión de metáforas que contiene la estrofa segunda: ella = *jazmín* (v. 10), *rosa* (v. 11) y *flor de lis* (v. 12). Cada metáfora está prolongada en un verso que rodea la palabra sustancial, y todo ello culmina con la alusión al Ángel de la Anunciación, cuya cara semeja la de su señora. Y después añade los símiles comparativos de las estrofas siguientes.

El resultado es que Imperial ha realizado un elogio desmesurado de la hermosura de esta mujer: se atrevió a compararla con la belleza «angélica»; si bien el adjetivo fue común en la lírica cortés, la referencia concreta al arcángel Gabriel en la Anunciación (y aun mencionando el comienzo de la misma con el saludo *Ave)* renueva el tópico. El tópico del sobrepujamiento trae al caso a los grandes

_____

nueve después), Dante, *Vita nuova,* en *Tutte le opere,* Milán, Mursia, 1965, págs. 365-366.

autores antiguos y nuevos, y las imágenes metafóricas completan la demasía.

La poesía señala el nuevo cauce poético que se está abriendo con la estrofa de arte mayor, que en este caso se muestra ya en su entereza. Hemos señalado al margen de los versos las diferentes especies de versos de acuerdo con la clasificación que expuse en el prólogo.

En este decir de Imperial se encuentra el dominio del arte, la poetría y la gaya ciencia, que tienen, esta vez expresadas y siguiendo la lección de los italianos, ocasión de mostrar el uso de la retórica y la elocuencia pulcra. La indudable maestría literaria que hemos puesto de relieve a través de este comentario es lo que hizo decir después al Marqués de Santillana: «... Miçer Francisco Imperial, al qual yo no llamaría dezidor o trobador, mas poeta, commo sea çierto que sy alguno en estas partes del occaso meresçió premio de aquella triunphal e láurea guirlanda, loando a todos los otros, este fue»[9].

b) PEDRO GONZÁLEZ DE UCEDA

DECIR DE GONZÁLEZ DE UCEDA SOBRE LAS IMAGINACIONES Y PENSAMIENTOS QUE ACUDEN A LOS HOMBRES MIENTRAS ESTÁN EN LA CAMA

Resulta difícil encontrar una poesía que destaque por su originalidad entre las muchas que recoge el *Cancionero de Baena;* F. López Estrada comentó este *Decir* indicando que no es una pieza de un gran valor literario, pero sí es ocasión para descubrir en ella aspectos de la vida de una época que escapan a la red de la historia, atenta a los acontecimientos políticos y sociales de cierta trascendencia, elegidos por el criterio determinado que marca el cronista de turno. En esta poesía se recogen las inquietudes personales de un escritor en tanto es un hombre «cualquiera» de la época y, entrándose en la cama, comienza a soñar en lo que le sería más apetecible; de esta manera, va pasando de lugar en lugar, de una clase social a otra, hasta que despierta bruscamente en la realidad. Dejamos de lado los amores y las moralidades, tan comunes en el *Cancionero de Baena,* y a través de los deseos del caballero andaluz recorremos la variedad de la vida medieval.

---

[9] Véase el *Prohemio* del Marqués de Santillana en el grupo de los poetas castellanos nuevos, en *Las Poéticas castellanas de la Edad Media, ed. cit.,* pág. 61.

AQUI SE COMIENÇAN LOS DESIRES E PREGUNTAS MUY SOTILES E
FILOSOFALES E BIEN E SABIAMENTE CONPUESTAS E ORDENADAS,
QUE EN SU TIEMPO FISO E ORDENO EL SABIO E DISCRETO BARON
PERO GONÇALES DE USEDA, FIJO DEL NOBLE E LEAL CAUALLERO
GONÇALO SANCHES DE USEDA, EL VIEJO, NATURAL DE LA ÇIBDAT
DE CORDOUA; EL QUAL ERA OME MUY SABIO E ENTENDIDO EN
TODAS SÇIENÇIAS, ESPEÇIALMENTE EN EL ARTEFIÇIO E LIBROS DE
MAESTRO RREMON [1], E PONESE AQUI VNA PREGUNTA FILOSOFAL
QU'EL FISO E PREGUNTO A JUAN SANCHES DE BIUANCO, E AQUESTA
PREGUNTA ES FUNDADA SOBRE LAS YMAGINAÇIONES E PENSA-
MIENTOS DIUERSOS E INFINITOS QUE LOS OMMES TOMAN EN SUS
CAMAS

Amigo Johan Sanches de los de Biuanco,
yo Pero Gonsales de los de Useda
me vos encomiendo con voluntad leda
e rruego e pido como a omme franco
5   que a mis trobillas tornedes rrespuesta,
pues que a vos esto dineros non cuesta,
sinon estar folgando echado de cuesta,
o bien assentado en el vuestro banco.

Pregunto sy esto a otros conteçe
10 que a mi aviene los mas de los dias,
que anda mi pienso por diuersas vias
e mi cuerpo see, que non se remeçe:
a veses me veo en tierras de Vngria
e dende trespaso Alexandria,
15 e assi vo a India e vo a Tartaria
e todo lo ando [2] demientra amaneçe.

3 *leda:* alegre
7 *de cuesta:* de costado
10 *aviene:* ocurre
11 *pienso:* pensamiento
12 *see:* está tendido
12 *remeçe:* mueve
14 *trespaso:* paso a

[1] En efecto, conservamos una versión del *Llibre del Gentil i dels tres
savis,* de Raimundo Lulio, puesta a su nombre, reseñada por Charles B.
Faulhaber y otros, *Bibliography of Old Spanish Texts,* Madison, The
Hispanic Seminary of Medieval Studies, 1984, pág. 62, núm. 839.
[2] *El viajero* (vv. 9-16). González de Uceda sueña con ser en este caso

En la grand Boloña³ estando el martes
a los escolares las artes leyendo,
e a los doctores la rrason vençiendo
20   en filosofía e las siete artes,
alli les leya diuina sçiençia
con tanto donayre e tanta prudençia,
que a los maestros de grand exçelençia
les fago entender non saber las partes.

25   Quando me cato con grand ligeresa
veome en Flandes merchante tornado⁴,

26 *merchante:* mercader

---

un viajero incansable; por eso emprende el camino entonces posible para
los que sentían este afán de correr por el mundo. Es la vía de Oriente, la
ruta de las especies que seguían genoveses e italianos hacia el Oeste,
pródigo en riquezas y en leyendas: Hungría, en peligro siempre frente a
Oriente, Alejandría y, más allá, India y Tartaria. Si recordamos que de
1403 a 1406 unos embajadores de Enrique III fueron hasta Samarcanda y
regresaron a España, este deseo del hidalgo es parejo a lo que fue un
hecho histórico, conocido de muchos porque del viaje de los embajadores
se escribió una relación de la que hoy quedan varios manuscritos. Y aún
hay más, pues añadimos que también los andaluces del siglo xv se
mostraron grandes viajeros, por su cuenta en el caso de Pedro Tafur,
también cordobés. Véase la edición de Francisco López Estrada. *Embajada a Tamorlán* (Madrid, CSIC, 1943) y el artículo «Viajeros españoles en
Asia: La embajada de Enrique III al Gran Tamorlán (1403-1406)», en el
Revista de la Universidad Complutense, 3 (1981), págs. 227-246; y también
la edición *Andanças e viajes de un hidalgo español: Pero Tafur (1436-1439)*
(Barcelona, El Albir, 1982), y el artículo «Pedro Tafur trotamundos
medieval», *Historia 16,* 9, núm. 98 (junio 1984), págs. 111-118; y 9, núm.
99 (julio 1984), págs. 111-121.
    ³ *El maestro de universidad* (vv. 17-24). En este deseo ensoñado se
testimonia que soplan aires de Italia sobre los escritores de España; el
humanismo ya no viene a través de la clerecía (en particular, francesa), y
Bolonia, especializándose en el derecho romano, desarrolla en el siglo xiii
el *ars notaria* y el *ars dictaminis,* aumenta su prestigio y atrae a los
estudiantes españoles. ¿Habría ido allí su padre «entendido en todas
ciencias»? No en vano su padre conoció a Lulio tan a fondo como para
atreverse a volverlo a la lengua castellana.
    ⁴ *El mercader* (vv. 25-32). Cuando el mercader posee un gran capital,
los negocios debieran resultar compatibles con la alcurnia. Ir de Flandes a
Sevilla con naves cargadas de mercancías valiosas es un sueño grato, y
más si con ello puede darse presente al rey de Castilla, que acaso lo
necesitase. La riqueza, aunque *desigual,* es deseable cuando está adorme-
cida la conciencia.

do cargo dies naos de paño preçiado
e de otros joyas de grand rrealesa,
e con todo ello vengome a Seuilla
30 onde lo vendo a grand marauilla
e do grand presente al Rrey de Castilla,
e d'esta guisa llego desigual riquesa.

A poco de rrato non me pago d'esto
e fagome pobre que va por el mundo,
35 e luego de cabo sobre al me fundo
en ser hermitaño, santo muy honesto;
en estas comedias muere el Padre Santo
e mi fama santa alla suena tanto,
que los cardenales me cubren el manto
40 e me crian papa con alegre gesto [5].

Ffeme fecho conde [6], vome para Françia,
donde bastesco justas e torneo,

32 *guisa:* manera   40 *crían:* nombran
32 *llego:* reúno   41 *Ffeme:* heme
35 *al:* otra cosa   42 *bastesco:* concurro
37 *comedias:* intervalo

[5] *El pobre, el ermitaño y el papa* (vv. 33-40). Y luego hay que pasar al polo opuesto en el balanceo, tan acelerado, de la ensoñación: ¿por qué no soñar con ser pobre o ermitaño, si ese es el mejor camino para la salvación del alma, lejos de riquezas y de honores mundanos? Pero pasando esta vez al otro extremo, el poder espiritual apetece tanto como la riqueza, y el papa es el signo más alto soñable.

[6] *el conde* (vv. 41-48). La apetencia caballeresca esta otra vez le inclina luego a soñar con ser conde. Juan Manuel había escrito que hay condes «que son más ricos y más poderosos que algunos duques y aun que algunos reyes» (Juan Manuel, *Libro de los Estados,* en *Obras Completas* [Madrid, Gredos, 1981], I, cap. LXXXVIII, pág. 384). De estos condes quisiera ser nuestro poeta. Pero hay algo curioso en la referencia, y es que la estrofa en la que dice esto es un resumen del contenido de la *Crónica de don Pero Niño, conde de Buelna,* llamada *El Victorial,* escrita por Gutierre Díez de Games, terminada probablemente en 1448 y publicada por Juan de Mata Carriazo, Madrid, Espasa-Calpe, 1940. En efecto, el conde de Buelna fue a Francia, donde acudió a justas y torneos, y luchó contra *paganos* (o sea moros) en Túnez, y pasó a Inglaterra combatiendo en muchas partes y acabando siempre vencedor en las lides. Esto quiere decir que el ideal de una vida caballeresca, establecida en medida análoga de este caso real, es un sueño para el poeta, pero realizable a la medida humana.

e do grandes golpes como filisteo;
al que se m'anpara dol mala ganançia
45 e assi comienço muy esquiua guerra
contra los paganos por mar e por tierra,
e non se me detiene valle nin sierra;
a todos los vençe la mi buena andança.

Ya non me pago de aquesta conquista
50 e veome sabio en arte de estrellas;
las obras son tales que fago por ellas
de plomo fino oro, gentil alquimista;
so magico fino e grand lapidario [7]
e labrador noble con muy rrico almario,
e so en el monte muy bien heruolario,
55 e grand ballestero con aguda vista [8].

Assi llego a sser muy grand enperante
que me obedesçen muy muchos reys,
e fago decretos e fueros e leys
60 e todos los viçios a mi estan delante;
desi con flota de grandes nauios
traspaso la mar e todos los rrios,
e son so mi mano dies mill señorios
e ya nunca fue tan grand almirante [9].

44 *dol:* le doy	53 *almario:* hacienda
46 *paganos:* no cristianos	57 *emperante:* emperador
53 *lapidario:* joyero	60 *viçios:* abundancias

[7] *El sabio estrellero, alquimista y lapidario* (vv. 49-53). La ciencia medieval era práctica cuando se aplicaba al conocimiento de las estrellas, la alquimia y las piedras; y esto estaba en el límite de la magia, cierto que científica y permisible si se reducía a sus límites ortodoxos. Era el poder que daba el dominio de la naturaleza, la gloria del sabio en peligro de introducirse en los terrenos vedados del conocimiento superior, y a veces maldito.

[8] *El labrador, herbolario y ballestero* (vv. 54-56). Luego el poeta se siente fascinado por la posesión de la tierra, que otorga una peculiar nobleza si va acompañada por los haberes monetarios; y esto se complementa con el conocimiento de las hierbas y el arte de la caza. En este caso la riqueza que procede de la tierra, en donde están los remefios de la herboristería y el placer de la caza, es el fundamento del poder económico, paralelo al del comercio.

[9] *El emperador y el almirante* (vv. 57-64). Y después la grandeza del

65   Assi, mi amigo, andando pensoso
        veome valiente con fuerça sin guisa,
        ligero atanto que mi pie non pisa;
        lindo fidalgo[10], garrido e donoso,
        todas las donsellas me dan sus amores,
70   mejor les paresco que mayo con flores;
        en esto traspuesto priuanme dolores
        e fallome triste, doliente, cuytoso.

EDICIÓN: Según el *Cancionero de Juan Alfonso de Baena*, n.º 342, ed. cit. de J. M. Azáceta, págs. 775-778.

COMENTARIO: Seguimos dentro del uso de la copla de arte mayor, como la de la precedente poesía; en esta hallamos la forma genérica de la «pregunta», de la clase llamada por J. J. Labrador «tensonada»; el autor, Pedro González de Uceda pregunta a su amigo Juan Sánchez de Vivanco sobre las cuestiones que antes indicamos. Gracias al aparato retórico de la «pregunta»[11], en el epígrafe preliminar que acompaña a cada una, tanto el que escribe como el que ha de recibir la poesía quedan identificados con el nombre y la familia a que pertenecen. La «pregunta» así es como una carta que pide información sobre algunos asuntos, y, por tanto, espera la contestación para quedar completo el ciclo poético[12].

65 *pensoso:* imaginativo   71 *priuanme:* me producen
66 *guisa:* medida   72 *cuytoso:* afligido
71 *traspuesto:* vuelto en sí

---

poder político, que procede de las leyes y de la abundancia de los medios, sobre todo los marítimos. El poeta, por algún motivo, siente la atracción del mar, y por eso sueña con lo que pudiera hacerse logrando la supremacía naval. ¿No sería Colón, un hombre mediterráneo, soñador como nuestro poeta, el que quiso ser el más importante de los almirantes de España?

[10] *El galán* (vv. 65-70). Y el sueño acaba con lo que más conviene a la lírica del *Cancionero:* el galán al que se rinden las doncellas porque es como un «mayo con flores». ¡Si lo dijera alguna mujer! Pero es el poeta el que recibe el homenaje femenino, y con ello pone otra nota de burla en la pieza o al menos de diversión; es un caso propio de un mundo al revés, en el que el galán se deja querer por las doncellas.

[11] José J. Labrador en su libro *Poesía medieval dialogada. La «pregunta» en el «Cancionero de Baena»,* Madrid, Maisal, 1974, estudia este grupo genérico y transcribe esta poesía en las págs. 157-159.

[12] Es una lástima que en este caso nos falte la respuesta, pues hubiésemos sabido algo más del caso planteado.

El autor es uno de los muchos del *Cancionero,* y sólo figuran en él tres poesías suyas[13], poco en relación con otros. En esta se sitúa en un dominio muy transitado en la literatura medieval: el del sueño y su aprovechamiento literario. Lo común era que el sueño fuese objeto de una interpretación alegórica, tan propia de las grandes obras medievales como el *Roman de la Rose,* la *Divina Comedia,* Chaucer, etc. (vía Platón, Cicerón, Macrobio, etc.); de esta especie, en nuestra literatura tenemos «El Sueño» del Marqués de Santillana, del que escogemos este fragmento característico:

> En aquel sueño me vía
> un día claro, lumbroso,
> en un vergel espacioso
> reposar con alegría...[14]

La poesía de González de Uceda es menos elevada que el delicado artificio del Marqués y queda más al ras del suelo, en el plano de la vida cotidiana. Tampoco participa del sentido admonitorio del sueño como medio de aviso frente al pecado, que procede de la Biblia. El sueño no es un enigma o una figuración, sino el testimonio de los deseos formulados sin el límite de la razón. Las grandes figuras alegóricas, prestigiadas por la tradición literaria, ceden en esta poesía el paso a lo que son evocaciones de la vida real, convertidas en sueño por una oculta voluntad de acción en la que se intuye lo que luego en los Siglos de Oro sería la inquietud cósmica del hombre español.

Examinados estos aspectos del sueño, la pregunta poética no parece hecha muy en serio. Los filósofos están para menesteres más altos que atender esta racha de sueños de González de Uceda, aunque la diversidad de las preguntas que formulaban los poetas era muy grande. Lo que cuenta el poeta resulta, como dijimos, cotidiano y su interpretación no requiere demasiada ciencia. No hay enigma en ello, sino un reflejo de la organización social que se refracta en los estados que hemos señalado: viajero, maestro universitario, mercader, ermitaño, papa, conde, sabio mágico, labrador, emperador y galán. A través de esta sucesión caótica, cabe pensar en el aire burlesco de la pieza en la que se pretende reflejar un orden arbitrario para así interpretar la absurda sucesión de imágenes del sueño real. Por otra parte resulta que la poesía puede compararse en su organización con las Danzas de

---

[13] Además de la comentada aquí, en el *Cancionero* hay otras dos poesías suyas: «Vi estar, fermosa vista...» (núm. 343) o «Deçir de las colores», y «Rosa de gran fermosura...» (núm. 344) o «Gozos de la Virgen».

[14] Marqués de Santillana, *Poesías completas,* Madrid, Castalia, 1975, I, pág. 176; es la poesía que comienza «Oigan, oigan los mortales...».

la muerte por su exhibición de las clases sociales, sólo que aquí la danza, aunque en el sueño, es de vida, al menos lo es de proyectos vitales. La gran imaginería poética latina, italiana, castellana y catalana sobre el sueño no entra en juego, pues la pieza sería escrita para ser considerada desde una perspectiva lúdica. Hay que reír (o al menos sonreír) ante lo que se cuenta en las trovas comentadas, pues el poeta queriendo ser en los sueños tanto, luego, cuando despierta, se siente cansado, dolido y lleno de cuidados. Y es que ha de comenzar otra vez la vida común, acaso limitada a un círculo reducido. Ante nuestra consideración, y aun contando con que el poeta declara partir del *somnium corporis* que desata las imágenes del sueño de una manera dirigida por la conciencia del poeta, la pieza es como la secreta confesión de un escritor —un hombre cualquiera en su tiempo— ansioso de actividad, abierto a la atracción del mundo, que deja de lado la tradición y se vuelca en la modernidad de su época convirtiéndola en esta materia poética, de orden enteramente civil y anunciadora de novedades [15].

c) JUAN DE MENA, *LABERINTO DE FORTUNA* (1444)

El *Laberinto de Fortuna* sirve como ejemplo del uso de la estrofa de arte mayor empleada en poemas de gran extensión; tiene 297 estrofas en la versión general. Su desarrollo se articula según el patrón de la figura retórica del apóstrofe que el poeta cordobés Juan de Mena (1411-1456) dirige al Rey don Juan II para que con «fuerça, coratge, valor e prudencia» (est. 297, d) logre de los moros victoria, y conjuntamente reverencia de sus súbditos. Elegimos los fragmentos siguientes:

a') LAS TRES RUEDAS DE LA FORTUNA

El poeta, quejoso de Fortuna, encuentra a Providencia que accede a mostrarle la casa de aquella; después de contemplar el universo, Providencia lo saca del embebecimiento que el espectáculo le ha producido. El poeta escribe en primera persona:

---

[15] Para más datos, véase Francisco López Estrada, «Los desvelos soñolientos del poeta Pedro González de Uceda *(Cancionero de Baena,* 342), en *Estudios. Homenaje al profesor Alfonso Sánchez Sáez,* Granada, Universidad, 1989, págs. 645-653; allí figura el texto modernizado.

56   Bolviendo los ojos a do me mandava,
vi más adentro muy grandes tres ruedas:
las dos eran firmes, inmotas e quedas
mas la de en medio boltar non çesava;
e vi que debajo de todas estava
caída por tierra gente infinita
que avia en la fruente cada qual escripta
el nombre e la suerte por donde passava;

PREGUNTA EL AUCTOR A LA PROVIDENÇIA

57   aunque la una que no se movía,
la gente que en ella havía de ser
e la que debaxo esperava caer
con túrbido velo su mote cubría.
Yo que de aquesto muy poco sentía
fiz de mi dubda complida palabra,
a mi guiadora [1] rogando que abra
esta figura que non entendía.

RESPUESTA

58   La qual me respuso: «Saber te conviene
que de tres edades que quiero dezir:
passadas, presentes e de por venir;
ocupa su rueda cada qual e tiene:
las dos que son quedas, la una contiene
la gente passada e la otra futura;

56c *inmotas:* inmóviles
56d *boltar:* dar vueltas

56g *fruente:* frente
57d *mote:* nombre

---

[1] *La guiadora* es la Providencia que se le había aparecido en forma de
«una donzella tan mucho fermosa» (est. 20, f) y que le iba enseñando lo
que cuenta en su recorrido por la casa de la Fortuna; el procedimiento
viene del alegorismo de Dante.

la que se vuelve en el medio procura
la que en el siglo presente detiene.

PROSIGUE LA PROVIDENÇIA

59   Así que conosce tú que la terçera
contiene las formas e las simulacras
de muchas personas profanas e sacras,
de gente que al mundo será venidera
e por ende cubierta de tal velo era
su faç, aunque formas tú viesses de hombres,
por que sus vidas nin sus nombres
saberse por seso mortal non podiera.

RAZÓN DE LA PROVIDENÇIA PORQUE LOS OMBRES
NO PUEDEN SABER LO POR VENIR

60   »El umano seso se çiega e óprime
en las baxas artes que le da Minerva;
pues vee qué faría en las que reserva
aquel que los fuegos corruscos esgrime [2].
Por eso ninguno non piense ni estime
prestigiando poder ser sçiente
de lo conçebido en la divina mente,
por mucho que en ello trasçenda ni rime.

EDICIÓN: Según la versión de Louise Vasvari Fainberg, *Juan de Mena, Laberinto de Fortuna,* Madrid, Alhambra, 1976, págs. 107-109,

58g *procura:* atiende
59b *simulacras:* apariencias
59e *por ende:* por ello
59f *faç:* cara
59h *seso:* pensamiento
60a *oprime:* abate

60d *corruscos:* relampagueantes
60f *prestigiando:* presagiando
60f *sçiente:* conocedor
60h *transçende:* penetre
60h *rime:* escudriñe

[2] Se refiere a Júpiter, que lanza rayos; si Minerva (la diosa de la Sabiduría) ciega el pensamiento con sus artes, qué sería se supiese lo que pretende la más alta deidad, Júpiter.

ests. 56-60. Sigue el ms. P de la Bibliothèque Nationale de París, fechado entre 1444 y 1450, conservando el aspecto de las grafías con la regularización de u/v e i/y según sean vocales o consonantes. Acentuación y puntuación actuales.

COMENTARIO: Es uno de los trozos más conocidos del poema: la alegoría de las tres ruedas era comunísima y frecuente en la pintura para representar las mudanzas de la Fortuna, o sea (se dirige a Fortuna), los «estados de gentes que giras e trocas» (est. 2, b). El *Laberinto* es una sucesión de casos que el poeta puede percibir como en trance profético, referidos a la rueda que voltea a las gentes nobles; la del pasado es historia y la del futuro representa la premonición que sólo es accesible a Dios. Cada rueda de las accesibles está dividida en siete círculos, representación de los planetas. Para el trozo siguiente elijo el círculo de Marte, donde se encuentra la Fortaleza.

b') BATALLA DE LA HIGUERUELA CON LA VICTORIA DE JUAN II CONTRA EL REY DE GRANADA (1431) [3]

DE LA VEGA DE GRANADA

148   Con dos quarentenas e más de millares
le vimos de gentes armadas a punto,
sin otro más pueblo inherme allí junto,
entrar por la vega talando olivares,
tomando castillos, ganando lugares,
faziendo por miedo de tanta mesnada
con toda su tierra temblar a Granada,
temblar las arenas fondón de los mares.

149   Mucha morisma vi descabeçada
que más que reclusa detrás de su muro
nin que gososa de tiempo seguro
quiso la muerte por saña d'espada;

148c *inherme:* desarmado   148h *fondón:* profundidad
148f *mesnada:* ejército   149b *reclusa:* encerrada

---

[3] Al rey Juan II; estamos en la quinta orden, correspondiente a Marte. Allí en la silla están labrados los hechos de los Reyes de España, y después de los reyes pasados se refiere al rey presente, y ocurre una *visión* (est. 148, 9, y 149, a) de la vega de Granada y el encuentro que allí ocurre.

e mucha más otra por pieças tajada
quiere su muerte tomarla más tarde;
fuyendo non fuye la muerte covarde,
que más a los viles es siempre llegada.

COMPARAÇIÓN

150   Como en Çeçilia resuena Tifeo [4],
        o las ferrerías de los milaneses,
        o como guardavan los sus entremeses
        las sacerdotiças del tiemplo lïeo,
        tal vi la buelta d'aqueste torneo;
        en tantas de bozes prorrompe la gente
        que non entendía sinon solamente
        el nombre del fijo del buen Zebedeo [5].

151   E vimos la sombra d'aquella figuera
        donde a desoras se vido criado
        de muertos e pieças un nuevo collado,
        tan grande que sobra razón su manera;
        e como en arena do momia se espera,
        súbito viento levanta grand cumbre,
        así del otero de tal muchedumbre
        se espanta quien antes ninguno non viera.

RECOMIENDA LA GUERRA CON MOROS

152   ¡O virtüosa, magnífica guerra!
        En ti las querellas bolverse devían,

150b *ferrerías:* armerías
150c *guardavan:* otra lección: gridavan
150c *entremeses:* fiestas
150d *lieo:* de Baco

150e *torneo:* encuentro
151b *a desoras:* repentinamente
151d *sobra:* supera
152a *virtuosa:* poderosa

---

[4] Tifeo, uno de los gigantes que se rebelaron contra los dioses, representación de la fuerza de los volcanes.
[5] Es Santiago, grito de guerra de los castellanos, como en el *Poema del Cid,* v. 731.

en ti do los nuestros muriendo bivían,
por gloria en los çielos y fama en la tierra,
en ti do la lança cruel nunca yerra
nin teme la sangre verter de parientes;
revoca concordes a ti nuestras gentes
de tales quistiones y tanta desferra.

153   Non convenía por obra tan luenga
fazer esta guerra, mas ser ella fecha,
aunque quien viene a la vía derecha
non viene tarde, por tarde que venga.
Pues non se dilate ya más nin detenga,
mas ayan enbidia de nuestra victoria
los reynos vezinos, e non tomen gloria
de nuestra discordia mayor que convenga.

EDICIÓN: Juan de Mena, *Laberinto de Fortuna,* Madrid, Cátedra, 1982, edición de John G. Cummins; basada también en el manuscrito de la Bibliothèque Nationale de París, transcribe el texto de manera que se reflejan en la presentación gráfica las exigencias acentuales del verso de arte mayor. Con este fin aprovecha las normas de acentuación modernas en los casos en que coincide con el ritmo del arte mayor; y en los que no, imprime en cursiva la vocal que exige acento según el metro, sea en palabras polisílabas, átonas o en casos en que se produce alguna divergencia con el acento normal medio, con el objeto de «que el lector perciba con mayor facilidad el ritmo que Mena llevaba en la cabeza al escribir cada verso» *(Idem,* pág. 45).

COMENTARIO: El poeta ha descrito lo que vio en el círculo de Marte; ha considerado a los antiguos, y después de afirmar que Juan II está por encima de todos, sentado en una «silla de imaginería» donde figuran sus predecesores, los reyes de Castilla, cuenta la situación del presente, y se extiende con el relato de la batalla de la Higueruela, hasta concluir en dos estrofas que tienen un trasfondo jurídico: se trata de distinguir entre las guerras justas, que el Derecho admite como lícitas, y las injustas, que no lo son. Entre las primeras sitúa Mena la guerra contra los moros, y entre las segundas las guerras de los grupos políticos que alteraban la paz en el Reino de Castilla. El interés de estas estrofas consiste en que un hecho cercano a la redacción del poema también puede integrarse en el Poema, pero

152g *revoca:* reclama   153a *luenga:* larga
152h *desferra:* discordia

ha de hacerse de forma que adquiera el tono conveniente al conjunto. El poeta relata la batalla que se dio cerca de Granada entre Juan II y el Rey de Granada en la vega de la capital nazarí en 1431; Mena eleva las cifras del hecho y describe el encuentro. El mismo suceso se cantó en el Romancero en la joya poética del romance de Abenámar, el moro de la morería que enseña a Juan II la maravilla de la deseada pero aún inaccesible Granada. El sentido poético de la frontera, con su abigarrado encuentro entre los caballeros cristianos y moros (muchas veces mencionados con sus nombres) se transforma aquí en este choque violento y mortal entre los ejércitos en una altisonante descripción de la batalla que el poeta cuenta en la primera persona verbal (149a), en una «visión». La conclusión es que la guerra contra el moro, el enemigo secular del cristianismo, llevada entonces por el Reino de Castilla, podía encauzar la solución de los problemas internos del Reino encaminando así la rebelde política de los nobles hacia un objetivo común, lejos de las disensiones internas; desde esa perspectiva no hay caso para la convivencia con el moro y su comprensión política y humana que denotan algunos episodios del Romancero: Mena escribe como un letrado que busca soluciones políticas eficientes. No percibe el espíritu de la frontera que había sido durante siglos un elemento de la cultura de los españoles, ni tampoco hay caso personal como en el Romancero, sino que el suceso se sitúa en el desconcierto político de la época con el fin de lograr la concordia. Y la solución que él propone es civil, que puede entenderse como la del humanista partidario de la paz frente al noble pendenciero y rebelde: hay que acabar con las *querellas* interiores (est. 152, b), con *nuestra discordia* (est. 153, h).

Lucano había escrito en la *Farsalia:* «¿Hasta dónde llegaría el poder de los romanos si sólo se hubiesen ocupado en las guerras exteriores en vez de perder sus energías en las civiles?» (I, 12-14). De ahí que, por este motivo de orden interior, la guerra contra los moros llegue a calificarse de *santa* (est. 197, g), en correspondencia con los adjetivos de *virtuosa* y *magnífica* (est. 152, a).

La consideración humanística en que se sitúa el suceso aparece en el alarde estilístico con que el poeta manifiesta el dominio de la expresión [6]. Mena, como Góngora, no es tan difícil de entender como

---

[6] La situación de encrucijada en donde se radica la obra de Mena convierten a este autor en el ejemplo de los escritores prerrenacentistas, como se indica en el libro de María Rosa Lida de Malkiel, *Juan de Mena, poeta del Prerrenacimiento español,* México, El Colegio de México, 1950; sin embargo, el uso de la Antigüedad que aparece en su obra es aún de naturaleza medieval, como estudia Arnold G. Reichenberger, «Classical Antiquity in some Poems of Juan de Mena», en los *Studia hispanica in honorem R. Lapesa,* Madrid, Gredos, 1975, III, págs. 405-418.

parece. Por una parte, se encuentra el léxico: arcaico unas veces *(mesnada,* est. 148, f; *fondon,* est. 148, h; lo más hondo del mar; *gridavan,* est. 150, c); cultista otras *(inherme,* 148, c; *reclusa,* 149, b; *entremeses,* 150, c; en el sentido de 'fiestas'; *saçerdotisas,* 150, d; *tiempo lieo,* 150, d, de Liaeus, nombre de Baco; *súbito,* 151, f; *querella,* 152, b; *concordes,* 152, g; *dilatar,* 153, e; *discordia,* 153, h); también procedente del lenguaje de las ceremonias cortesanas *(magnífico,* 152, a; *torneo,* 150, e); un arabismo científico con la imagen oriental del desierto *(arena de momia,* 151, e); un occidentalismo, procedente del catalán *desferra* (152, h,en el sentido de «despojo, botín»). Esta amplitud en la procedencia del léxico da la impresión en el oyente de una gran riqueza verbal, correspondiente a los propósitos de la «maestría mayor» que permite igualar en méritos poéticos una obra de estas condiciones con las de la literatura latina. Esto hace que la poesía elevada, apartándose del habla común y reforzando el léxico y la sintaxis con estos recursos, acabe por crear una «lengua poética», como ocurriría después con Góngora.

Este léxico, organizado en una morfosintaxis conveniente a tales propósitos, se acomoda al curso rítmico de la estrofa de arte mayor, que obtiene en el *Laberinto* una de sus mejores manifestaciones de conjunto. Su extensión y la variedad del contenido hacen que la copla de arte mayor muestre la flexibilidad de su desarrollo, contando con la disciplina que impone un módulo métrico tan estricto. Como dijimos en la parte de la métrica, cada estrofa constituye una unidad, con diferentes divisiones interiores; ejemplos, la est. 148, desarrollo en 8 versos; est. 150, 5 + 3; est. 151, 4 + 4; est. 152, 6 + 2; est. 153, 4 + 4. Dentro de estas divisiones domina la esticomitia (en cada verso hay una entidad sintáctica con entonación unitaria), y esto asegura el ritmo del verso, según una variedad de hemistiquios que señalamos antes en el comentario del decir de Francisco Imperial.

El contenido de las estrofas se halla manifestado con una cuidada organización retórica: así las estrofas 148-151 relatan la batalla de la Higueruela y las números 152-153 glosan su significación en la política interior de Juan II. La narración directa de las ests. 148-149 (salvo la glosa sobre la cobardía, 149, g, h) se ve interrumpida por la comparación, claramente señalada en cabeza de estrofa 150, en la que contribuyen: *a)* la mitología (referencia al gigante Tifeo en Sicilia, est. 150, a); *b)* las costumbres de la antigüedad (las sacerdotisas bacantes, est. 150, c, d), y *c)* el estruendo de los herreros milaneses (est. 150, b, o sea, una nota de modernidad). Se prefiere la perífrasis para designar a Santiago (est. 150, h). La est. 152 es un apóstrofe a la guerra, establecido sobre un desarrollo oratorio: la exclamación inicial (est. 152, a), seguida de la anáfora *en ti* (vv. b, c y e) que sostiene la exposición, hasta llegar a la conclusión final (vv. g y h). En esta parte hay dos versos bipartitos con miembros paralelos:

269

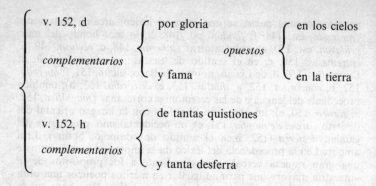

$$
\left\{
\begin{array}{l}
\text{v. 152, d} \\[2ex]
\textit{complementarios}
\end{array}
\right.
\left\{
\begin{array}{l}
\text{por gloria} \\[1ex]
\qquad\qquad\textit{opuestos} \\[1ex]
\text{y fama}
\end{array}
\right.
\left\{
\begin{array}{l}
\text{en los cielos} \\[2ex]
\text{en la tierra}
\end{array}
\right.
$$

$$
\left\{
\begin{array}{l}
\text{v. 152, h} \\[2ex]
\textit{complementarios}
\end{array}
\right.
\left\{
\begin{array}{l}
\text{de tantas quistiones} \\[2ex]
\text{y tanta desferra}
\end{array}
\right.
$$

La elaboración retórica es manifiesta y, contando con ella por parte del oyente-lector, Mena verifica una exposición artística de alto grado que en este caso se ha aplicado no a una materia antigua o histórica, sino a un suceso relativamente cercano a la redacción de la obra.

D) LA *DANZA GENERAL DE LA MUERTE*

Las danzas de la muerte obtuvieron expresión en numerosas formas poéticas; a veces la Muerte como personaje se integraba en otras obras (como se comentó al referirnos a las *Coplas* de Jorge Manrique). En la literatura castellana encontramos una manifestación de estas danzas en el metro del arte mayor, tal como corresponde al siglo XV. El esquema general de estos poemas consiste en que la Muerte invita a danzar —esto es, a morir— con ella a representantes de las distintas clases sociales; esto es ocasión para examinar lo que cada uno de ellos hizo en su vida y así se revelan los vicios más comunes en cada caso. La *Danza general de la muerte,* objeto de nuestro examen, es una obra de la primera mitad del siglo XV que nos ofrece una constitución mixta en cuanto a su formulación poética. Pertenece por su forma a la poesía de arte mayor y, por tanto, es obra de condición elevada y noble, si bien la adjetivación de *general* que lleva implica la extensión de su contenido en cuanto a los personajes mencionados y el público. Domina en ella el tono admonitorio y sirve de aviso, de efectos semejantes al sermón, destinado a que cualquier oyente o lector prevea qué contestaría en una situación semejante. Al mismo tiempo posee una andadura de carácter dramático, pues la exposición se establece a través de lo que dice sucesivamente cada uno de los representantes a la Muerte que siempre está «en escena» dominando el diálogo, pues ella es la que contesta a las alegaciones de cada uno con un juicio que descubre la verdad radical que ha de valer en el juicio inmediato. Esta concepción dramática crea un movimiento ceremonioso, a manera de baile de parejas que es lo que da el nombre de *danza* a este grupo, tal como se declara en la obra y cuyo ritmo se impone en el conjunto de la obra. De esta manera la obra pudo comunicarse al público de las dos formas: como lectura pública a manera de sermón o ampliando las posibilidades dramáticas de la obra con el uso de varias voces hasta una posible representación del texto en una fiesta. Al mismo tiempo, el asunto resultó propicio para que artistas, pintores y grabadores ilustrasen las páginas de las danzas de una manera gráfica.

La compleja peculiaridad artística de estas *Danzas* hizo que por medio de ellas el poeta pudiera denunciar los vicios de cada representación social; como su indicación era genérica —*el* papa, *el* emperador, *el* rey, etc.—, nadie podía sentirse indicado en cada caso. La lección resultaba válida para todos y la libertad de que dispuso el poeta —a la vez, predicador y jurista— refiriéndose a pecados y a delitos, para señalar las transgresiones morales, políticas y sociales, hizo que estas obras fuesen un documento importante para conocer la vida de la época a través de este juicio de la Muerte. En la voz del poeta se registra la queja de los que padecieron por las injusticias expuestas en cada caso.

1.   La Danza de la Muerte

PRÓLOGO EN LA TRASLADACIÓN

Aquí comiença la dança general, en la qual tracta cómo la muerte dize e avisa a todas las criaturas que paren mientes en la breviedad de su vida, e que della mayor cabdal non sea fecho que ella meresçe [...]
Començando dize ansí:

Dize la muerte

1   Yo so la muerte çierta a todas criaturas
que son y serán en el mundo durante[1].
Demando y digo: o omne, ¿por qué curas
de vida tan breve en punto passante?;
pues non ay tan fuerte nin rezio gigante
que deste mi arco se puede anparar,
conviene que mueras quando lo tirar
con esta mi frecha cruel traspassante.

2   ¿Qué locura es esta tan magnifiesta
que piensas tú, omne, que el otro morrá
e tú quedarás por ser bien conpuesta
la tu conplisión, e que durará?
Non eres çierto si en punto vernà
sobre ti a dessora alguna corrupçión
de landre o carbonco, e tal inplisión
por que el tu vil cuerpo se dessatará.

3   ¿O piensas por ser mançebo valiente,
o ninno de días, que aluenne estaré,
e fasta que liegues a viejo inpotente
la mi venida me detardaré?
Avísate bien que yo llegaré
a ti a desora, que non he cuidado
que tú seas mançebo o viejo cansado,
que qual te fallare, tal te levaré.

4   La plática muestra seer pura verdad
aquesto que digo, sin otra fallençia,
la Santa Escriptura, con çertenidad,
da sobre todo su firme sentençia

2b *morrá:* morirá   2g *implisión:* hinchazón
2e *vernà:* vendrá   3b *aluenne:* lejos
2g *landre:* buba   4b *fallencia:* error
2g *carbonco:* ántrax

---

[1] Uso del participio de presente activo, frecuente en el siglo xv como signo de latinismo: 'mientras dure'; v. d.: *pasante.*

a todos diziendo: «fazed penitençia,
que a morir avedes non sabedes quándo»[2];
si non, ved[3] el fraire que está pedricando,
mirad lo que dize de su grand sabiençia.

Dize el pedricador

5   Sennores honrrados, la Santa Escriptura
demuestra e dize que todo omne nasçido [nado]
gostará la muerte, maguer sea dura,
ca traxo al mundo un solo bocado;
ca papa o rey o obispo sagrado,
cardenal o duque, e conde exçelente,
el enperador con toda su gente
que son en el mundo, de morir han forçado.

Bueno e sano consejo

6   Sennores, punad en fazer buenas obras,
non vos fiedes en altos estados,
que non vos valdrán thesoros nin doblas
a la muerte que tiene sus lazos parados.
Gemid vuestras culpas, dezid los pecados
en quanto podades, con satisfaçión,
si aver queredes conplido perdón
de Aquel que perdona los yerros pasados.

7   Fazed lo que digo non vos detardedes
que ya la muerte encomiença a hordenar

5c *maguer:* aunque   6d *parados:* preparados
6a *punad:* pugnad

---

[2] Recoge varias advertencias de esta naturaleza, como la siguiente:
«Velad, pues, porque no sabéis cuándo llegará vuestro Señor»; «Por eso
vosotros habéis de estar preparados, porque a la hora que menos penséis
puede venir el Hijo del hombre» (Ev. San Mateo, 25, 42 y 44).
[3] *Ved, mirad* son indicativos de la condición dramática implícita en
estas obras, completados por el vocativo *Sennores honrados* (5, a) referido
a los oyentes.

una dança esquiva, de que non podedes
por cosa ninguna que sea escapar;
a la cual dize que quiere levar
a todos nosotros, lançando sus redes.
Abrid las orejas, que agora oiredes
de su charanbela un triste cantar.

Dize la muerte

8   A la dança mortal venit los nasçidos
que en el mundo soes de qualquiera estado;
el que non quisiere, a fuerça e amidos
fazer le he venir muy toste priado.
Pues que ya el fraire vos ha predicado
que todos vayaes a fazer penitençia,
el que non quisiere poner diligençia
[por mí] non puede ser más esperado. [...]

Dize el Padre Santo

12   ¡Ay de mí triste, qué cosa tan fuerte
a [mí] que tractava tan grand perlazía!
¡aver de pasar agora la muerte
e non me valer lo que dar solía!
Benefiçios e honrras e grand sennoría
tove en el mundo pensando vevir;
pues de ti, muerte, non puedo fuir,
¡Valme Jhesu Cristo, e tú, Virgen María!

Dize la muerte

13   Non vos enojedes, sennor Padre Santo,
de andar en mi dança que tengo ordenada.

7h *charanbela:* chirimía   8d *priado:* rápido
8c *amidos:* de mala gana   12b *perlazía:* grupo de prelados
8d *toste:* aprisa

Non vos valdrá el bermejo manto:
de lo que feziste abredes soldada.
Non vos aprovecha echar la cruzada,
proveer de obispados nin dar benefiçios;
aquí moriredes sin fer más bolliçios.
¡Dançad, inperante, con cara pagada!

Dize el enperador

14   ¿Qué cosa es esta que atán sin pavor
me lleva a su dança, a fuerça, sin grado?
Creo que es la muerte, que non ha dolor
de omne que sea, grande o cuitado.
¿Non ay ningund rey nin duque esforçado
que della me pueda agora defender?
¡Acorredme todos! Mas non puede ser,
que ya tengo della todo el seso turbado.

Dize la muerte

15   Enperador muy grande, en el mundo potente,
non vos cuitedes, ca non es tienpo tal
que librar vos pueda inperio nin gente,
oro nin plata, nin otro metal.
Aquí perderedes el vuestro cabdal
que athesoraste con grand tiranía
faziendo batallas de noche e de día.
Morid, non curedes. ¡Venga el cardenal! [...]

Dize el cavallero

30   A mí non paresçe ser cosa guisada
que dexe mis armas e vaya dançar
a tal dança negra, de llanto poblada,
que contra los bivos quesiste hordenar.

13d *soldada:* pago   13h *pagada:* sometida

Segunt estas nuevas conviene dexar
merçedes e tierras que gané del rey;
pero, a la fin, sin dubda non sey
quál es la carrera que avré de levar.

Dize la muerte

31   Cavallero noble, ardit e ligero,
fazed buen senblante en vuestra persona.
Non es aquí tienpo de contar dinero;
oid mi cançión por qué modo ca[n]tona.
Aquí vos faré correr la athaona,
e después veredes cómo ponen freno
a los de la vanda que roban lo ageno.
¡Dançad, abad gordo, con vuestra corona!

Dize el abad

32   Maguer provechoso so a los relijosos,
de tal dança, amigos, yo non me contento;
en mi çelda avía manjares sabrosos,
de ir non curava comer a convento.
Dar me hedes signado como non consiento
de andar en ella, ca he grand resçelo,
e si tengo tienpo, provoco e apelo;
mas non puede ser, que ya desatiento.

Dize la muerte

33   Don abad bendicto, folgado, viçioso,
que poco curastes de vestir çeliçio,
abraçadme agora: seredes mi esposo,
pues que deseastes plazeres e viçios.
Ca yo so bien presta a vuestro serviçio,

31d *cantona:* se ladea   32a *maguer:* aunque
31e *athaona:* muela de molino   33a *vicioso:* bien provisto

avedme por vuestra, quitad de vos sanna,
ca mucho me plaze [con] vuestra conpanna.
E vos, escudero, venit al ofiçio. [...]

Dize el mercadero

38 ¿A quien dexaré todas mis riquezas
e mercadurías que traigo en la mar?
Con muchos traspasos e más sotilezas
gané lo que tengo en cada lugar.
Agora la muerte vínome llamar.
¿Qué será de mí? Non sé qué me faga.
¡O muerte, tu sierra a mí es grand plaga!
Adiós, mercaderos, que voyme a finar.

Dize la muerte

39 De oy más non curedes de pasar en Flandes;
estad aquí quedo e iredes ver
la tienda que traigo de buvas y landres:
de gracia las do, non las quiero vender.
Una sola dellas vos fará caer
de palmas en tierra, dentro en mi botica,
e en ella entraredes maguer sea chica.
E vos, arçediano, venit al tanner. [...]

Dize el labrador

50 ¿Cómo conviene dançar al villano
que nunca la mano sacó de la reja?
Busca, si te plaze, quien dançe liviano;
déxame, muerte, con otro trebeja,
ca yo como toçino e a vezes oveja,
e es mi oficio trabajo e afán

38g *plaga:* llaga   50b *reja:* la del arado

277

arando las tierras para senbrar pan;
por ende non curo de oir tu conseja.

Dize la muerte

51   Si buestro trabajo fue sienpre sin arte,
non faziendo surco en la tierra agena,
en la gloria eternal avredes grand parte,
e por el contrario sufriredes pena.
Pero, con todo eso, poned la melena [4],
allegadvos a mí: yo vos uniré;
lo que a otros fize, a vos lo faré.
E vos, monje negro, tomad buen estrena. [...]

Dize el rabí

72   ¡O Elohim [5] e Dios de Habrahán,
que prometiste la redenpçión!
Non sé qué me faga con tan grand afán:
mándanme que dançe, non entiendo el son.
Non ha omne en el mundo, de quantos y son,
que pueda fuir de su mandamiento.
Valedme, dayanes [6], que mi entendimiento
se pierde del todo con grand afliçión.

51h *h: estrena:* regalo de augures
72e *y:* allí

---

[4] Desarrolla una imagen propia del labrador: *melena* es la almohadilla
o piel que se pone en la cabeza del buey para que no le lastime el yugo.
Significa que ponga la melena a los bueyes para prepararlos para el
trabajo. Luego personaliza la imagen al decir: *yo vos uniré* en el sentido de
'yo os unciré' a la danza de la muerte.
[5] *Eloim:* Eloim, junto a *Dios de Habrahán,* es fórmula semejante a
«Domine Deus domini mei Abrahan» *(Génesis,* 24, 12); la ed. Sevilla (a
través de copia) trae *Dío,* en singular, a la manera de los judíos. Agradecemos a la prof. María Jesús Vigueras su ayuda en la identificación de este
léxico.
[6] *dayán:* juez, defensor en las causas de las leyes rabínicas, así citado
en la *Danza de la muerte;* por eso es mejor lección la del texto de Sevilla:
Valedme, *dayanes.*

278

Dize la muerte

73   Don rabí barbudo, que sienpre estudiastes
en el Talmud e en los sus doctores,
e de la verdad jamás non curastes,
por lo cual avredes penas e dolores.
Llegadvos acá con los dançadores,
e diredes por canto vuestra berahá [7]:
dar vos han posada con rabí Açá [8].
Venit, alfaquí [9], dexad los sabores [10].

Dize el alfaquí

74   ¡Sí Alahá [11] me vala! Es fuerte cosa
esto que me mandas agora fazer;
yo tengo muger discreta, graçiosa,
de que he gazajado e assás plazer.
Todo quanto tengo quiero perder,
déxame con ella solamente estar;
de que fuere viejo, mándame levar
e a ella conmigo, si a ti pluguier.

---

[7] *berahá: baraha* en el texto de Sevilla. Aparece así mencionado este término en el *Tesoro* de Covarrubias (s. v. *barahá): «*En Toledo se canta una chançoneta al modo judayco, burlando desta perversa nación, que todas las coplillas acaban "y la baharál", la qual palabra vale tanto como bendición, oración, deprecación a Dios.» Y acaba: «vale *benedicere et salutare».

[8] *Aça,* aplicado a *rabí:* seguramente un nombre propio (¿se trata de Yishaq ben Seset, 1326-h. 1408, célebre rabino aragonés, como propone Sola-Solé?).

[9] *alfaquí:* sabio, conocedor de la ley entre los moros. En la *Primera Crónica General* se propone la siguiente equivalencia: «e metiose en casa de vn alfaqui —que quiere dezir clérigo— que era omne onrrado...», ed. Menéndez Pidal, II, 580, a y b.

[10] *sabores: olores* en el texto sevillano. Puede entenderse: las cosas gratas, apetecibles, que se desean. J. M. Viguera nos propone leer *loores.*

[11] *Alahá:* aparece *Aláh* en el texto sevillano, *Alá* en la forma común castellana.

75   Venit vos, amigo, dexat el rallar [12],
ca el gamé [13] no pedricaredes;
a los veinte e siete [14] vuestro capellar [15]
nin vuestra camisa non la vestiredes;
en Meca nin en la ida [16] y non estaredes
comiendo bunnuelos en alegría.
Busque otro alfaquí vuestra morería.
Passad vos, santero, veré qué diredes. [...]

* * *

[De la edición Sevilla, 1520]

La rosquillera a la muerte

119   La muerte raviosa, mezquina, cuitada,
me quiere llevar en divina manzilla;
dexar no me quiere acabar la rosquilla
que para una boda tenia començada,
de pan rallado era bien abastada
¡perdóneme el alto Dios sin medida!
Mas veo la pena triste, dolorida,
que para siempre me está aparejada.

75e *y:* allí   120f *alfaxor:* rosquillas

---

[12] *rallar:* Palabra discutida; ¿por *zallá(r)*, azalá, oración mahometa-na?, ¿*rallar*, cat. hablar mucho o indiscretamente?

[13] *gamé:* Debe recomponerse la palabra: *gameno*, según Sola-Solé, que seria *gamenno* o *gameño* «infierno». Nos indica J. M. Viguera que también podría entenderse «el game no predicaredes» por *cami* (al-yami'), o sea, que no predicará más en el viernes, la fiesta semanal.

[14] *veinte e siete:* Se alude a la fiesta de la ascensión de Mahoma al cielo, celebrada el 27 del mes de Ragab, el séptimo del año musulmán.

[15] *capellar:* manto morisco que cubría y adornaba la cabeza.

[16] *ida:* en la *Danza de la muerte,* 75, e, el texto de Sevilla trae: «a coça ni layla no estaredes». Ante esta dificultad Sola-Solé propone *al-id* 'fiesta'; así se formaría *laída,* cualquier fiesta o la fiesta mayor, la peregrinación a la Meca.

120   Si sois algún tanto mal avisada,
venid a mi dança sin vos detener,
que yo so la muerte, que os haré conoscer
cómo traéis la gente engañada.
Nunca seréis con Dios colocada
echando el alfaxor con la mala miel.
Venid a mi dança, sin vos detener,
vos, don melcochero, a la dança ordenada. [...]

EDICIÓN: Según el libro, Anónimo, *Dança general de la muerte (siglo XV-1520),* ed. Víctor Infantes de Miguel, Madrid, Visor, 1982. El editor expone con estas palabras el criterio utilizado: «...he seguido fielmente el manuscrito de El Escorial [b-iv-21] transcribiéndolo de acuerdo con las normas de transcripción paleográfica; en consonancia con ellas respeto las peculiaridades del manuscrito y mantengo la ç, las consonantes dobles intermedias, las aglutinaciones, la ortografía, aunque sea defectuosa —v. gr., *b* por *v, h* no etimológica, etc.—. Se ha resuelto, sin embargo, la alternancia *u/v, i/y* conforme a su valor fonético y ortográfico actual y simplificado las iniciales dobles. Mayúsculas y minúsculas se emplean conforme a la ortografía moderna. Se ha revisado, asimismo, la puntuación» *(Ibid., pág. 15).*

Esta *Danza de la muerte* presenta graves problemas en la transmisión del texto; hemos elegido aquí una transcripción directa del manuscrito del siglo XV contando con estas dificultades. J. M. Sola-Solé cree que la obra sería adaptada y hasta cierto punto traducida de un original catalán o aragonés o, por lo menos, de un original de rasgos más aragoneses que la versión castellana, y la sitúa temprano, a fines del siglo XIV. En la parte del vocabulario recogemos las palabras más difíciles, sobre todo en relación con la parte que se refiere a la lengua judía y al árabe[17].

COMENTARIO: La forma métrica es la copla de arte mayor, ya mencionada, el molde común de las poesías de este apartado. En este caso la expresión es sencilla, con el empleo del ornato fácil, pues domina, como indiqué, la condición del sermón, y también participa en este efecto la posible teatralidad latente en la pieza. La pieza se

---

[17] Josep María Sola-Solé, «En torno a la *Dança general de la muerte*» [1968], en *Sobre árabes, judíos y marranos y su impacto en la lengua y literatura españolas,* Barcelona, Puvill, 1983, I, págs. 166 y 173. Para los problemas textuales, véase la edición crítica analítico-cuantitativa de Josep María Sola-Solé, Barcelona, Puvill, 1981.

encuentra dentro de la materia del género europeo y no se sabe qué obra pudo trasladarse en estas coplas *(transladaçión,* se dice en la cabeza del texto). Publicamos parte de la introducción general, compuesta por el prólogo de cabeza en que se declara el contenido e intención de la pieza, y la entrada de la Muerte que da la palabra al Predicador, única figura que queda fuera de la danza, pues representa la conciencia religiosa que sostiene el conjunto de la obra. Después hemos escogido las estrofas que eran de representantes que podían servir para ilustrar un repaso de la sociedad de la época. El autor comienza por el Papa, le sigue el Emperador, como prototipos de la cabeza del poder, juntamente político y religioso; en un plano general elegimos al Caballero, el Abad, el Mercader, el Labrador y también el Rabí y el Alfaquí, que marcan la condición española de la Danza mencionando la representación de estas otras leyes que conviven con la cristiana.

La peculiaridad de estas *Danzas* hizo que fuesen obras propicias a la ampliación; así ocurre en la edición de Juan Valera de Salamanca (Sevilla, 1520), perdida hoy pero conocida por una copia del siglo XIX, en la que son más los danzantes; y, de entre ellos, añadimos aquí la mención de algunos oficios humildes, como es el de la Rosquillera, que también ve manifiesta sus culpas —mínima, es cierto, comparada con los otros del comienzo de la obra.

Proverbios.

D. YÑIGO LOPEZ DE MENDOZA
Primer Marques de Santillana, Guerrero, político
talento, y Poeta. Nació en Carrion de los Condes
en 1398. y murió en Guadalaxara en 1458.

J. Maea lo dibuxó

LAS PERSPECTIVAS ITALIANIZANTES DEL MARQUÉS

Íñigo López de Mendoza, Marqués de Santillana (1398-1458), fue un noble castellano de elevada estirpe cuya vida resultó un ejemplo característico entre los miembros de su clase. En relación directa con Juan II de Castilla y Alfonso V de Aragón y otros reyes de su tiempo, con tratos con los altos dignatarios de la Iglesia, consciente de las obligaciones del patrimonio heredado, vivió una difícil época de intrigas cortesanas y guerras que hizo de él un hábil cortesano según la medida de la época; y esto sin olvidar que combatió con el moro. Una vida tan movida en la acción política de su tiempo no le impidió una dedicación ejemplar a las letras, en el grado en que estas convenían con un caballero: escribió poesía amorosa, de asuntos religiosos, sobre sucesos políticos; también ha dejado obras poéticas de mayor entidad como son sus decires narrativos sobre diferentes materias. A esto hay que añadir su variada prosa que trata de cuestiones morales, políticas, literarias, glosas y recopilaciones.

Importa ahora considerar que el Marqués reunió en su casa una biblioteca notable para su tiempo [1]. Recogiendo la memoria de los hechos de su vida, Fernando del Pulgar escribió en los *Claros Varones de Castilla:* «Tenía grand copia de libros, dávase al estudio, especialmente de la filosofía moral, e de cosas peregri-

---

[1] Charles Faulhaber, *Libros y bibliotecas en la España medieval: una bibliografía de fuentes impresas,* Londres, Grant and Cutler, 1987.

nas e antiguas. Tenía siempre en su casa doctores e maestros con quien platicaua en las ciencias e lecturas que estudiava. Fizo asimismo otros tratados en metros e en prosa...»[2]. Esta biblioteca se ha reconstruido en parte, y manifiesta la amplitud de miras de sus lecturas[3].

De los libros y de las conversaciones con los maestros pudo proceder la aventura que emprendió en el campo poético; ya es sabida la maestría del Marqués en el empleo del verso cancioneril al que pertenecen un gran número de las poesías que él escribió. Sin embargo, no contento con ello y guiándose por su conocimiento de la literatura italiana y su gusto por ella, quiso también escribir «al itálico modo», o sea imitando la manera de los italianos en una de sus formas más características. Hay que contar con que la influencia italiana era ya notable en esta época, y la novedad del Marqués consistió en querer trasladar la métrica de una determinada forma italiana en sus dos componentes rítmicos: la medida del verso y la estrofa, o sea el endecasílabo y el soneto. Para el arraigo del endecasílabo a la italiana encontraba la presión del verso de arte mayor, triunfante en la poesía contemporánea del Marqués, sobre todo en las variedades que contaban también con once sílabas por la especial contextura rítmica de este verso: así la mezcla de hemistiquios de cinco sílabas (tipo D, E, F) con los de seis (tipos A, B, C, X, Y, Z). Un ejemplo es el verso 16 de la poesía de Imperial a la Estrella Diana, que dice[4]:

Callen poetas e callen abtores

θ |ó o o| |ó o | †   o| |ó o o| |ó o

Este verso de arte mayor, leído sin la cesura, se convierte en un endecasílabo dactílico

|ó o o| |ó o o| |ó o o| |ó o

---

[2] Fernando del Pulgar, *Claros Varones de Castilla,* Madrid, Espasa-Calpe, 1942, ed. J. Domínguez Bordona, 1942, pág. 45.
[3] Sobre todo a través del libro de Mario Schiff, *La Bibliothèque du Marquis de Santillane* [1905], Amsterdam, G. Th. Van Heusten, 1970; véase también Manuel Carrión, *Los libros del Marqués de Santillana,* Madrid, Biblioteca Nacional, 1977. Catálogo de la Exposición.
[4] Véase en el prólogo sobre métrica medieval la indicación de estas variedades.

Esta clase de endecasílabos, propio de la época primera de este verso en Italia (y los acentuados en 4.ª y 10.ª sílabas) abundan hasta el 41,2 por 100, y son poco usados entre los grandes poetas italianos, y son los menos eufónicos de entre la variedad que luego arraigaría con Garcilaso [5]. El resultado es que los endecasílabos del Marqués tienen un aspecto de «tentativa inmadura» [6].

El intento de arraigar la forma estrófica del soneto resultaba menos difícil y sólo representaba un esfuerzo por acomodar las consonancias al orden previsto; y esto no supondría dificultad en una métrica que poseía una tal abundancia de formas consonánticas. Santillana tampoco lo hace con rigor (como comentaremos), pero inicia ya lo que sería el gran cometido poético del soneto: establecer una estrofa compleja que, en el solo espacio de catorce versos, encerrase con rigor y arte los más diversos contenidos de la poesía amorosa y de amistad, confidencial y pública, política y moral, civil y religiosa.

a) SONETO IX

En este noveno soneto el actor muestra commo en un día de grand fiesta vio a la señora suya en cabello; dise ser los cabellos suyos muy ruvios e de la color de la tupaça, que es una piedra que ha la color commo de oro. Allý do dise «filos de Arabia» muestra asymismo que eran tales commo filos de oro, por quanto en Arabia nasçe el oro. Dise asymismo que los premía un verdor plasiente e flores de jazmines; quiso desir que la crespina suya era de seda verde e perlas.

> Non es el rayo del Febo luziente,
> nin los filos de Arabia más fermosos [7]
> que los vuestros cabellos luminosos,
> nin gemma de topaza [8] tan fulgente.

---

[5] Rafael Lapesa, *La obra literaria del Marqués de Santillana,* Madrid, Ínsula, 1957, pág. 194.

[6] *Idem,* pág. 195.

[7] O sean los rayos del sol; trata de evocar los rubios cabellos de la señora amada.

[8] *gemma de topaza* es el topacio, que tiene varias formas en el castellano medieval: *estopaçio, estopaza, estupaza,* procedentes del cultismo latino *topazion.*

5 Eran ligados de un verdor plaziente
    e flores de jazmín que los ornava,
    e su perfecta belleza mostrava
    qual biva flamma o estrella d'Oriente.

    Loó mi lengua, maguer sea indigna,
10 aquel buen punto que primero vi
    la vuestra ymagen e forma divina,

    tal commo perla e claro rubí,
    e vuestra vista társica [9] e benigna [10],
    a cuyo esguarde e merçed me di.

b) Soneto XIV

Rúbr.: En este catorzésimo soneto el actor muestra que,
quando él es delante aquella su señora, le paresçe que es en el
monte Tabor, en el qual Nuestro Señor aparesçió a los tres
discípulos suyos; e por cuanto la estoria es muy vulgar, non cura
de la escrevir.

    Quando yo soy delante aquella dona,
    a cuyo mando me sojudgó Amor,
    cuydo ser uno de los que en Tabor [11]
    vieron la grand claror que se razona,

    5 o que ella sea fija de Latona [12],
    segund su aspecto o grand resplandor;

9 *maguer:* aunque	1 *dona:* señora
14 *esguarde:* mirada	2 *sojudgó:* sojuzgó

---

[9] *társica* de *tharsis,* nombre hebreo latinizado del crisólito, una piedra
preciosa de color verdoso, que se usa en joyería; el color verde es símbolo
de esperanza.

[10] Hay que igualar las consonancias *indigna-divina-benigna.*

[11] Se refiere a la Transfiguración de Cristo *(Hechos de los Apóstoles,*
I,9-11, y otros lugares), celebrada en la misa de la Ascensión.

[12] La hija de Latona es Artemisa, nombre griego de la Diosa Diana,
diosa de la caza.

assí que punto yo non he vigor
de mirar fixo su deal[13] persona.

El su fablar grato, dulce, amoroso,
10   es una maravilla çiertamente,
e modo nuevo en humanidad;

ell andar suyo es con tal reposo,
honesto e manso su continente,
ca, libre, bivo en cativudad.

c) Soneto XVII

En este diez y sétimo soneto el actor se quexa de algunos que
en estos fechos de Castilla fablavan mucho e façían poco, como
en muchas partes contesce; e toca aquí algunos romanos, nobles
omes, que feçieron grandes fechos, e muestra que non los façían
solamente con palabras.

Non en palabras los ánimos gentiles,
non en menazas ni'n semblantes fieros
se muestran altos, fuertes e viriles,
bravos, audaçes, duros, temederos.

5   Sean sus actos non punto çerviles[14],
mas virtüosos e de cavalleros,
e dexemos las armas femeniles[15],
abominables a todos guerreros.

4 *temederos:* temibles   6 *virtuosos:* esforzados

---

[13] *deal,* propio de una diosa.
[14] *çerviles* como *civiles,* con la significación extendida en la Edad
Media, de mezquino, ruin, de baja condición y proceder; este sentido
procede de la oposición *miles-civilis:* lo opuesto al caballero es lo villano y
lo que le es propio en gesto y conducta; el cruce con *servil* inclina la
degradación semántica.
[15] Las *armas femeniles* son las palabras vanas y abundantes que
atribuye a las mujeres.

Si los Sçipiones[16] e Deçios[17] lidiaron
10 por el bien de la patria, çiertamente
non es en dubda, maguer que callaron,

o si Metello[18] se mostró valiente;
pues loaremos los que bien obraron
e dexaremos el fablar nuziente.

d) SONETO XXXI

Otro soneto qu'el Marqués fizo amonestando a los grandes príncipes a tornar sobre el daño de Constantinopla.

Forçó la fortaleza de Golías[19]
con los tres nombres juntos con el nombre
del que quiso por nos fazer hombre
e de infinito mortal e Mexías,

5 el pastor, cuyo carmen todos días
la sancta Esposa non çessa cantando,
e durará tan lexos fasta quando
será victoria a Enoch e a Helías[20].

Pues vos, los reyes, los emperadores,
10 quantos el santo crisma resçebistes,
¿sentides, por ventura, los clamores

11 *maguer:* aunque
14 *nuziente:* dañino

5 *el pastor:* David
5 *carmen:* composición, el salterio
6 *sancta Esposa:* la Iglesia

[16] Los Escipiones romanos: el Africano y Escipión Emiliano.
[17] Emperadores romanos, citados por Valerio Máximo, Cayo Mesio Quinto Trajano Decio (241-251) y su hijo Quinto Herenio Etrusco Mesio Decio.
[18] Metelo pudo ser Lucio Cecilio Metelo, que defendió el erario público ante César y su ejército.
[19] Se refiere a David que venció a Goliat con la ayuda de Dios (uno y trino).
[20] Henoch *(Génesis,* 4,24) y Elías *(Reyes,* libro segundo, 2,11), a los que se llevó Dios.

que de Bisançio por letras oýstes?[21]
Enxiemplo sea[n] a tantos señores
las gestas de Sïon[22], si las leýstes.

e) SONETO XXXVI

Otro soneto qu'el Marqués fizo en loor de Nuestra Señora.

Virginal templo do el Verbo divino
vistió la forma de humanal librea[23],
a quien anela todo amor benigno,
a quien contempla commo a santa ydea,

5 sy de fablar de ti yo non soy digno,
la graçia del tu fijo me provea;
indocto soy e lasso peregrino,
pero mi lengua loarte dessea.

¿Fablaron, por ventura, Johan e Johan[24],
10 Jacobo, Pedro tan grand theologúía,
nin el asna podiera de Balán[25],

sin graçia suya, fablar, nin sabía?
Pues el que puede, fable sin affán
tus alabanças en la lengua mía.

EDICIÓN: El texto procede de: Marqués de Santillana, *Comedia de Ponça. Sonetos «al itálico modo»*, Madrid, Cátedra, 1986, edición de Maxim P. A. M. Kerkhof, establecida sobre el manuscrito 2655 de la

---

7 *lasso:* cansado   13 *sin affán:* fluidamente

[21] Se refiere a la toma de Constantinopla por los turcos.
[22] Los combates que tuvo que realizar el pueblo judío, según se cuenta en el Antiguo Testamento.
[23] Es decir, se encarnó como hombre; la librea es propia de servidores, y el hombre lo es de Dios.
[24] Los dos Juanes, el Bautista y el Evangelista.
[25] El asno de Balán es el asno de Balaán, a quien Dios hizo hablar (*Números,* 22-24).

Biblioteca Universitaria de Salamanca. La grafía reproduce la del manuscrito, salvo en la uniformación *v* para consonante y *u* para vocal; *j* para consonante e *i* para vocal; las consonantes iniciales dobles se imprimen sencillas; se usan los signos modernos de puntuación y los acentos donde no se perturba el ritmo métrico; el apóstrofo señala las pérdidas de vocal; las palabras se reproducen según su entidad morfológica moderna.

COMENTARIO: El soneto sirvió como forma para los más varios contenidos, y los cinco aquí elegidos para la Antología son un muestrario de esta variedad. Santillana hizo una labor, que entendía difícil, para que el soneto arraigase en Castilla al lado de las otras formas que dominaban dentro de una técnica aceptada por todos y en las que podía considerarse como un maestro. En el caso de los sonetos, apoyado en las lecturas, era su esfuerzo afán propio de un innovador y, por tanto, de un principiante. El esquema del soneto es único, con las variaciones que permite esta estrofa compleja: Las consonancias en este caso:

El 9: ABBA | ACCA || DED | EDE |||
El 14: ABBA | ACCA || DEF | DEF |||
El 17: ABAB | ABAB || CDC | DCD |||
El 31: ABBA | ABBA || CDC | DCD |||
Y el 36: ABAB | ABAB || CDC | DCD |||

Las combinaciones consonánticas del Marqués son, pues, variadas. Es común la división en dos partes: la primera, de los cuartetos, establece el planteamiento del asunto en el que manifiesta diversidad respecto de lo que luego sería la uniformidad más común en el soneto desde Garcilaso (ABBA); la segunda, los tercetos, verifica la conclusión de la cuestión planteada. En la diversidad indicada sigue la manera de los primitivos, como Guinizelli, más bien que las preferencias de Petrarca.

Ya indicamos que la reducción del espacio del soneto y la peculiar distribución que pide su contenido es la gran dificultad de esta forma; y esto no es obstáculo para su variedad desde este intento de Santillana. Así en la selección encontramos sonetos: *a)* amorosos; *b)* político-morales, y *c)* religiosos, dentro de la misma forma que recoge un abundante cultivo italiano semejante.

a) *Sonetos amorosos.* Son el 9 y 14, y representan la modalidad más común de esta estrofa; el poeta habla en primera persona de algún aspecto del amor: en el 9 es el elogio de los cabellos rubios de su dama, y en el 14 es el tema de la visión divina de ella. Son frecuentes en la obra de Petrarca referencias a los cabellos rubios, y esto constituye una herencia que recibirán los italianizantes y que crecerá

292

sin medida; ya en sus principios castellanos, el Marqués recae otra vez en el mismo rasgo femenino, que forma parte del prototipo general de la hermosura de la mujer. *Belleza* (v. 7) es un italianismo procedente de *bellezza,* que Santillana es uno de los primeros que usa en nuestra literatura en vez de *beldad,* la forma común castellana. Pero esta *belleza* que nombra el Marqués tiene unas exigencias superiores al término común: es *perfecta* (v. 7), consecuencia de una *ymagen e forma divina* (v. 11). La participación con la 'divinidad' la hace sobrehumana, como se indica en otra parte de la *Comedieta de Ponça,* en la copla 37 que se refiere a doña María, esposa de Juan II de Castilla:

> Esta de los dioses paresçe engendrada,
> e con las çelícolas formas contiende
> en egual *belleza...* [26]

La alabanza real es aplicable a esta dama del soneto, y sus efectos se tratan en el soneto 14, uno de los que mejor representan esta intención de novedad del conjunto. En este caso el poeta se siente impresionado como si estuviese ante Jesús en la Transfiguración del monte Tabor (v. 3), y al mismo tiempo identifica a la dama alternativamente con la diosa de la gentilidad, Diana (v. 5), siguiendo la mención de los *dioses* antiguos del fragmento de la *Comedieta* citada. La persona de la dama es así *deal,* un cultismo derivado directamente de *dea,* adjetivo que no arraigó en el castellano; y lo es por partida doble: en forma (que pudo tenerse por irreverente), que se compara con el resplandor de Cristo, y en relación con las diosas antiguas, cuya belleza en mármoles y poemas se afirmaba cada vez más en este Otoño de la Edad Media que es, a un tiempo, Prerrenacimiento.

Los tercetos cierran con acierto el contenido: el habla de la dama es un *modo nuevo en humanidad; humanidad* aquí es condición humana de la mujer y no ciencia filológica, humanismo o término jurídico, pero que para concebirlo como aquí se emplea se requiere una educación. Así se constituye una excelente definición de esta consideración renovadora de la mujer, esta vez a través del influjo italiano del soneto. La poesía cancioneril mantiene firme el prestigio femenino que procede del amor cortés, pero aquí se le añaden estas notas nuevas de *humanidad.*

Y con el habla, el andar de la dama corrobora la impresión, de acuerdo con el contenido del viejo soneto de Dante:

---

[26] *Comedieta de Ponça,* en la misma edición de M. P. A. M. Karkhof, pág. 87, vv. 289-291.

Tanto gentile e tanto onesta pare
la donna mia quand'ella altrui saluta... [27]

En un caso es el gesto del saludo o el andar en otro, y el efecto de suma belleza reúnen honestidad y mansedumbre para producir en el poeta tensión de opuestos, expresados en el vivir libre en la cautividad del amor, tropo que culmina la pieza al uso de la retórica en moda.

b) *Sonetos políticos.* Escogimos el 17 y el 31, uno referente a cuestiones interiores del Reino; y otro tocante a lo que se estimó como catástrofe política que afectaba al conjunto de los reinos cristianos.

En el primero, el Marqués se queja de que a las gentes de Castilla se les vaya todo por la boca en palabras, cuando lo que importan son los hechos. Equilibradamente lo expone así en los cuartetos, y los tercetos le sirven para apoyar su consejo, de índole moralizadora, con la autoridad de los casos antiguos; el humanismo moralizador deriva así hacia esta poesía, y son válidos para su aplicación a un presente político en el que el Marqués intervenía activamente.

El soneto 31 indica que el Marqués estaba al tanto de los acontecimientos europeos; la caída de Constantinopla fue una noticia que conmovió a la Cristiandad. El hecho era esperable, y la reacción primera fue de orden emocional, que no político [28]. El Marqués levanta su voz profética dirigiéndose a reyes y emperadores y pide una reacción que suscite una cruzada cristiana en un tono de amonestación bíblica. Pero este fervor se desvaneció pronto, y queda, entre otros, este testimonio residual en los libros, como es este soneto del caballero castellano, antecedente de otros semejantes en los Siglos de Oro.

c) *Sonetos religiosos.* Elegimos el soneto 36 por ir dirigido a la Virgen María y recoger la gran corriente mariana de la literatura medieval dentro de la nueva forma. El poeta se dirige aquí a la Virgen como antes lo hizo a la dama; es un elogio a quien es superior al

---

[27] Dante, *Vita nuova,* XXVI, en *Tutte le Opere,* Milán, Mursia, 1965, pág. 399.

[28] Véase Steven Runciman, *La caída de Constantinopla* [1965], Madrid, Espasa-Calpe, 1973, págs. 183-184. Sobre este mismo tema hay una «Requesta fecha al magnífico marqués de Santillana por los gloriosos enperadores Costantyno, Theodosio, Justyniano sobre la estruyción de Constantinopla», recogida en el *Cancionero Castellano del siglo XV,* ordenado por R. Foulché-Delbosc, Madrid, Bailly-Bailliére, 1912, I, págs. 677-682, núm. 283, que el editor sitúa entre las poesías de Fernán Pérez de Guzmán. Véase Gemma Avenoza Vera y Mercé López Casas, «Un "nuevo" Cancionero del siglo XV en la Biblioteca Universitaria de Barcelona», *Incipit,* VIII (1988), págs. 57-58.

294

poeta, cuya poquedad declara en contraste con la grandeza de la Señora. Aquí la autoridad referida es de orden bíblico, y sirve para apoyar este deseo de *hablar* sin medios pero sí con deseo de hacerlo [obsérvese la repetición *fablaron* (v. 9), *fablar* (v. 12), *fable* (v. 13)]; las *laudes,* en último término, estarían inspiradas por Dios, el único que puede hablar para alabar a María: el poeta pone sólo la *lengua* (v. 14), con su arte renovado también para el viejo asunto religioso.

Con este soneto, aunque de asunto religioso, se emplea una palabra que habría de resultar clave en el Renacimiento: *idea* (v. 4) es un cultismo en su significación de 'imagen perfecta'; en este caso el adjetivo de *santa* le conviene por naturaleza. Y ambos términos, en enlace con *contemplar,* que es el resultado de una visión espiritual. Los primeros empleos son de índole religiosa, como el de Berceo, en el de la abadesa preñada:

> Bien fincarié la duenna   en su contemplación,
> laudando la Gloriosa,   faziendo oración... [29]

El objeto de la contemplación fue en aumento, y en el *Cancionero de Baena* Fray Diego de Valencia se dirige a un maestro, al que dice: «...contemplastes | con los ojos del alma el vuestro tratado...» refiriéndose a uno de leyes (composición 516) [30]. El proceso siguió y la contemplación no sólo fue, como aquí el soneto, de una *santa idea,* sino que se aplicó a la mujer que recibía el homenaje de esta lírica italiana, como testimonia *El Cortesano* de Castiglione cuando se refiere a los que «todo su gozo y paraíso ponen en *contemplar la hermosura* de alguna mujer» [31], en relación con el arte de la pintura. Con esto tenemos un testimonio temprano del uso de un léxico implicado en los conceptos que han de ser propios de la lírica italianizante después de su triunfo en España con Garcilaso; este uso se sitúa precisamente en el propósito de Santillana por arraigar la nueva forma métrica.

---

[29] *Los Milagros de Nuestra Señora, ed. cit.* de B. Dutton, est. 456, a y b, pág. 165. Véase la nota 5 del comentario de las *Coplas* de J. Manrique.

[30] Véase el estudio de Francisco López Estrada, «Tres notas al *Abencerraje*», *Revista Hispánica Moderna,* XXI (1965), págs. 269-273.

[31] Baltasar Castiglione, *El Cortesano,* Madrid, Espasa-Calpe, 1984, ed. de Rogelio Reyes Cano, cap. XI, pág. 133.

VIII

ROMANCERO MEDIEVAL

CARACTERÍSTICAS GENERALES: LOS LÍMITES MEDIEVALES

El estudio del Romancero medieval supone un corte cronológico de una modalidad literaria que, desde sus primeras documentaciones en el siglo XV, fluye hasta nuestros días en un proceso constante de tradición y de renovación, relacionado con el proceso de su difusión o por la vía oral, propia de la canción folklórica, o por la vía impresa, ya sea en los modestos pliegos de pocas hojas o ya sea en libros de romances, bien como obras con entidad poética propia o formando cuerpo de la comedia española o de los libros pastoriles y de otros contenidos. La parte que puede corresponder al siglo XV es poca en relación con la gran producción romancística que siguió, y es de difícil documentación [1]. Como dijimos en la parte dedicada a la métrica, la medida general del romance es la del metro octosílabo (aunque los haya de otros metros), y la rima es la asonante (aunque en algunos casos fue consonante); el conjunto es el módulo rítmico que resulta más acomodada la naturaleza de la lengua española.

Dentro del cuadro general de la literatura de la Edad Media, las manifestaciones poéticas que se acogen en el romance se pueden considerar como obras de dimensión media, o sea que la extensión de estas obras se sitúa entre el gran poema de la juglaría

---

[1] Véanse los artículos de Francisco López Estrada «El Romancero medieval, I. Teoría general», y II, comentario del «Romance del rey moro que perdió a Valencia», *Revista de Bachillerato,* II, 5 (1978), págs. 2-15, y II, 6 (1978), págs. 26-43.

o de la clerecía y la pieza breve de la lírica popular o cortés. El romance se conservó por diversos cauces relacionados entre sí: la vía folklórica (que fue fundamental en su difusión y mantenimiento), la divulgación profesional (propia, sobre todo, de juglares y ministriles y toda suerte de intérpretes), y la vía cortesana (que acabó por darle firmeza artística), con las correspondientes modalidades de la escritura textual que en cada caso lograron conservarse por diversas circunstancias.

Ante una tal difusión de esta forma poética y su variedad de contenidos, la clasificación de los romances en el reducido período de la Edad Media tiene que realizarse según los diversos cauces de asuntos que se reúnen en conjuntos que poseen una relativa homogeneidad. Dado el gran número de piezas que componen el Romancero y la dificultad para escoger los que mejor convengan con los límites de nuestra Antología, hemos seleccionado muestras de los grupos siguientes: *a)* un romance que nos sitúe en relación con la épica medieval, en especial con la materia del Cid, ya tratada antes en el *Poema del Cid; b)* un romance que trate de un asunto localizable en el siglo XV y que nos acerque al tratamiento del tema morisco en el Romancero, y ha sido el de Antequera; *c)* un romance que muestre la absorción de la materia baladística europea y su recepción en el conjunto de España, el primero documentado en la literatura hispánica; y *d)* un romance de autor (de Juan del Encina) que pone de manifiesto la recepción de esta forma poética por parte de los escritores en el período de transición hacia los Siglos de Oro. La selección es forzosamente muy reducida, pero queda al menos planteada en sus líneas generales la enorme complejidad que encierra la forma del Romancero y su función como puente de comunicación entre la Edad Media y la época literaria que luego siguió.

a) ROMANCERO ÉPICO

Menéndez Pidal, en su magistral estudio sobre el Romancero [2], insistió en relacionar la poesía épica medieval de los grandes poemas y esta nueva modalidad literaria del romance. Las dificul-

---

[2] Ramón Menéndez Pidal, *Romancero hispánico (hispano-portugués, americano y sefardí). Teoría e historia,* Madrid, Espasa-Calpe, 1953, 2 vols.

tades para establecer una cronología de la época medieval del Romancero son grandes, pues no puede saberse cuáles serían sus primeras manifestaciones; y en la mayor parte de los casos estos posibles romances primitivos se documentan en textos posteriores, siendo muy difícil establecer la relación entre los mismos y los anteriores o «primitivos» debido a la versatilidad de esta forma, adaptable siempre a nuevas condiciones de difusión.

Menéndez Pidal dedicó preferente atención a los romances que por su contenido pueden enlazar con los poemas de asunto análogo, existentes en la épica vernácula medieval. De esta manera establece la relación entre esta épica y lo que es el romance, la nueva forma poética cuya contextura es el resultado de una comunicación de procedimientos de versificación y de materias. Los procedimientos de versificación sí son comparables; las series épicas asonantes quedan cerca de la métrica romanceril, y la fluctuación de las canciones épicas se aproxima a la ligera oscilación en la medida del verso romance. Contando con que el público oía ambas manifestaciones poéticas, Menéndez Pidal formula así esta relación: «Es que ese gusto romancístico por los temas heroicos es el mismo que sostuvo la vida de las gestas desde el siglo X al XV; es que todas las gestas se hicieron romances; es que la epopeya se hizo romancero»[3].

Sin embargo, el estudio concreto de los romances conservados no muestra que la relación entre el poema (como ocurre en el caso del *Poema del Cid,* el único conservado relativamente completo) y los romances no parece, en la mayor parte de las ocasiones, claramente determinada, sino a través de acondicionamientos que filtran una «materia argumental». Hay que tener, pues, en cuenta que estas diferencias son constitucionales en el romance; como señala P. Bénichou, importa considerar «la libertad creadora con que pudieron formarse los romances viejos, aun los de temas más venerables»[4]. En el proceso habría que contar, además, con la «combinación de muchos o la reinvención de otro nuevo a partir de recuerdos incompletos»[5].

---

[3] *Ibidem*, vol. I, pág. 193.
[4] Paul Bénichou, *Creación poética en el Romancero tradicional,* Madrid, Gredos, 1968, pág. 7.
[5] *Ibidem*, pág. 8.

a') *Versión según el texto de la glosa de Francisco de Lora*

Helo, helo, por do viene
el moro por la calçada,

5   borzeguíes marroquíes
y espuela de oro calçada,
una adarga ante [los] pechos
y en su mano una azagaya.
Mirando estava a Valencia
10 como está tam bien cercada:
«¡O Valencia, o Valencia,
de mal fuego seas quemada!
Primero fuiste de moros
que de christianos tomada;
15 si la lança no me miente,
a moros serás tornada.
Aquel perro de aquel Cid
prenderélo por la barva;
su muger doña Ximena
20 será de mí cativada;
su hija Urraca Hernando [6]
sea mi enamorada;
después de yo harto della
la entregaré a mi compaña,»
25 El buen Cid no está tan lexos
que todo bien lo escuchava:
«Venid vos acá, mi hija,
mi hija doña Urraca.
Dexad las ropas continas
30 e vestid ropas de Pascua.
Aquel moro hi de [perro]

8 *azagaya:* lanza arrojadiza   30 *de Pascua:* festivas
29 *continas:* de a diario

[6] Recuérdese que en el *Poema* las hijas del Cid eran dos, doña Elvira y
doña Sol, María y Cristina en la historia.

b') *Versión según el texto del* Cancionero de romances, *s. a.*

Helo, helo, por do viene
el moro por la calçada,
cavallero a la gineta
encima una yegua baya,
5   borzeguíes marroquíes
y espuela de oro calçada,
una adarga ante los pechos
y en su mano una zagaya.
Mirando estava a Valencia
10   como está tan bien cercada:
«¡O Valencia, o Valencia,
de mal fuego seas quemada!
Primero fuiste de moros
que de christianos ganada;
15   si la lança no me miente
a moros serás tornada.
Aquel perro de aquel Cid
prenderelo por la barva;
su muger doña Ximena
20   será de mi captivada;
su hija Urraca Hernando
será mi enamorada;
después de yo harto della,
la entregaré a mi compaña.»
25   El buen Cid no está tan lexos
que todo bien lo escuchava:
«Venid vos acá, mi hija,
mi hija doña Urraca.
Dexad las ropas continas
30   e vestid ropas de Pascua.
Aquel moro hi de perro,

4 *baya:* blanco-amarillenta

303

detenémelo en palabra,
mientra yo ensillo a Bavieca [7]
e me ciño la mi espada.»
35 La donzella, muy hermosa,
se paró a una ventana.
El moro, desque la vido,
desta suerte le hablava:
«Alá te guarde, señora,
40 mi señora doña Urraca.»
«Assí haga a vos, señor,
buena sea vuestra llegada.
Siete años ha, rey, siete,
que soy vuestra enamorada.»
45 «Otros tanto ha, señora,
que os tengo dentro en mi alma.»
Ellos estando en aquesto,
el buen Cid que assomava:
«Adiós, adiós, mi señora,
50 la mi linda enamorada,
que del cavallo Bavieca
yo bien oigo la patada.»
Do la yegua pone el pie,
Bavieca pone la pata.
55 Allí hablara [e]l cavallo,
bien oiréis lo que hablava:
«Rebentar devria la madre
que a su hijo no esperaba.»
Siete bueltas l[a] rodea
60 alrededor de una xara.

65

52 *patada:* galope

---

[7] El nombre del caballo del Cid sí se conserva como en el *Poema,*
acaso por el apoyo del significado cómico de 'necio'.

detenémelo en palabras,
mientra yo ensillo a Bavieca
y me ciño la mi espada.»
35 La donzella, muy hermosa,
se paró a una ventana.
El moro, desque la vido,
desta suerte le hablara:
«Alá te guarde, señora,
40 mi señora doña Urraca.»

«Siete años ha, rey, siete,
que soy vuestra enamorada.»
45 «Otros tantos a, señora,
que os tengo dentro en mi alma.»
Ellos estando en aquesto,
el buen Cid que assomava:
«Adiós, adiós, mi señora,
50 la mi linda enamorada,
que del cavallo Bavieca
yo bien oigo la patada.»
Do la yegua pone el pie,
Bavieca pone la pata.
55 Allí hablara el cavallo,
bien oiréis lo que hablava:
«Rebentar devia la madre
que a su hijo no esperava.»
Siete bueltas la rodea
60 alderredor de una xara.
La yegua, que era ligera,
muy adelante passava
fasta llegar cabe un río
adonde una barca estava.
65 El moro, desque la vido,
con ella bien se holgava;

Grandes gritos da [a]l barquero
que le allegasse la barca.
El barquero es diligente,
70   túvosela aparejada.

Por ver el moro embarcado
y el buen Cid, que llega al agua,
75

dixo: «¡Arrecojed, mi yerno,
80   arrecojedme essa lança,
que quiçá tiempo verná
que os será bien demandada!»
«Assí haga a vos, señor,
buena sea vuestra llegada».

81 *verná:* vendrá

grandes gritos da al barquero
que le allegasse la barca.
El barquero es diligente,
70 túvosela aparejada.
Embarcó muy presto en ella,
que no se detuvo nada.
Estando el moro embarcado
el buen Cid que llegó al agua,
75 y por ver al moro en salvo
de tristeza rebentava;
más, con la furia que tiene
una lanza le arrojava,
y dixo: «¡Recoged, mi yerno,
80 arrecojedme essa lança,
que quiçá tiempo verná
que os será bien demandada!»

307

EDICIÓN: La primera versión se conserva en un pliego suelto, impreso probablemente hacia 1540 en Burgos por Juan de Junta. El romance está contenido en el curso de una glosa realizada por Francisco de Lora, en la que los dos últimos versos de cada décima reconstruyen sucesivamente el texto del romance.

La segunda versión procede del *Cancionero de Romances,* Amberes, Martín Nucio, s. a. [hacia 1547], fol. 197 v., que fue la primera publicación que reunió un grupo de romances en un libro. El orden que quiso establecer Nucio fue el de los asuntos; nuestro romance se encuentra al fin «los que cuentan historias castellanas...», e inmediato al grupo de los romances moriscos. Según la ed. de Francisco López Estrada, «El Romancero medieval», II, *Revista de Bachillerato,* II, 5 (1978), págs. 27-28: distribución de signos consonánticos y vocálicos en *i, j, v, u* y puntuación moderna.

COMENTARIOS: En el caso de este romance, la relación con el *Poema del Cid* conocido no es patente; no sabemos lo que ocurriría si conservásemos otras versiones del *Poema.* Por tanto, no puede probarse esta relación, al menos de una manera relativamente directa; en todo caso, la transformación es de tal naturaleza que varía por completo la condición poética de ambas obras. El romance modifica sustancialmente la condición del poema épico, sin que exista ninguna tendencia por revalidar la obra heroica o por rectificar con las Crónicas las deformaciones (si las hubo) históricas; y, una vez asegurado el texto, la línea impresa mantuvo una versión relativamente coherente en sus varias apariciones, dentro de la naturaleza propia de la conservación del Romancero.

Este romance del Rey moro de Valencia resulta ejemplar para la caracterización del Romancero viejo; de acuerdo con la teoría de Menéndez Pidal, representa, en cuanto a los dos textos comentados, la tradición aédica, que mantiene la unidad poética original, mientras que la mayor parte de los textos orales modernos ofrecen sólo versiones relativamente bien conservadas por la vía folklórica, las más de ellas parciales y derivadas.

Cuando aparece el romance en la glosa de Lora y luego en el *Cancionero de Romances,* tiene una constitución que se ha de considerar como la de una obra completa. En estos textos el romance resulta representativo del Romancero en tanto grupo poético: *a)* por su forma y extensión; *b)* por el carácter fragmentario de su contenido; *c)* por su peculiar condición épico-lírica, pues tratándose de uno de los romances en que mejor cabría establecer una posible relación con la tradición medieval épico-cronística, sin embargo, en su desarrollo se abre paso un plantemiento «novelesco» de carácter amoroso, o sea, lírico, aunque condicionado por su significación irónica; *d)* por la manera de tratar al Cid lejos del prestigio de la mesura heroica y más en consonancia con un noble que juega tretas al enemigo y que da muestras de saña y de violencia; y en relación con esto hay que notar que se perpetúa el error de llamar Urraca a una hija del Cid demostrando un alejamiento cada vez mayor de la noticia épica; *e)* por la consideración del rey moro, galanteador improvisado y brillante corredor; *f)* por la tensión que adquieren los motivos de la acción, resueltos en un plano aventurero y no en el heroico que era el propio de la épica.

En principio, los críticos están de acuerdo en que las primeras manifestaciones del romance pertenecen a la Edad Media, pero varía la opinión sobre el tiempo en que pudiera haber aparecido: el originario romance del rey moro de Valencia pudo o ser suma de otros primitivos, o ser él mismo una pieza primitiva o haber resultado de una acomodación juglaresca hecha con episodios de poemas sobre el Cid, tardíos respecto del manuscrito de Pedro Abad; o ser repoetización de Crónicas. Esto en cuanto a los que quieren darle un énfasis histórico acentuando la importancia del Cid, pues los que prefieren situar el eje poético de la acción en el moro, lo entienden como una pieza morisca de la segunda mitad del siglo xv.

b) EL ROMANCE DE ANTEQUERA

Como ejemplo de los romances moriscos hemos elegido el tan conocido romance de Antequera. Estos romances pueden fecharse, al menos en lo que se refiere al asunto del argumento: se trata de un encuentro entre moros y cristianos en relación con algún suceso de la frontera. En este caso la toma de Antequera ocurrió en 1410 [8]. Ofrecemos tres versiones para ilustrar con ellas de manera aún más compleja la diversidad textual del Romancero:

---

[8] Véase el estudio *La toma de Antequera,* prólogo y textos medievales en versión moderna de Francisco López Estrada, Antequera, Biblioteca Antequerana, 1964.

De Antequera salió el moro
d'Antequera aquessa villa.
Cartas lleva al buen rey
de triste mensagería;
5 escritas ivan en sangre,
y no por falta de tinta.
El moro que las llevava
ciento y veinte años avía,
ciento y veinte años el moro,
10 y padre y madre tenía.
La barba llevava blanca,
la calva le reluzía,
toca llevava tocada
que muy gran precio valía;
15 la mora que la labrara,
por su amiga la tenía;
almaizal en su cabeça,
broslado de seda fina,
su cuerpo llevava armado
20 en una malla jaçarina;
cavallero en una yegua
que bolava y no corría;
no por falta de cavallos,
que él muchos se tenía.
25 Siete celadas le echaron
de muy gran cavallería;
la yegua, como es ligera,
dentre todas se salía.
Por las sierras de Argirona
30 a grandes bozes dezía:
—¡Si tú supiesses, el rey,
mi triste mensajería,
messarías las tus canas
y la tu barva vellida!

17 *almaizal:* toca de gasa   20 *malla jaçarina:* cota de mallas
18 *broslado:* bordado   34 *vellida:* hermosa

De Antequera sale un moro,
de Antequera aquessa villa.
Cartas lleva en su mano,
cartas de mensajería;
5   escriptas ivan con sangre,
y no por falta de tinta.
El moro que las llevava,
ciento y veinte años avía,
ciento y veinte años el moro,
10 de dozientos parecía.
La barva llevava blanca,
muy larga hasta la cinta;
con la cabeça pelada
la calva le reluzía;
15 toca llevava tocada,
muy grande precio valía;
la mora que la labrara
por su amiga la tenía.
Cavallero en una yegua,
20 que grande precio valía,
no por falta de cavallos,
que hartos él se tenía.
Alhareme en su cabeça
con borlas de seda fina.
25 Siete celadas le echaron,
de todas se escabullía.
Por los campos de Archidona
a grandes vozes dezía:
—¡Si supiesses, el rey moro,
30 mi triste mensajería,
messarías tus cabellos
y la tu barba bellida!
Tales lástimas haziendo
llega a la puerta de Elvira;

---

23 *alhareme:* toca, almaizal

35 Diziendo aquestas razones
llegó a la puerta d'Elvira.
Vasse para los palacios
donde el rey moro bivía.
Halláralo cavalgando
40 del Alhambra se salía:
—Manténgate Dios, el rey,
Dios salve tu señoría.
—Bien vengáis, el moro alcaide,
buena sea vuestra venida.
45 Dezí qué nuevas traéis
de Antequera essa mi villa.
—No te las diré, buen rey,
sino me atorgas la vida.
—Dígasmelas, moro alcaide,
50 que otorgada te sería.
—Las nuevas que yo te traigo
no son nuevas de alegría:
que esse Infante don Hernando
cercada te la tenía;
55 muchos cavalleros tiene,
la combaten noche y día.
Aquesse Juan de Velasco,
que de Anrrique se dezía,
y el de Rojas y Narva[e]s,
60 cavallero de valía.
De día le dan combate,
de noche hazen la mina.
Si no la socorréis, rey,
la villa se perdería,
65 que los que agora son dentro
de hambre perecerían,
que otra cosa ya no comen,
[sino] cueros de vaca cozida.

35   vase para los palacios
     donde el rey moro bivía.
     Encontrado a con el rey,
     que del Alhambra salía
     con dozientos de a cavalló,
40   los mejores que tenía.
     Ante el rey, cuando se halla
     tales palabras dezía:
     —Mantenga Dios a tu alteza,
     salve Dios tu señoría.
45   —Bien vengas, el moro viejo,
     días ha que te atendía.
     ¿Qué nuevas me traes, el moro,
     de Antequera essa mi villa?
     —No te las diré, el buen rey,
50   si no me otorgas la vida.
     —Dímelas, el moro viejo,
     que otorgada te sería.
     —Las nuevas que, rey, sabrás,
     no son nuevas de alegría:
55   que esse infante don Fernando
     cercada tiene tu villa;
     muchos cavalleros suyos
     la combaten cada día.
     Aquesse Juan de Velasco
60   y el que Enríquez se dezía,
     el de Rojas y Narbáez,
     cavalleros de valía.
     De día le dan combate,
     de noche hazen la mina.
65   Los moros que estavan dentro,
     cueros de vaca comían.
     Si no socorres, el rey,
     tu villa se perdería.

313

EDICIÓN: El primer texto va según el pliego suelto: *Aquí se contienen tres romances. El primero | es el que dize: «De Antequera salió el moro». Y el otro: «Riberas | de Duero arriba». Y el otro el que dize: «Abenamar, Abenamar, | moro de la morería». Los quales han sido agora de nuevo corre | gidos e emendados.* [Grabado de un moro armado que va hacia un castillo en el que hay una dama. A un lado, figura de un Rey, y al otro, de unas casas.] El segundo texto va según el pliego suelto: *El romance muy antiguo y viejo del moro alcaide de Antequera,* con glosa de Cristóbal Velázquez de Mondragont, pliego suelto publicado en la *Nueva Colección de Pliegos Sueltos,* recogidos y anotados por V. Castañeda y A. Huarte, Madrid, 1933, pág. 64. Ambas versiones proceden de la edición de Francisco López Estrada, «La conquista de Antequera en el Romancero y en la épica de los Siglos de Oro», *Anales de la Universidad Hispalense,* XVI (1955), págs. 133-192. Igual criterio de edición que el anterior romance.

COMENTARIO: Puede observarse que las dos primeras versiones corren paralelas; la primera conserva mejor el aire tradicional y la segunda está más elaborada, sobre todo para acomodarse al curso del desarrollo de la glosa que contiene el romance. El contenido de la pieza cuenta un hecho propio de la guerra de frontera. El Infante don Fernando, tío de Juan II, rey de Castilla entonces niño, dispuso como regente de Castilla que se prosiguiesen los combates contra los moros y puso sitio a la villa de Antequera que cayó en manos de los cristianos en 1410 dejando abierto el camino hacia Granada. El romance se refiere a un episodio del cerco, cuando los moros de la villa sitiada piden ayuda a su rey.

El fin de este cerco, como narran las Crónicas y cuenta el romance en su versión larga (a la que nos referiremos después) será favorable a los cristianos del Infante; el romance es naturalmente obra de los cristianos españoles que así recordaban los episodios de la vida de fronteras. Por de pronto se observa que el personaje del romance es un moro y no un cristiano: un moro que lleva un mensaje de los sitiados a través de los campos de Archidona. Moro simpático, que ha de quedar para siempre incorporado a la fama poética de la ciudad andaluza: de edad avanzadísima y con arrestos juveniles en el amor y en su cometido de guerra, viste ropas de gran valía, de las que se nos da puntual descripción. Son dieciocho versos los que se dedican a la presentación del personaje, poco más de la cuarta parte de la obra. La belleza de las telas se evoca por medio de la mención del trabajo de las amorosas manos de su amiga; como un rayo, el mensajero atraviesa por los campos y llega a la hermosa Granada, de la que se citan sus palacios. A voces que todos oyen augura el moro mensajero el desastre inminente. Un tono elegíaco domina la obra. Llega el moro ante su Rey, y entabla con él uno de los pulidos diálogos, tan propios del romance. Este floreo de cortesía aquieta los ánimos, hasta que anuncia la desgracia. Entonces el verso adopta un aire de guerra. El caudillo don Fernando y los caballeros Juan de Velasco, Alonso Enríquez, Lope de Rojas y Rodrigo de Narváez (este de tanta fama en las letras, por su participación en el relato de *El Abencerraje*) acosan la villa, y acaba el mensaje con un conciso verso, expresión intensa del hambre de los cercados: los cueros de vaca cocida, único alimento que les queda. En este punto acaba el romance en la versión breve.

No dejemos de notar que en el epígrafe del pliego de la British Library antes transcrito, se dice que los romances en él impresos «han sido agora de nuevo corregidos e emendados». La tradición del Romancero lleva consigo esta corrección y enmienda que conserva la obra a través de estos retoques que la actualizan. Con ello no se pierde la identidad de la obra, aunque se modifique el texto; y esto es un rasgo propio de la tradición manuscrita medieval que prosigue en los tiempos siguientes.

c') *Otra versión según el texto*
   del Cancionero de romances, *s. a.*

De este mismo romance hay otra versión que presenta el mismo suceso, sólo que en forma más extensa y cerrada. Las dos versiones precedentes aparecen truncadas, pues no resuelven el caso presentado: no sabemos qué pasó con el mensajero, ni si el Rey moro accedió a tan dramática petición, ni la suerte final de la villa asediada. Por esto no es imperfección literaria, sino voluntad poética.

Menéndez Pidal llama «fragmentismo» esta manera de terminar la composición, sin acabar el suceso narrado y traspasando el sentido de la poesía al relato mismo, sin considerar el fin de la narración. Observemos también que este romance presenta el comienzo ex-abrupto *in media res,* y añadamos que el final cortado es un sabio y sencillo recurso para mover la imaginación con un impulso que deja la sensibilidad del oyente en vibración más intensa que si contase el esperado término del asunto, que es la toma de la villa. Por eso estas versiones breves representan mejor que las otras, las amplias (como la que citaremos en seguida) el espíritu del Romancero viejo.

En efecto, el romance más conocido sobre este asunto es el de la versión larga, contenido en el *Cancionero de romances,* s. a.:

315

De Antequera partió el moro — tres horas antes del día,
con cartas en la su mano — en que socorro pedía;
escritas ivan con sangre, — mas no por falta de tinta.
El moro que las llevava, — ciento y veinte años avía;
9   la barva tenía blanca, — la calva le reluzía;
toca llevava tocada, — muy grande precio valía,
la mora que la labrara, — por su amiga la tenía.
Alhaleme en su cabeça — con borlas de seda fina,
cavallero en una yegua, — que cavallo no quería.
19 Solo con un pajezico — que le tenga compañía,
no por falta de escuderos, — que en su casa hartos avía.
Siete celadas le ponen — de mucha cavallería,
mas la yegua era ligera, — de entre todos se salía.
Por los campos de Archidonia — a grandes bozes dezía:
29 —O buen rey, si tú supiesses — mi triste mensajería,
messarías tus cabellos — y la tu barva vellida.
El rey, que venir lo vido, — a recebir lo salía,
con trezientos de cavallo — la flor de la morería.
—Bien seas venido, el moro, — buena sea tu venida.
39 —Alá te mantenga, el rey, — con toda tu compañía.
—Dime, qué nuevas me traes — de Antequera, essa mi villa.
—Yo˙te las diré, buen rey, — si tú me otorgas la vida.
—La vida te es otorgada, — si traición en ti no avía.
—Nunca Alá lo permitiesse — hazer tan gran villanía.
49 Mas sepa tu real alteza — lo que ya saber devría.
que essa villa de Antequera — en grande aprieto se vía,
que el Infante don Fernando — cercada te la tenía,
fuertemente la combate — sin cessar noche ni día.
Manjar que tus moros comen, — cueros de vaca cozida.
59 Buen rey, si no la socorres, — muy presto se perdería.
El rey, cuando aquesto oyera, — de pesar se amortecía;
haziendo gran sentimiento, — muchas lágrimas vertía.
Rasgava sus vestiduras — con gran dolor que tenía.
Ninguno le consolava — porque no lo permitía.
69 Mas después en sí tornando — a grandes bozes decía:
—Tóquense mis añafiles, — trompetas de plata fina.
Júntense mis cavalleros, — cuantos en mi reino avía.
Vayan con mis dos hermanos — a Archidona essa mi villa,
en socorro de Antequera, — llave de mi señoría.
79 Y ansí con este mandado — se juntó gran morería;

316

ochenta mil peones fueron — el socorro que venía,
con cinco mil de cavallo, — los mejores que tenía.
Ansí en la Boca del Asna — este real sentado avía,
a vista del del Infante, — el cual ya se apercebía,
89 confiando en la gran vitoria — que de ellos Dios le daría.
Sus gentes bien ordenadas. — De San Juan era aquel día.
Cuando se dio la batalla, — de los nuestros tan herida,
que por ciento y veinte muertos, — quinze mil moros avía.
Después de aquesta batalla, — fue la villa combatida
99 con lombardas y pertrechos — y con una gran bastida,
con que le ganan las torres — de donde era defendida.
Después dieron el castillo — los moros a pleitesía
que, libres con sus haziendas, — el Infante los pornía
en la villa de Archidonia, — lo cual todo se cumplía.
109 Y ansí se ganó Antequera, — a loor de Santa María.

EDICIÓN: Según el *Cancionero de Romances*, s. a., edición facsímil, Madrid; nueva edición, 1945, folios 180 v.-182 v. Obsérvese que cuando imprimimos un renglón en el centro del romance, hay que leer seguidos los octosílabos a lo largo de la línea. La numeración, no obstante, está hecha octosílabo por octosílabo para que guarde la uniformidad con los otros casos en que imprimimos el verso en columna. Seguimos la versión establecida por Francisco López Estrada, art. cit. en los romances anteriores, págs. 143-144, con igual criterio.

COMENTARIO: Si comparamos esta versión extensa con las dos anteriores, cabe distinguir en ella dos partes: una, hasta el verso 60, que concuerda con las breves precedentes; y otra, desde dicho verso hasta el fin. Cuando Blanca González estudió el romance del *Cancionero* con fines estrictamente estilísticos, halló diferencias de calidad poética en el curso de la obra: «El epílogo es más gris, menos logrado, sin las brillantes notas descriptivas de la introducción ni la viveza del diálogo» [9]. Y aún en la primera parte hay algunas diferencias: el romance del *Cancionero* aligeró la doble mención de la edad del moro, que traen las dos versiones breves, y añadió como séquito del

92 *herida:* acometida
99 *lombardas:* piezas de artillería

[9] Blanca González de Escandón, «Notas estilísticas sobre los romances fronterizos», *Universidad,* XXII (1945), pág. 459.

viejo mensajero un pajecico; y lo que es más importante, suprimió la indicación de Puerta Elvira y el nombre de los caballeros que siguen a Fernando. Obsérvese también que cambia el verso segundo: «tres horas antes del día». Esta mención del tiempo, que da un cierto encanto de misterio al romance al situar en la noche vencida la correría del moro, es una expresión propia de la poesía lírica, y oscuramente se enlaza con los cantos de vela y su recuerdo [10].

El enlace entre el punto en que dejan el relato las dos versiones breves y la larga acontece mediante la narración del gran dolor del Rey moro ante las noticias que trae el mensajero. Crece entonces el sentido lírico de la obra, al contar así las penas del Rey moro, que vierte lágrimas y se desespera. Pero con todo el Rey se rehace y ordena que se convoque el auxilio por medio de la voz clara de las trompetas. Pero todo es inútil: esos añafiles de fina plata, clamor agudo y vibrante que, a la vez que expresa el alboroto de la alarma, realza la riqueza de los granadinos, juntarán en vano a los caballeros, pues «la llave de la señoría», como dice con justa expresión, habrá de parar a los cristianos. Ya el romance se endereza luego hacia la noticia histórica y nos ofrece un relato de la Batalla de la Boca del Asna, ocurrida el día de San Juan ante Portam Latinam, 6 de mayo de 1410. Las Crónicas testimonian la verdad de la noticia; así lo cuenta la *Crónica de Juan II* de Alvar García de Santa María de una manera pormenorizada.

Una comparación entre el Romancero y la *Crónica* muestra la diferencia que existe entre un mismo hecho en su versión poética y en la cronística. Por una parte está la poesía, que comienza, sin aviso alguno, con la correría del viejo moro hasta llegar a su Rey, y la desesperación de este, en tanto nos enteramos de manera indirecta del cerco; por otra parte, en la *Crónica* se halla la narración impersonal del hecho con el pormenor de los esfuerzos del Rey por presentar la

---

[10] El mismo verso «tres horas del día» se encuentra en una de las estrofas de una glosa del villancico:

> *De velar viene la niña,*
> *de velar venía.*

> Por mi fe, buen cavallero,
> la verdad yo te diría:
> yo la vi por aquí passar
> tres horas antes del día.
> *De velar venía.*

El texto de la poesía lírica se halla en el *Cancionero llamado Flor de enamorados,* Barcelona, 1562, fol. 99, edición de Antonio Rodríguez-Moñino y Daniel Devoto.

batalla a los cristianos y obligarles a levantar el cerco. Esta batalla se cuenta en el romance en apenas seis versos, y en la Crónica esto mismo ocupa de tres a cuatro folios. Las cifras de los combatientes moros son en el romance 5.000 caballeros y 80.000 peones; las de la *Crónica* de Alvar García son 3.000 lanzas y 3.000 peones. Los cristianos muertos son, según el romance, 120 y 15.000 los moros; y según la *Crónica,* diez muertos cristianos. No puede negarse que las cifras de la *Crónica* son más verosímiles que las de la poesía. El romance engrandece el hecho al crecer los números, creando así una versión poética que nadie se cuida de contrastar porque todos la entienden como tal y no como historia.

El romance, contada la batalla, con sólo catorce versos llega al fin, en tanto que los relatos cronísticos prosiguen su reposada anda- dura narrativa, y en la *Crónica* manuscrita se necesitan treinta y un folios, y en la impresa, diez, para alcanzar el término de la conquista de Antequera. En estos densos versos, el romance muestra conocer en líneas generales la *Crónica* u otro texto histórico análogo, pues se refiere a la bastida que se montó para el asalto y a los tratos de la rendición. Y aún, el último verso que dice que Antequera se ganó «a loor de Santa María» tiene también cierta justificación en una Crónica particular[11].

Esta explicación nos permite formular una tendencia poética general del Romancero y es de que los romances son obras que logran una intensa condensación del contenido. El romance tiende a ser poesía esencializadora; siendo obra de extensión media, prefiere las formas breves. En el caso de una variedad de versiones (como ha ocurrido en este romance, contando con que sólo hemos utilizado tres de las muchas existentes) las que nos parecen mejores, según lo que llevamos dicho, son las breves por hallarse quintaesenciadas. Además se observa que las partes suprimidas son o las menos intensas o las que son menos necesarias para sostener la unidad de la pieza, entendida en un sentido poético. Esto no significa que ocurra siempre un proceso de esta naturaleza, pues hay romances que mantienen el conjunto de la narración expuesta, contando el «caso» de la narra- ción desde un principio hasta el fin. Por otra parte, un romance cuyo argumento cuente un asunto que el público conozca, pudo perder

---

[11] En la *Refundición de la Crónica del Halconero* se dice «Partido el Infante de Antequera, vínose derechamente para la çibdad de Toledo, y allí fizo fazer una villa de plata, fechura de una lánpara, que pareçiese a Antequera, porque así lo avía prometido a la Virgen María, que de toda la plata que él oviese en la frontera le ofreçería una villa tal como Antequera, fecha de plata, en una lánpara que ardiese ante su altar; y así lo cunplió allí, y por eso vino esa vez a Toledo». Edición de Juan de Mata Carriazo, Madrid, Espasa-Calpe, 1946, pág. 20.

algunas partes por quedar sobreentendido el resto; esto ocurriría con los romances que eran muy populares (en el sentido de que los conocía un público amplio), como los referentes al Cid, a Fernán González, etc., en los procedentes de asuntos extranjeros; o los tocantes a sucesos de la frontera como el de Antequera cuya solución era sabida de todos.

c) ROMANCES NARRATIVOS DE TEMA FICTICIO: «LA GENTIL DONA Y EL RÚSTICO PASTOR»

W. J. Entwistle [12] escribió un importante estudio sobre las *baladas* europeas. El término inglés se aplica al estudio de las *romance ballads,* que son los romances que pueden relacionarse por su asunto con el grupo europeo de las *ballads.* De esta manera estudia la representación en nuestra literatura a través del cauce poético del romance de este grupo. Entwistle encuentra que en comparación con los paralelos franceses e italianos, que son cantos de origen y desarrollo lírico, los españoles adoptan una disposición sobre todo narrativa, de tono objetivo, austero, con parte dramática (más que las *viser* escandinavas y otras baladas europeas), con una impresión de aparente historicidad y una ausencia de elementos sobrenaturales, todo ello establecido en un estilo singularmente uniforme. Además de referirse a los romances cuya materia fuese de naturaleza épico-histórica española, importa la consideración de los romances que narran asuntos procedentes de Francia, de libros de caballerías carolingios y bretones, y de los semicarolingios, que son baladas internacionales situadas en un contexto carolingio (como el «Conde Alarcos», «Don Dirlos» y «Gaiferos»), de origen germánico a veces; otros asuntos exponen otros argumentos como el de la malmaridada, el del prisionero, «Rosa fresca», etc. El Romancero se muestra, pues, como la modalidad poética que en España recibe y rehace la compleja materia baladística europea, con la que se relaciona también el abundante conjunto folklórico que refluye con la misma. En la época medieval la adopción de estas narraciones en forma de romance fue haciéndose cada vez más intensa en los distintos reinos de la Península y en sus lenguas.

---

[12] William Entwistle, *European Balladry,* Oxford, Clarendon Press, 1951, 2.ª ed.

Hemos escogido como muestra de esta clase de romances uno muy curioso y el primero que se documenta en la literatura hispánica: el llamado «romance de la gentil dama y el rústico pastor», que se conserva escrito en un manuscrito, fechado en 1421 (fol. 48) perteneciente a un mallorquín, Jaume de Olesa, estudiante acaso en Bolonia. En las páginas de este códice se habían reunido obras y anotaciones diversas, propias de un estudiante: citas sobre materias de Derecho, Gramática, Física, Retórica, etc., fórmulas jurídicas, el libro *De laudo schaccorum,* de Fray Jaime de Cessulis, y otras sobre literatura vernácula en catalán, entre las que se encuentra este romance.

a') *Versión según el texto del manuscrito de Jaume de Olesa* (1421)[13]

Gentil dona gentil dona
  Dona d*e* bell para∫∫er
2 los pes tjgo en la v*e*rdura
  Esperando e∫te pla∫er

Por hi pa∫∫a lle∫cudero
  me∫urado *e* cortes
4 l*es* p*a*raules que me dixo
  todes eren demores
  Thate e∫cudero e∫te coerpo
  E∫te corpo atu pla∫er
6 les titill*es* agudilles
  Quel brjal queran fender

Alli dixo le∫cudero
  no es hora detender
8 la mull*e*r tjngo fermo∫a
  figes he d*e* mantener
  Al ganado en la cierra
  Que ∫e me ua aperder

---

[13] Teniendo en cuenta la versión castellanizante de Diego Catalán que figura en la poesía siguiente, no hemos anotado las palabras del texto manuscrito, cuya significación puede establecerse a través de dicha versión.

10 els perros en les cadenes
    que no tienen que comer

    Alla vages mal villano
      Dieus te quera mal feſer
12 per hun poco de mal ganado
      Dexes coerpo de plaſer

    Leſcorraguda / es mal mj
    quero meſtra gil / e faſelo
    con dretxo / bien mj que
    ſu muger / qujm etxa en
    en ſon letxo

        b')   *El mismo romance en la versión castellanizante*
                      de Diego Catalán

    Gentil dona, gentil dona,
    dona de bell pareçer,
2   *los pies tigo en la verdura*
    esperando este plazer.

    Por y passa ll'escudero
    mesurado e cortés.
4   *Las paraulas que me dixo*
    todas eran d'amorés.
    —Thate, escudero, este cuerpo,
    este cuerpo a tu plazer,
6   *las tetillas agudillas*
    qu'el brial quieren fender.

    Allí dixo l'escudero:
    —No es hora de tender,
8   *la muller tingo fermosa,*
    fijas he de mantener,

2 *tigo:* tengo   6 *brial:* saya
4 *y:* allí   7 *tender:* atender

322

el ganado en la sierra
que se me ua a perder,
10   els perros en las cadenas
que no tienen que comer.

—Allá vayas, mal villano,
Dios te quiera mal fazer,
12   por un poco de mal ganado
dexas cuerpo de plazer.

L'escorraguda es:

Mal me quiere mestre Gil,
e fazelo con drecho.
Bien me quie[re] su muger
que'm echa en el son lecho.

EDICIÓN: Según los textos del volumen X del *Romancero tradicional*, titulado *La dama y el pastor,* Madrid, Gredos, 1977-1978, págs. 23-24, ed. Diego Catalán. La primera versión es paleográfica y la segunda es «una lectura de la versión de Jaume Olesa en que las grafías catalanizantes del original han sido sustituidas por las correspondientes castellanas» (pág. 24).

COMENTARIO: Se trata de uno de los romances más difundidos por España y por la tradición sefardí: en el mencionado libro de D. Catalán se recogen 26 versiones básicas, encabezadas por la recogida por Olesa, además de las formas de villancico glosado que ha obtenido. El asunto parece proceder de las pastorelas francesas o, al menos, se halla en relación con ellas; Menéndez Pidal lo considera como «una pastorela vuelta del revés» y «pastorela burlesca», y estudia la pieza, que ya considera dentro de la difusión tradicional.

c')   *Texto facticio, propuesto en la edición
de Diego Catalán*

Estase la gentil dama   passeando en su vergel
2   los pies tenía descalços   que era maravilla ver;
hablárame desde lexos,   no le quise responder.
4   Respondile con gran saña: —¿Qué mandáys gentil muger?
Con una boz amorosa   començo de responder:

6   —*Ven acá, el pastorcico,*   *si quieres tomar plazer;*
      siesta es de medio día,   *que ya es hora de comer,*
8   *si querrás tomar posada*   *todo es a tu plazer.*
      —*Que no era tiempo, señora,*   *que me aya de detener,*
10   *que tengo muger y hijos*   *y casa de mantener*
      e mi ganado en la sierra   *que se me yva a perder,*
12   *e aquellos que lo guardan*   *no tenían que comer.*
      —*Vete con Dios, pastorcillo,*   *no te sabes entender,*
14   *hermosuras de mi cuerpo*   *yo te las hiziera ver:*
      delgadica en la cintura,   *blanca so como el' papel,*
16   *la color tengo mezclada*   *como rosa en el rosel,*
      el cuello tengo de garça,   *los ojos d'un esparver,*
18   *las teticas agudicas*   *qu'el brial quieren hender,*
      pues lo que tengo encubierto   *maravillas es de lo ver.*
20   —*Ni aunque más tengáys, señora*   *no me puedo detener.*

EDICIÓN: Reuniendo los diversos pliegos sueltos, en la edición de Diego Catalán mencionada, págs. 40-41, se propone un texto facticio que reúne las varias lecciones de los mismos estableciendo una grafía media entre todos. La edición recoge el curso del romance, con los dos octosílabos de la pieza en línea de verso.

COMENTARIO: Puede observarse el gran poder del Romancero por atraer hacia su forma métrica asuntos como este, propios de otras modalidades de verso; aun en el caso de que el mismo asunto desarrolle la forma paralela del villancico, el curso histórico del romance sigue pujante manteniendo el atrevido texto a través de una intensa difusión folklórica. La parte inicial de la pieza es posible que fuese el ofrecimiento amoroso de la dama elogiando con picardía erótica su belleza; el rechazo del galán puede haber surgido por una «refundición moralizadora» (según Menéndez Pidal)[14] de la que la versión de Olesa sería una muestra incompleta, con la conversión del pastor rudo, que no sabe apreciar las dotes corporales de la dama, en el personaje de mejor condición (mancebo, escudero, caballero)[15]. La

---

17 *esparver:* gavilán

---

[14] R. Menéndez Pidal, *Romancero hispánico, ob. cit.,* I, págs. 339 y 340.
[15] *Ibidem,* pág. 340.

pieza ha sido muy estudiada e interpretada por Leo Spitzer [16] de una manera simbólica: la dama sería representación de las fuerzas ocultas de la Naturaleza (una *silvatica*) que pretendería hechizar con el poder de su hermosura al hombre, que resistiría la atracción con el rechazo.

d) EL ROMANCE CORTÉS DE AUTOR:
«ROMANCE DE LA CONQUISTA DE GRANADA»
POR JUAN DEL ENCINA

Juan del Encina (1468-fines de 1529 o comienzos de 1530) publica su *Cancionero* en Salamanca, 1496. En el límite de la Edad Media el romance es un orden de composiciones que usan los poetas para su obra escrita; lo mismo que en el romance de la tradición, es una forma que constituye una canción, acompañada de una deshecha para subrayar aún más su carácter lírico. En este caso Encina ofrece la versión lírica de un acontecimiento histórico que pudo obtener condición épica, la conquista de Granada:

ROMANCE DE LA CONQUISTA DE GRANADA
POR JUAN DEL ENCINA

   —¿Qu'es de ti, desconsolado,
qu'es de ti, rey de Granada?
¿Qu'es de tu tierra y tus moros,
dónde tienes tu morada?
5 *Reniega ya de Mahoma*
y de su seta malvada,
que bivir en tal locura
es una burla burlada.
Torna, tórnate, buen rey

6 *seta:* secta

---

[16] Leo Spitzer, «Notas sobre Romances españoles, I. Observaciones sobre el romance florentino de Jaume de Olesa...», *Revista de Filología Española,* XXII (1935), págs. 153-158. Véase también Mercedes Díaz Roig, *El Romancero y la lírica popular moderna,* México, El Colegio de México, 1976, págs. 211-215.

10 a nuestra ley consagrada,
    porque, si perdiste el reino,
    tengas el alma cobrada.
    De tales reyes vencido
    honra te deve ser dada.
15 —¡O Granada noblecida,
    por todo el mundo nombrada,
    hasta aquí fueste cativa
    y agora ya libertada!
    Perdióte el rey don Rodrigo
20 por su dicha desdichada,
    ganóte el rey don Fernando
    con ventura prosperada,
    la reina doña Isabel,
    la más temida y amada:
25 ella con sus oraciones,
    y él con mucha gente armada.
    Según Dios haze sus hechos
    la defensa era escusada,
    que donde Él pone su mano
30 lo impossible es casi nada.

VILLANCICO SOBRE EL MISMO ASUNTO

    Levanta, Pascual, levanta,
    aballemos a Granada,
    [que se suena qu'es tomada].

EDICIÓN: Según la versión de R. O. Jones y Carolyn R. Lee en
Juan del Encina, *Poesía lírica y Cancionero musical,* Madrid, Castalia,
1975, págs. 90-91, que recoge el texto del *Cancionero* de Encina
(Salamanca, 1496, fol. LXXXVII). Publica este texto con unas modificaciones: regularización de *u/v, i/j/g/y, h-, e* como *y, c-* por *q-*,
puntuación y acentuación según el uso moderno y otras ligeras
rectificaciones. La música propuesta para el romance, en la pág. 286.

COMENTARIO: Romance y villancico están relacionados de una
manera sustancial por el asunto: el poeta es intérprete de la alegría de
la gente de los reinos de España por el término de la guerra contra los

32 *aballemos:* bajemos

326

moros. El romance apunta primero hacia el vencido Rey de los moros, al que se invita a que se convierta a la fe de los vencedores; después se vuelve a Granada, a la que el poeta explica las razones de su libertad, que en último término son teológicas. Encina escribe el romance contando con la tradición morisca que respeta al moro combatiente y por eso le propone la solución de convertirse, aunque esto sea imposible; con la caída de Granada la frontera desaparece, y el moro que queda en tierra cristiana es un súbdito difícilmente asimilable, y al que la defensa de su religión y de los tratos de convivencia convierten en algunos casos en un rebelde, como ocurriría en el siglo XVI. En el romance de Encina, escrito en la alegría cortesana del hecho, se presiente la desgraciada suerte del Rey y de los habitantes moros de Granada.

El granadino es aún *buen rey* (v. 9) al que debe ser dada la *honra* que merece como tal (v. 14). La *libertad* de Granada (v. 18) cierra el paréntesis que abrió *don Rodrigo* (v. 19) por obra de don Fernando y doña Isabel. Don Rodrigo es un rey muy mencionado en la literatura con triste fama; los Reyes Católicos entraban entonces en la literatura de la mano de sus poetas cortesanos. En este mismo punto acaba la consideración medieval vivida de la frontera con los moros, y se inicia otra nueva que ha de durar mucho tiempo con la sombra histórica de la situación pasada; de esta otra consideración vimos un ejemplo en el romance de Búcar. El romance de Encina está en la encrucijada misma y el villancico de la deshecha, convenientemente glosado, nos ofrece la otra perspectiva, la de Pascual, un pastor del teatro primitivo, con su rústica habla sayaguesa, que habla con un compadre, y los dos celebran a su manera las «nuevas» de «que se suena qu'es tomada» la ciudad de Granada.

En este caso el romance es de un autor que lo recoge entre su obra literaria. Juan del Encina se encuentra en la línea del Romancero escrito premeditadamente por un poeta en una ocasión determinada. Este romance, redactado al hilo de los hechos a que se refiere, no entra, sin embargo, en la tradición folklórica; es una pieza para un círculo cortesano, destinada probablemente a ser letra de una canción. Aun siendo así, el romance impone una peculiaridad expresiva que en este caso se manifiesta por la sencillez del léxico y una ordenación sintáctica en períodos que son, en gran parte, de cuatro versos (o sea, en disposición de coplas); por eso hemos destacado los versos 1-4, interrogación dirigida al rey de Granada en la primera parte de la composición; y después lo hemos hecho con los versos 15-18, una admiración que se configura como copla central, con rima asonante en los impares y consonante en los pares, que es el motivo central que podía repetirse las veces que fuera necesario. Con esto hemos demostrado el enorme poder de adaptación y que continuaría después en las épocas siguientes.

ÍNDICE DE AUTORES, OBRAS, PERSONAS, PERSONAJES, LUGARES Y TEMAS DE LOS TEXTOS DE LA ANTOLOGÍA

ESTE LIBRO
SE ACABO DE IMPRIMIR
EN LOS TALLERES GRAFICOS
DE ANZOS, S. A.
FUENLABRADA (MADRID)
EN EL MES DE NOVIEMBRE DE 1991